Corse

Ce guide a été établi par **Corinne Langlois**.
Illustrations : **Emmanuel Guillon**, architecte.
Édition : **Françoise Dupont**, **Sonia Houck**.
Conception graphique et réalisation : **Dominique Grosmangin**, avec la collaboration d'**Ariane Tersac**.
Correction : **Brigitte Robert**, **Pascale Gueret**.

Crédit photographique :
Toutes les photographies de cet ouvrage ont été réalisées par **Éric Cattin**. À l'exception des photographies suivantes réalisées par : **J. Debru** : p. 13 (b); 15 (c); 39 (b); 45 (h); 46; 48 (b); 103; 263 (b); 294 (h); 298 (b, d). **A. Lorgnier-VISA IMAGE** : p. 15 (b); 16 (h); 26; 27 (c, b); 36; 37; 38; 39 (h); 40 (h); 42 (b); 45 (b); 46; 48 (h); 50 (b); 51; 52 (h, b); 54 (b, c); 61 (b); 68 (b); 69 (h); 71 (b); 137 (c); 139 (h); 156 (h); 152; 153 (c); 224 (h); 225; 228 (h); 229 (c); 286; 291 (h); 294 (b); 295; 298 (d); 299 (d); 301 (c). **Éditions Albin Michel** : p. 43. **Photothèque Hachette** : p. 44 (h); 47; 60 (b); 64 (h); 67. **Droits réservés** : p. 53.

Aussi scupuleusement établi soit-il, ce guide n'est pas à l'abri des modifications de dernières minutes, des erreurs ou omissions. Ne manquez pas de nous faire part de vos remarques. Informez-nous aussi de vos découvertes personnelles : nous accordons la plus grande attention au courrier de nos lecteurs.

Hachette Tourisme, 43, quai de Grenelle, 75905 Paris Cedex 15.

Corse

sommaire

SOMMAIRE

mode d'emploi

MODE D'EMPLOI

Découvrir

Chaque section de la partie **Découvrir** est représentée par une couleur différente.

Les onglets ■ et ■ se rattachent ainsi aux sections **Cadres de vie** et **Histoire**.

Visiter

La carte régionale de la Corse des pages de garde se découpe en différentes petites régions reprises dans la partie **Visiter**.

À chaque petite région est attachée une couleur définie pour tout l'ouvrage. Les onglets des pages concernées par ces régions reprennent ces mêmes couleurs. Ainsi, les onglets ● et ● se rattachent aux petites régions « La Balagne » et « Le Liamone » définies sur la carte générale de la page de garde.

Dans la partie **Visiter**, les pages **Comprendre** racontent l'histoire d'un site ou d'un monument important, présentent un terroir, un savoir-faire ou un espace naturel :

Découvrir

SOMMAIRE

Les paysages

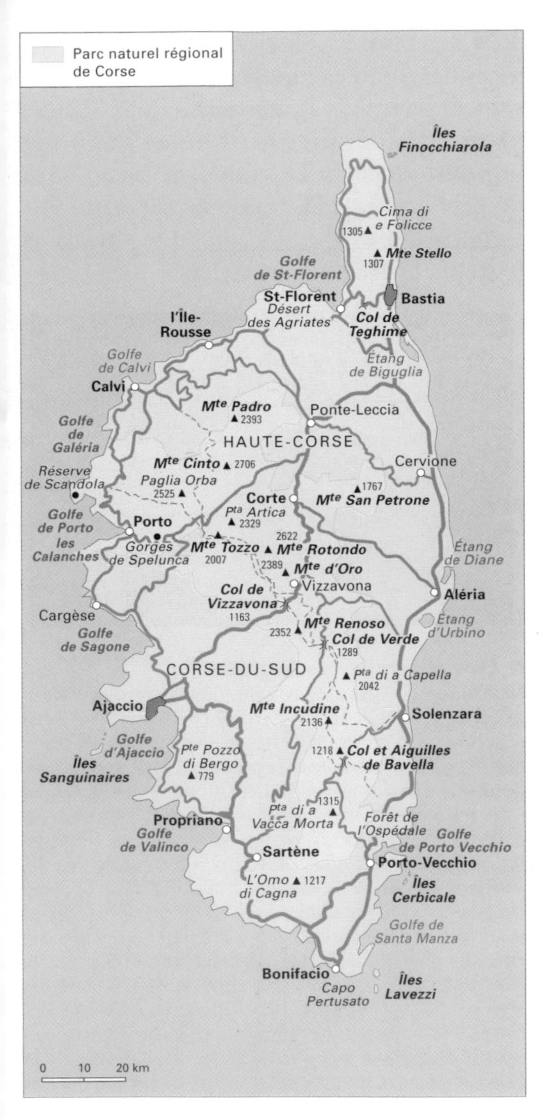

◀ *Vue de la Punta Cataraghiu.*

La réserve naturelle de Scandola **p. 156**
920 ha sur terre et un millier sur mer. Un relief particulier et des fonds marins d'une richesse fabuleuse.

Le désert des Agriates **p. 123**
Un pays d'émotions et de sensations fortes, le royaume des parfums et des couleurs.

Le Monte Renoso **p. 192**
2352 m : l'un des cinq grands belvédères de la Corse. Du sommet, panorama exceptionnel.

Les gorges du Prunelli **p. 193**
Dans une région verdoyante et montagnarde qui offre de nombreuses possibilités de randonnées en forêt ou d'excursions en montagne.

Les gorges de la Restonica **p. 282**
Une vallée encadrée de crêtes de roches dorées, couronnées de pins.

Le Monte Cinto **p. 277**
Avec ses 2716 m, c'est le point culminant de la Corse. Du sommet, par temps clair, on peut apercevoir Nice.

La forêt d'Aïtone **p. 163**
Sans doute l'une des plus belles forêts de Corse. Chemins et sentiers en font un lieu privilégié de randonnée.

La forêt de Vizzavona **p. 290**
De nombreux sentiers sillonnent la forêt : torrents, rochers, bergeries et belvédères sont au rendez-vous.

Le Parc naturel régional **p. 292**
Un véritable répertoire des richesses naturelles de la Corse : calanques et plages, lacs et torrents, sentiers…

Le golfe de Porto **p. 154**
Une perle côtière protégée par un écrin montagneux. L'un des sites naturels les plus visités de Corse.

CARTE P. 9

La montagne

Née d'accidents géologiques qui ont créé son insularité, la Corse conserve les cicatrices des ruptures topographiques qui opposent moyenne et haute montagne, vallées profondes, cirques grandioses et gorges impressionnantes. La montagne est au cœur de l'île, partout la masse de ses sommets s'impose au regard, découpant le paysage et barrant l'horizon de ses crêtes.

► *Les roches rouges ou noires plongeant dans la mer composent le paysage de Scandola, née d'une violente éruption volcanique à la fin de l'ère primaire.*

■ Une diversité géologique

À l'origine, il y a quelques centaines de millions d'années, la Corse et la Sardaigne formaient un seul ensemble relié au continent au niveau des Pyrénées et des Alpes. L'île offre une surprenante variété de reliefs pour une surface aussi réduite et présente pratiquement tous les types de formation géologique. La Corse est déformée par les mouvements qui se sont succédé jusqu'au quaternaire, ont exalté la partie centrale de l'île, formant un massif montagneux dont la ligne de crête culmine au Monte Cinto à 2 716 m, affaissé le nord pour former la plaine de Balagne, maintenu le sud à des altitudes plus modestes et rompu les continuités avec la Sardaigne et la côte toscane. L'île est divisée en trois régions d'âges et de structures différents. À l'ouest, des terres anciennes, généralement cristallines, qui ont donné naissance aux sommets les plus élevés de la Corse, de hautes montagnes, proches de la mer, qui ont découpé le littoral d'à-pics vertigineux ou de golfes profonds (Porto ou Valinco). À l'est, des schistes tourmentés, plissés, dont le relief moins élevé s'étend du cap Corse à la région de la Castagniccia. Au centre, une zone

▲ *La grande diversité géologique des roches, l'originalité de leur mise en place et leurs différences de résistance à l'érosion donnent un aspect très particulier au relief de Scandola, comme ici, les grandes falaises avec orgues dyolitiques.*

de faible altitude (600 m) relie ces deux Corses montagneuses et délimite les deux régions historiques que sont l'Au-Delà et l'En-Deçà-des-Monts.

▲ *Le Monte Genova vu du désert des Agriates.*

Richesse minérale et beauté des roches

Cette alchimie géologique a fait naître une richesse minérale qui donne à la Corse la grandeur de ses paysages et la variété de leurs couleurs. La violence de la tectonique et du climat met en valeur le roc ou l'escarpement. Creusée par l'érosion, la roche prend des formes tourmentées, les *tafoni* se font sculptures minérales aux profils inquiétants. En plus des formes s'ajoute le jeu des couleurs : on relève toutes les nuances du granit, du gris au rose ; granulites et porphyres se parent de teintes plus accusées du rose au rouge et les schistes gris-vert renforcent la magie des paysages du cap Corse. À l'extrême sud, Bonifacio et ses puissantes falaises de calcaire confirment l'extraordinaire diversité des paysages de la Corse.

Un climat régulé

Grâce à la montagne, la Corse se charge de paradoxes. Alors que la mer lui offre un climat méditerranéen, la montagne modère les températures et constitue en été une réserve de fraîcheur. La mer charge d'humidité les vents qui assaillent le relief corse. Les hauts sommets jouent un rôle d'écran, accrochent les pluies et font de la Corse une île verte à la pluviométrie exceptionnelle. L'ensemble de l'île enregistre en effet, avec 900 mm d'eau par an, une pluviométrie supérieure à la moyenne générale de la France ; une moyenne qui doit être modulée en fonction des vents, dont le relief aggrave ou retient la puissance. Alors que dans les altitudes moyennes elle peut s'élever à 1 200 mm et même 1 600 mm, la moyenne d'Ajaccio est de 720 mm, celle de Bastia de 982 mm, pour n'atteindre à Bonifacio que 560 mm. Ces différences saisonnières et climatiques s'inscrivent dans les différents étages du manteau végétal du relief corse.

▲ *Le Monte Renoso est le point culminant de la longue arête qui joint les cols de Vizzavona et de Verde.*

Torrents, lacs et rivières

Aux multiples lacs glaciaires disséminés au creux des reliefs s'ajoutent d'innombrables rivières et torrents qui font de cette montagne un véritable château d'eau. La Corse abrite un grand nombre de sources thermales connues et réputées depuis l'Antiquité. Ainsi, on trouve des eaux sulfureuses comme celles de Pietrapola, Guagno ou Baracci et des eaux ferrugineuses comme celles d'Orezza.

Rivières, torrents et lacs

Sillonnée de multiples cours d'eau, de torrents, de lacs et de rivières, la montagne corse s'est trouvée sculptée au fil de son histoire par cette activité hydraulique intense. Par rapport à sa surface, la Corse a une alimentation en eau qui atteint presque le double de celle du Bassin parisien et l'emporte sur celle du Massif central. Les principaux fleuves ont creusé leur haute plaine : le Taravo, la gouttière de Zicavo ; le Prunelli, la cuvette de Bastelica ; le Porto, la châtaigneraie d'Evisa et les gorges de la Spelunca ; le Golo, le plus long fleuve de l'île, creuse la conque du Niolo (15 km de long et 10 km de large), s'élevant en amples versants jusqu'aux sommets du Cinto, du Tozzo et de la Punta Artica.

▲ *Les gorges du Prunelli.*

Une grande diversité végétale

La forte altitude et la diversité des sols morcellent le pays en paliers aux caractères et à la végétation particuliers. Les plaines littorales, en dessous de 200 m, couvrent 30 % du pays avec 261 000 ha. La moyenne montagne, la plus vaste, entre 200 et 1 000 m, représente la Corse typique, associant un paysage aride de roches dénudées à un dense manteau végétal. La haute montagne ne représente que 19 % du territoire, mais c'est la plus originale, celle qui fait la spécificité de l'île dans le monde insulaire méditerranéen, avec ses réserves hydrauliques et ses forêts. Séparée du continent avant le quaternaire, la Corse renferme un grand nombre d'espèces endémiques : 121 espèces ou sous-espèces de plantes sauvages ne se trouvent nulle part ailleurs dans le monde, on les dit « endémiques corses ». La plus remarquable est sans conteste le pin laricio, très abondant à partir de 1 000 m et jusqu'à 1 600 m d'altitude, où il forme, autour du massif du Cinto par exemple, de splendides forêts. Au-delà, à l'étage de haute montagne, la végétation n'est constituée que de fourrés bas ou d'arbrisseaux nains. L'influence de l'homme pendant des siècles a profondément modifié cette répartition, avec l'introduction notamment de fruitiers à des altitudes exceptionnelles. Dans le Niolo, on trouve, depuis le XIXe s., de

► *Les gorges de la Restonica, situées dans le Parc naturel régional, sont classées depuis 1966.*

La Corse, terre de hauts sommets

Malgré sa faible superficie (8 680 km²), la Corse compte plus de quarante sommets qui culminent à plus de 2 000 m. Parmi eux, le Monte Cinto, 2 716 m, mais aussi le Monte Padro, 2 392 m, le Monte Rotondo, 2 622 m, le Monte d'Oro, 2 389 m, le Monte Renoso, 2 352 m et l'Incudine, 2 128 m.

◀ *Les troupeaux de chèvres se sont adaptés au relief de l'île et vont dans les lieux les plus inattendus.*

la vigne à 800 m d'altitude. Sur les versants sud, le pommier et le cerisier fleurissent à presque 1 000 m. La Corse présente également une grande richesse de plantes à fleurs et de fougères.

■ Un lieu de randonnée et de sports de glisse

Pendant des siècles, la montagne fut pour l'homme à la fois un obstacle et un refuge. Elle a imposé à cette civilisation agro-pastorale la rudesse de son climat, l'aridité de ses sols et le cloisonnement de ses vallées. La montagne, qui a engendré la pauvreté du pays et la difficulté d'y survivre, est aujourd'hui un fabuleux patrimoine naturel et touristique. Les anciens sentiers de transhumance sont devenus des chemins de randonnée pour des promeneurs avides de découvrir une nature sauvage et belle. L'un d'entre eux, le GR 20, en est sans conteste le fleuron. Les barrières rocheuses et les crêtes longtemps inaccessibles offrent la verticalité de leurs parois aux alpinistes et aux adeptes de l'escalade. Les neiges des hauts sommets deviennent de vastes domaines skiables où peuvent être pratiqués le ski de randonnée, le ski de fond et le ski alpin.

▼ *Animal fétiche de l'île, le mouflon parcourt en hardes les grands espaces que protège le Parc naturel régional.*

Les pozzines

À proximité des sources, des torrents ou des lacs, ces endroits, dont le nom vient de l'association du mot corse pozzu *ou puits et du mot alpine, ressemblent à s'y méprendre à des tourbières et constituent les vestiges de lacs glaciaires. Ce milieu humide abrite une faune et une flore d'une grande richesse comme des écrevisses ou des plantes carnivores.*

Une terre de bergers

L'économie pastorale a été pendant des siècles l'activité principale de cette terre et même si, aujourd'hui, les bergers ne sont plus aussi nombreux, le Niolo en a conservé les traces à travers les bergeries et refuges que l'on découvre au détour d'anciens chemins. Confrontée aux problèmes de désertification, la région voit se dessiner pour elle une nouvelle vocation portée par l'extraordinaire richesse de son environnement. Parcouru de sentiers, et parsemé de refuges, le Niolo est devenu le lieu d'élection d'un tourisme sportif, avide de nature et de lieux sauvages.

CARTE P. 9

▲ *La forêt de Sorba.*

L'Office national des Forêts organise des visites guidées avec un forestier. Renseignements : ☏ 04 95 23 78 21.

Le pin laricio

Beau mais fragile, il se contente de sols pauvres mais ne résiste guère à la tempête. On le rencontre surtout de 1 000 à 1 800 m d'altitude. C'est l'arbre dominant des forêts d'Aïtone, du Valdo-Niello et de Vizzavona. Sa silhouette vertigineuse, qui peut atteindre jusqu'à 40 m de haut et 2 m de diamètre, s'accroche aux parois abruptes des ravins. Son écorce grisâtre, dont les lamelles se décollent « en jeu de patience », le protège contre les atteintes du feu.

La forêt

Île méditerranéenne et montagneuse, la Corse est aussi une île verte, dont Diodore de Sicile, Polybe et Strabon relevaient « la sauvagerie d'un monde forestier exubérant ». Ces forêts primitives d'aulnes, de charmes, de résineux, de chênes et de buis furent exploitées dès l'époque romaine.

■ Témoin de l'activité humaine

Le paysage géographique de la Corse, pays essentiellement rural, a été profondément modifié par l'activité de l'homme. Les forêts « naturelles » ont reculé pour laisser la place à d'autres plantations. Les hommes ont pratiqué la coupe et le brûlis ; or le feu, moyen séculaire de substituer l'herbe à la forêt, est un auxiliaire dangereux. Lorsqu'elle n'a pas été remplacée par des terres de culture, la forêt s'est modifiée par l'apport d'espèces nouvelles. Néanmoins, elle occupe près du quart du territoire, constituant un extraordinaire patrimoine naturel. Les massifs forestiers se répartissent sur l'ensemble de l'île. Dans les stations d'altitude, à partir de 1 000 m, le laricio, le hêtre et même le sapin se marient. Ce patrimoine fragile fait l'objet d'une surveillance attentive.

■ La forêt domaniale du Fango

Au nord de Porto, c'est l'une des plus remarquables forêts de chênes verts du bassin méditerranéen. Elle constitue par sa richesse un important support de recherche sur la faune et la flore.

■ La forêt de Bonifato

Au sud de Calvi et surplombant le golfe de Porto, elle abrite des arbres centenaires. Le long de ses sentiers, les promeneurs rencontreront peut-être le mouflon corse, qui se réfugie dans un cirque aux parois vertigineuses.

■ La forêt d'Aïtone

Au-dessus du golfe de Porto, proche des gorges de la Spelunca, ce massif forestier, exploité dès l'époque génoise, est constitué de pins laricio.

■ La forêt de Pineta

Proche d'Ajaccio, étagée entre les vallées du Prunelli et du Taravo, elle est principalement formée de pins maritimes.

■ La forêt de Vizzavona

La plus célèbre forêt est située au centre de la zone montagneuse, à égale distance d'Ajaccio et de Bastia. Surplombée par le Monte d'Oro, elle abrite plusieurs essences dont le pin laricio, le Douglas et le chêne vert.

Le maquis

CARTE P. 9

Ce dédale végétal touffu et impénétrable symbolise l'image de cette Corse mystérieuse, lieu de légendes, de vendettas et de bandits, qui a donné naissance à la célèbre formule « prendre le maquis ». Cette végétation dense aux multiples espèces odorantes participe largement à cette parure de verdure qui caractérise la Corse et en fait sa singularité.

■ Une forêt dégradée

Le maquis offre une variété infinie de végétaux. L'enchevêtrement de lianes, de chèvrefeuille et de vigne sauvage constitue un véritable labyrinthe. Étagé jusqu'à 1 000 m d'altitude et pouvant atteindre 5 à 6 m de hauteur, il semble avoir remplacé une forêt primitive détruite par l'activité humaine ou les incendies. Entre forêts, terres de culture et lieux de pacage, le maquis, qui couvre en Corse près de 300 000 ha, est d'une utilité souvent sous-estimée : il retient la terre sur les pentes, évitant l'érosion après les pluies et la désertification. Réserve de bois, producteur de baies, de feuilles et de fleurs dont le gibier se nourrit, il constitue un véritable no man's land et une réserve de choix pour les botanistes, qui peuvent y répertorier de multiples espèces parmi lesquelles la bruyère, le lentisque, la myrte, l'oléastre, le ciste de Montpellier et des plantes à racines longues ou à bulbes, capables de tirer du sol l'humidité qui leur est nécessaire.

■ Un milieu riche mais fragile

Victime d'incendies, le maquis tend à se dégrader. Le ciste devient prédominant et une steppe discontinue à graminées ou une lande s'installent. À des altitudes plus élevées ou en lisière des forêts, la fougère, plante colonisatrice, tend à se substituer à un sous-bois plus varié. Malgré son aspect sauvage, le couvert végétal porte le témoignage de l'activité humaine, des diverses cultures qui ont pu être pratiquées et des incendies qui le ravagent fréquemment, éliminant définitivement certaines espèces végétales comme l'arbousier ou la bruyère arborescente.

■ Le genévrier

Plusieurs espèces de genévriers peuplent le maquis. Ces arbustes touffus à feuilles épineuses fournissent en abondance de petites baies violettes auxquelles on prête des vertus diurétiques. Son bois a une caractéristique intéressante : il ne pourrit jamais, même dans l'eau de mer. Certains spécimens centenaires recouvrent la crête du Capo San Petro.

▲ *De petite taille, assez sombre, le cochon local dériverait du sanglier par domestication.*

▲ *Les cistes cotonneux forment des arbustes aux fleurs vives.*

▲ *De nombreux oiseaux vivent en Corse et le maquis est une véritable volière. Ici, un épervier.*

CARTE P. 9

La végétation

La Corse est l'île la plus verte de la Méditerranée. Les plantes à fleurs et les fougères font sa richesse tandis que les cultures, surtout sur la côte orientale, couvrent une importante superficie : agrumes, kiwis, avocatiers, etc. Mais il faut espérer qu'elle gardera l'originalité de sa flore en dépit des nombreux incendies qui la ravagent.

▲ *Les bogues des châtaignes servent à fumer les vergers.*

■ 0-600 m : l'étage méditerranéen inférieur

Très près de la mer vivent les espèces qui supportent le sel : salicornes, genévriers oxycèdres à gros fruits, etc. Sur les plages, on trouve d'énormes quantités de feuilles mortes de posidonies qui intriguent les touristes. Malgré leur nom corse, *alga*, ces plantes sous-marines fleurissent, et elles fructifieraient davantage si certains poissons ne mangeaient pas un grand nombre de leurs boutons. La présence de ces herbiers prouve que la mer sur les côtes corses n'est pas polluée. Non loin de ces gazons maritimes commence le maquis bas avec deux sous-espèces de cistes de Crète à fleurs roses. Les myrtes s'observent à cette altitude. Entre les arbustes, maintes plantes au violent parfum voisinent avec de nombreuses orchidées (la Corse en compte 62 espèces). Les immortelles d'Italie et les lavandes des Stéchades sont particulièrement abondantes. Le parfum de l'île de Beauté est célèbre, et la phrase de Napoléon souvent citée : « Je reconnaîtrais la Corse les yeux fermés grâce à son odeur...» À l'automne, l'inule vis-

► *Le genêt corse à la Punta Cataraghiu.*

Endémique n'est pas toujours synonyme de rare puisque deux espèces endémiques vivent dans le maquis : le genêt corse, si épineux, et l'épiaire poisseux.

queuse, très odorante, fleurit au bord des routes par milliers, mais jamais dans le maquis. Les chênes verts ont une grande longévité et forment de belles forêts sur les sols pauvres tandis que les chênes-lièges exigent un sol plus profond. Au-dessus de 600 m, les châtaigniers sont très nombreux.

▲ *L'eucalyptus est un arbre exotique qui dégage un parfum enivrant.*

■ 1800-2710 m : l'étage subalpin et alpin

Jusqu'à 1 800 m, c'est l'étage montagnard, où l'on trouve les hêtres qui, quoique moins sensibles aux incendies, sont peu appréciés des forestiers. En sous-bois, il y a les genévriers alpins ; les clairières offrent le thym erbabarona, le thym aux chats, etc. Dans les lieux humides, deux plantes carnivores, les grassettes corses et les droséras à feuilles rondes, piègent les petits insectes. Au-dessus des forêts, surtout à l'ubac, se trouvent les aulnes odorants, sous-espèce endémique de l'aulne vert des Alpes. Leur nom corse, *a bassu*, leur convient parfaitement car ils sont prostrés sur le sol ; longues de 3 m, leurs souples branches sont enchevêtrées. Ils ne sont pas combustibles lorsqu'ils sont vivants ; il n'y a donc pas d'incendies aux hautes altitudes. Malgré un enneigement important, les avalanches, grâce à eux, sont rares. Dans les fissures des rochers, on peut admirer les immortelles des frimas et d'autres endémiques aux fleurs ravissantes : les myosotis corses au parfum de miel et les chrysanthèmes laineux. Il faut savoir que la plupart de ces fleurs sont interdites de cueillette par la loi. Une liste nationale parue au *Journal officiel* en 1982 cite ces espèces protégées. Sur la plage de Venzolasca, au lieu-dit Mucchiatana, on trouve les derniers spécimens de genévriers oxycèdres. C'est une précieuse réserve botanique que le Conservatoire du littoral s'efforce de préserver. Cette espèce, fréquente autrefois sur le pourtour méditerranéen, est en voie de disparition, et des graines sont périodiquement adressées aux botanistes de divers pays.

■ Espèces naturalisées

Les 310 espèces étrangères naturalisées dans l'île vivent en basse altitude. Les plus remarquables sont l'agave d'Amérique, l'aloès, qui est en fleur en janvier, et les figuiers de Barbarie, divisés en deux sous-espèces, l'une d'elles ayant des fruits comestibles. Les eucalyptus ont été introduits en 1866 pour dessécher les marécages. Un oxalis à fleurs jaunes, introduit involontairement en 1833, est envahissant jusqu'à 150 m d'altitude dans les terres cultivées du cap Corse. Les mousses et lichens sont représentés par des centaines d'espèces et les champignons sont également très présents.

▲▲ *Originaire d'Amérique tropicale, le figuier de Barbarie fut introduit en Corse au XVIe s.*

CARTE P. 9

Le littoral
les dunes et les espaces naturels

Sculpté par la montagne, le littoral de Corse oppose deux reliefs différents : à l'ouest une côte rocheuse, découpée, taillée de profonds golfes ; à l'est un littoral adouci par de longues plages de sable et bordé par des plaines alluviales. Au total, si l'on compte les lignes droites et les courbes, le littoral corse aligne plus de 1 000 kilomètres de côtes, soit un cinquième du territoire français et plus de la moitié du littoral méditerranéen français.

Les brigades vertes, équipées de véhicules tout-terrains, surveillent les terrains du Conservatoire.

■ Invasions et pillages

La Corse est une île, c'est une évidence, mais les Corses ne sont pas des marins. Cette situation au milieu d'une mer d'où ne venaient qu'invasions et pillages et bordée par un littoral où sévissaient la malaria et le paludisme eut pour conséquence de détourner les habitants de cet espace hostile pour se réfugier vers la montagne devenue citadelle. Le littoral conserve toutefois, par la présence de ses multiples tours, un grand nombre de vestiges de l'histoire de la Corse. Car les peuples colonisateurs ont trouvé, sur cette île située au carrefour des routes maritimes, un lieu d'échange et de commerce.

■ La redécouverte d'un milieu unique et sauvage

Longtemps, ces terres du littoral eurent mauvaise réputation. Ainsi, la coutume voulait qu'on donne les terres de montagne aux garçons, réservant ces endroits insa-

► *Tizzano est aujourd'hui une station balnéaire avec un petit port de pêche.*

◄ *Les plages de Saint-Florent.*

lubres aux filles. Il y a quelques décennies, un grand nombre de ces terres et plaines du littoral furent vendues à des financiers porteurs de projets touristiques. Seuls quelques-uns furent réalisés. Après avoir échappé dans son ensemble à la vague de spéculations immobilières, le littoral fait désormais l'objet d'une protection attentive de la part du Conservatoire du littoral. Créé en 1976, cet organisme mène une politique d'acquisition d'espaces. Des sites remarquables ont été classés réserves naturelles pour assurer la préservation d'espèces animales ou végétales. Certaines d'entre elles sont des étapes sur la grande voie de migration de la faune sauvage. Au total, plus de 10 000 ha d'espaces ont été acquis, soit 13 % des rivages de l'île. Une quarantaine de sites ont ainsi été définitivement préservés, parmi lesquels les Agriates, Campomoro-Senetosa, Scandola et les archipels des Lavezzi.

■ Les îles de l'île

Côte rocheuse et déchiquetée, le littoral corse a essaimé un grand nombre de roches et de rochers constituant une myriade d'îles et d'îlots. Au total, on en dénombre 89 autour de la Corse. Certains ne sont que de simples rochers pelés, battus par les vagues, d'autres de véritables microcosmes. Dans le détroit de Bonifacio, les six îles de Lavezzi qui le constituent sont la partie émergée d'une langue rocheuse séparant la Corse de la Sardaigne. L'archipel est désert et protégé en dehors de Cavallo, la plus grande des îles, qui est devenue, à l'instigation de Jean Castel, « empereur des nuits parisiennes », le refuge des milliardaires qui y ont édifié de fastueuses résidences. Ses eaux d'une grande richesse ont permis d'inventorier 68 espèces de poissons, dont le mérou, poisson emblématique de la Corse aujourd'hui protégé, et dont la population prolifère dans ce lieu auquel on a donné le nom de « Mérouville ».

- Au nord-est de Porto-Vecchio, les îles Cerbicales, classées réserve naturelle, accueillent des reptiles comme le

▲ *La côte ouest regorge de petites criques et d'anses peu fréquentées.*

► *Le Lion de Roccapina est une étonnante sculpture naturelle de granit rose.*

lézard tyrrhénien et un grand nombre d'oiseaux marins nicheurs tels que les cormorans huppés, les pétrels, les puffins cendrés et les goélands d'Audoin.

- À la pointe du cap Corse, les îles Finocchiarola font partie de la commune de Rogliano. La réserve a été créée pour la protection du goéland d'Audoin.
- Sur la côte occidentale, au nord de Girolata, les 18 ha de l'îlot de Gargalo conservent un couvert végétal primitif et accueillent sur leurs rochers des couples de balbuzards.

En période estivale, la plupart de ces îles sont desservies par des navettes qui offrent aux touristes la possibilité de découvrir la richesse d'une faune et d'une flore terrestres ou aquatiques intactes et préservées.

■ Les dunes

Les dunes du Ricanto à Ajaccio constituent un biotope d'une grande richesse. Elles abritent la seule colonie d'escargots de Corse.

Ces larges bandes de sable fin, formées au fil des siècles, subissent aujourd'hui les atteintes des activités économiques et touristiques. L'urbanisation, l'aménagement du littoral, le camping sauvage et l'érosion font reculer le rivage et attaquent ces milieux porteurs d'espèces végétales lourdement menacées. Parmi elles, le genévrier à gros fruits que l'on ne trouve que sur les côtes méditerranéennes. À Mucchiatana, il occupe plus de 2 km de rivage ; à Palombaggia, il voisine avec le genévrier de Phénicie et le pin parasol, tandis qu'à Pinia, il borde une vaste forêt de pins maritimes. Protégé par la loi et présent uniquement sur les dunes, cet arbuste a entraîné le classement d'un certain nombre de sites, désormais propriétés du Conservatoire du littoral : Barcaggio, Saleccia, Palombaggia, Tamaricciu, Roccapina et Campomoro. Des clôtures en châtaigniers ont été plantées pour restaurer les dunes dégradées et retenir le sable transporté par le vent. Précieux pour la conservation des dunes, le genévrier a des racines longues et horizontales qui fixent le sol ; ses ramures forment un écran derrière lequel s'abritent le maquis, la forêt et les

Le mérou

Ce gros poisson, qui peut atteindre 1,20 m et peser 30 kg, a reçu le surnom de « toutou des mers ». Familier et presque apprivoisé, ce sédentaire à l'allure débonnaire se laisse facilement approcher par les plongeurs. Aujourd'hui protégé, il prolifère au nord-est des Lavezzi.

◄ *À l'ouest de Calvi s'ouvre la grotte des Veaux marins, derrière la Punta di a Revellata.*

cultures. L'oyat, comme d'autres plantes, fixe le sable permettant la formation de la dune.

■ Le Parc naturel régional

Créé en 1972, sa superficie est de plus de 3 500 km², soit un peu plus du tiers de la superficie de la Corse. Il s'étire de part et d'autre de la chaîne montagneuse entre Calvi et Porto-Vecchio. L'Office national des Forêts a mis en place des promenades de découverte sur certains sites des 1 455 km² de forêts qu'il gère. Le fleuron du parc est la réserve naturelle de Scandola, qui s'étend sur 9 km² de terre et environ 10 km² en mer. Le site classé par l'Unesco et créé en 1976 a été le premier en France à double vocation, terrestre et maritime, et à triple fonction : conservatoire, exploration et laboratoire.

▼ *Nonza est connue pour sa plage de galets gris propice à la promenade.*

■ Les parcs marins

Ils ont pour but de préserver et de gérer le milieu tout en gardant la dynamique économique du site. Le parc marin international des bouches de Bonifacio, d'une superficie de 800 km² pour la partie des eaux françaises, s'étend de l'île aux Moines jusqu'au golfe de Porto-Vecchio (pointe de la Chiappa). Il est classé depuis 1999 en réserve naturelle.

Le corail

Il a de tout temps été une ressource économique importante pour Bonifacio, même si cette activité n'est plus aussi florissante aujourd'hui. Sa découverte au fond de la mer a suscité quelques histoires propres à exciter l'imagination. Ainsi l'aventure survenue à ce petit mousse qui découvrit un merveilleux arbre de corail. Il se garda d'en parler à l'équipage du bateau corailleur sur lequel il travaillait. Pendant dix-neuf ans, il fit des économies pour s'acheter un bateau. Quant ce fut fait, il retourna sur les lieux de sa découverte. Il vendit très cher ce corail au gouvernement de Naples en 1848, et connut une existence très prospère.

Les cadres de vie

Campi **p. 256**
Un beau petit village dans un paysage magnifique.

Nonza **p. 111**
Des maisons et des jardins accrochés à une falaise noire qui tombe à pic dans la mer. Un site exceptionnel.

Ota **p. 162**
Au cœur d'un terroir fertile qui produit de l'huile d'olive, du vin, des châtaignes...

Bastia **p. 90**
Rues escarpées, places secrètes, églises aux façades imposantes : un exemple de cadre urbain baroque.

Porto Vecchio **p. 231**
Un bord de mer et un golfe admirables en font la première ville touristique de l'île.

L'Île-Rousse **p. 129**
Un centre touristique très vivant, point de départ de multiples excursions.

La Castagniccia **p. 259**
De petites routes sinueuses pénètrent ce royaume du châtaignier, d'un village-belvédère à l'autre.

Speloncato **p. 135**
Un village de caractère, aux ruelles étroites et aux passages voûtés.

Cervione **p. 262**
De hautes et belles maisons rassemblées autour d'un campanile.

Corte **p. 278**
Longtemps repliée sur elle-même, Corte est aujourd'hui le pôle universitaire et culturel de la Corse.

◄ *Ruelles du quartier de Carugio di Mezzo, à Nonza.*

CARTE P. 23

L'habitat rural

« Tre case et un fornu. » Trois cases et un four. Un dicton populaire résume ainsi l'habitat insulaire, qui est traditionnellement constitué d'un ensemble de maisons, symbole de l'unité d'un groupe et de la cellule familiale.

► *Un abri de berger près de Vallica, au cœur de la vallée de Tartagine.*

▲ *Le village de Campi a conservé une remarquable unité architecturale avec ses maisons en pierre.*

▲ *Les maisons du village d'Ota, avec leur escalier extérieur, sont caractéristiques de la région des Deux-Sevi.*

■ Un habitat groupé

Les villages corses sont à l'image de l'âme de ce pays. Une apparence austère et sauvage, secrète et retranchée. Ornant les crêtes, blotti au fond des vallées, étagé sur le flanc d'une montagne, le village s'est adapté au terrain, épousant ses formes jusqu'à s'y fondre. Adoptant la montagne par nécessité, les Corses y ont forgé leur âme. Les rigueurs du climat, la crainte des invasions et la pauvreté endémique de ce monde rural ont engendré tout naturellement la nécessité d'y vivre groupé, d'y créer une vie collective centrée sur la famille, le groupe ou le clan. Ces caractéristiques de la société corse se lisent dans l'architecture traditionnelle. Cachée ou au contraire établie en citadelle, la construction rurale répond davantage à des codes précis d'organisation sociale qu'à un souci d'esthétisme. Cet habitat groupé, constitué majoritairement de hautes et solides maisons blotties les unes contre les autres, correspond à des règles de vie précises et codifiées. Il est souvent le résultat progressif d'un accroissement familial. Agrandie, surélevée, la maison se démultiplie, d'autres sont annexées, pour former un ensemble qui devient l'unité de base de l'espace villageois. Des parties communes telles un four, un lavoir et une fontaine permettent une autonomie minimum. Les rues et les ruelles se fraient d'étroits passages entre les constructions.

La maison : un lieu codifié et symbolique

▲ *La rue des Terrasses, à Bastia.*

Au-delà de ses murs et de son architecture, la maison est pour le Corse le corps symbolique du groupe familial, et la poutre faîtière en est la véritable colonne vertébrale. En général de faible superficie, pas plus de 70 à 80 m², elle s'élève sur plusieurs niveaux, pouvant aller jusqu'à cinq. Son architecture diffère peu d'un bout à l'autre de l'île. Seuls les matériaux servant à la construction marquent l'appartenance à une région. On utilise le schiste dans le centre de l'île, le granit dans le sud et le calcaire dans la région de Saint-Florent et de Bonifacio. D'apparence austère avec de hauts murs dépourvus d'ornementation, la maison a la double vocation de lieu de travail et de lieu de vie. Elle s'organise autour d'une pièce centrale, la pièce commune, dans laquelle est installé le foyer ou *fucone*. C'est le lieu de réception et la seule pièce dans laquelle on reçoit l'étranger. Les chambres ne sont visitées que lors des décès et des naissances.

Une homogénéité sociale

Les marques ostentatoires de richesse et d'aisance ne sont pas l'apanage de l'architecture rurale insulaire. En effet, l'aisance d'une famille se traduit davantage par la taille de la maison et le nombre de membres qui peuvent y vivre. La maison forte, dotée de mâchicoulis, est souvent placée au centre du village, à l'endroit le plus élevé. Elle marque la prééminence d'une famille et son rôle de protection sur le reste de la communauté. Ce n'est qu'à partir du XVIIIe s. et surtout au XIXe s. que les maisons de notables vont s'enrichir, se doter de larges ouvertures et de corniches sculptées, tandis que le jardin d'agrément va remplacer le potager. Les meilleurs exemples en sont ces « maisons des Américains », disséminées dans le cap Corse.

◄ *Porto-Vecchio.*

▼ *L'Île-Rousse.*

CARTE P. 23

Costumes, mobilier et objets du quotidien

Longtemps la Corse ne fut perçue qu'à travers les récits et les descriptions faits par les géographes grecs Strabon ou Diodore de Sicile. Hermétique et repliée sur elle-même, la société corse restait dans son ensemble, à travers ses rites, ses traditions et ses habitudes de vie autarcique, largement méconnue.

■ Une île méconnue

Ce n'est réellement qu'au XVIIIe s. que la Corse fait l'objet d'un inventaire systématique de sa faune, de sa flore et de son patrimoine architectural. Le plan Terrier, première carte exacte et détaillée de l'île réalisée par triangulation, donne sa véritable physionomie à la Corse. Au XIXe s., Prosper Mérimée redécouvre le patrimoine mégalithique et l'art roman, ainsi que les chants traditionnels et les coutumes. Peu à peu, toute une culture sort de l'ombre.

■ Le vêtement : image d'une société

Longtemps l'image symbolique du costume corse fut celle de la silhouette d'une femme vêtue d'une longue robe noire. Elle n'est en fait qu'une caricature. Le vêtement corse traditionnel est fait d'une grande diversité de couleurs et de matières variant en fonction de l'appartenance à une *pieve*. Le bleu était la couleur du deuil ; le noir ne fut introduit qu'au XIXe s., à une époque où la bourgeoisie du continent était un modèle de bon goût. La robe noire symbolisait alors l'image de la respectabilité qu'immortalisera Proper Mérimée dans son personnage de *Colomba*. Dans certaines régions, comme dans le Niolo, les femmes tissaient des draps de laine pour y fabriquer les vêtements. Chacun de ces gestes faisait partie d'une tradition ancestrale.

▲ *Le châtaignier est le matériau de base pour le mobilier, en particulier dans la Castagniccia.*

■ Meubles et mobilier

Dans ce milieu de montagnes, l'île a tiré de son sol aride et de son sous-sol toutes les subsistances nécessaires à sa survie. Il reste de cette activité rurale un grand nombre de vestiges souvent en ruine : des moulins, des bergeries et des fours. Chacun d'entre eux était un élément indispensable à la survie de cette économie.

Basée essentiellement sur des activités artisanales et agricoles, la société insulaire a créé des outils à la mesure de ses besoins. Ainsi les bergers taillaient-ils dans du bois leurs louches et leurs cuillères ou tressaient-ils leurs faisselles avec du jonc. La maison traditionnelle corse dispose de peu de meubles. Dans la pièce principale, celle de l'hospitalité et de la sociabilité, un banc, coffre en bois à haut dossier (le bancale), fait face au foyer (*fucone*) et sert de lit aux hommes célibataires. Quelques billots de bois faisaient office de sièges avant l'apparition au début du XXe s. des premières chaises paillées. L'évier, au début simple conque de terre, est peu à peu remplacé par un évier rectangulaire en pierre taillée. Accrochée au mur, la *sechja*, de bois ou de cuivre, sert au transport de l'eau. On la remplit avec le *tavaru*, une louche en fer à long manche. Le pétrin ou *maria*, en châtaignier, fait partie du mobilier traditionnel. Les coffres *(cascione)* servent à ranger les objets. Les chambres sont constituées du lit, parfois une simple planche posée sur des tréteaux, recouverte d'une paillasse remplie de feuilles, et d'une malle *(baugliu)*, qui permet de ranger le linge et les papiers.

▲ *L'église Saint-Michel de Speloncato abrite un meuble de sacristie du XVIIe s.*

Le musée de la Corse à Corte

À la citadelle.

Ouvert du 22 juin au 20 septembre, tous les jours de 10 h à 20 h. D'avril au 20 juin et du 20 septembre à fin octobre, tous les jours sauf lundi et 1er mai de 10 h à 18 h. De novembre à mars de 10 h à 18 h sauf les dimanches, lundis et jours fériés. ☏ 04 95 45 25 45.

▲ *Le musée de Cervione fait découvrir la Corse d'antan.*

Abandonnés depuis plus d'un demi-siècle et parfois même oubliés, ces modes de vie, ces coutumes et ces savoir-faire transmis de père en fils furent peu à peu redécouverts, à partir notamment des travaux réalisés par le Révérend Père Doazan dans les années 1950, alors qu'il était professeur de sciences naturelles au petit séminaire d'Ajaccio. Une grande partie de cette quête minutieuse des racines de la Corse traditionnelle forme le fond du musée de la Corse de Corte. Loin d'un regard figé sur un monde disparu, le propos muséographique vise avant tout à appréhender ce passé pour comprendre le présent. Les collections d'objets traditionnels (près de 3 500 pièces) sont ici replacées dans un contexte ethnographique et voisinent avec des témoignages de l'essor industriel et touristique de la Corse contemporaine. Ouvert depuis juin 1997 dans l'ancienne caserne Serrurier, le musée de la Corse apparaît comme la synthèse de l'évolution d'un pays aux multiples visages.

La société

Girolata **p. 155**
Un hameau de pêcheurs dans un site parfumé par les embruns et les eucalyptus.

Le Giunssani **p. 137**
Une région d'altitude restée sauvage et qui vit principalement de l'élevage.

Saint-Florent **p. 118**
Un petit port devenu une station balnéaire réputée, dans un des plus beaux golfes de la Méditerranée.

Patrimonio **p. 111**
Un des hauts lieux de la viticulture corse dont les vignobles ont été les premiers à recevoir l'AOC.

La Balagne **p. 128**
Une région attachante de plaines et de collines dans lesquelles se nichent quelques-uns des plus beaux villages de Corse.

Figari **p. 228**
L'aéroport a favorisé le tourisme dans cette région qui a toutefois conservé ses vignobles réputés.

Porticcio **p. 187**
Une station touristique dans un site magnifique qui offre de grandes plages.

Le GR 20 **p. 294**
Un sentier très sportif qui permet de découvrir toutes les beautés de l'île.

Val d'Ese **p. 192**
L'une des stations de ski de Corse.

◄ *La petite place, à Nonza.*

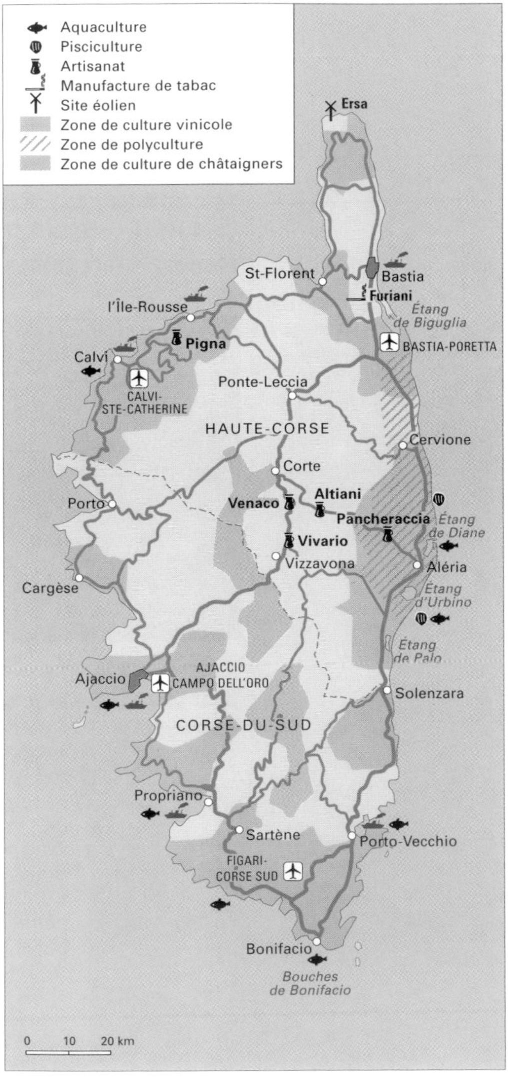

CARTE P. 29

L'agropastoralisme

La Corse traditionnelle est une terre de bergers, c'est l'un des éléments fondateurs de sa culture et de son économie. Une tradition qui plonge ses racines aux temps anciens de la préhistoire où les ressources essentielles étaient la cueillette et l'élevage. Pour les auteurs latins, le peuple de Corse se définissait comme « un mangeur de viande, buveur de lait, exportateur de miel, de viandes séchées et de peaux ».

► *La vallée de Crovani, surplombée par le Capo Mondolo, sert de lieu de pâturage pour les moutons.*

■ Une économie d'adaptation

Un sol pauvre, des terrains pentus ravinés par les pluies et une terre qui s'épuisait rapidement, tous ces éléments ont poussé l'homme à s'adapter à son milieu, à vivre en communion avec son environnement. Ces conditions difficiles ont donc influencé durablement l'esprit de la Corse. Contrainte à vivre dans un environnement hostile, la société rurale a longtemps été basée sur la propriété collective des terres. Seuls les jardins et les champs plantés de fruitiers, proches des villages et abrités derrière des murets de pierre, faisaient l'objet d'une appropriation privée. Loin d'être un système démocratique égalitaire, cette pratique était avant tout guidée par la nécessité d'investir de grandes étendues de terres pour tenter d'y réaliser

▲ *Une aire de battage dans un village au-dessus du golfe de Girolata.*

des cultures. Cet état de fait, qui sera remis en cause au cours du XIXe s. avec l'application de la loi française sur la propriété des sols, sera à l'origine d'un grand nombre de conflits.

■ L'organisation sociale

L'organisation de la vie agropastorale et du monde rural a renforcé le particularisme de la vallée. La communauté qui, au-dessus des villages ou de lieux d'habitat plus disséminés, fédère la population est la *pieve*. Vaste paroisse tirant sans doute ses origines des premiers quadrillages de la chrétienté, celle-ci reproduit la carte des solidarités géographiques déjà acquises. La *pieve* est une unité religieuse, un lieu de rencontre, d'expression puis de présentation et de pouvoir, autant qu'une unité juridique et économique : elle possède des terres collectives, exerce des droits fonciers.

▲ *Il est courant de rencontrer des cochons se promenant en semi-liberté à la recherche de nourriture.*

■ L'espace du berger

À côté d'une agriculture limitée à l'autosuffisance, l'agropastoralisme fut pendant des siècles le système économique premier, véritable pivot de cette société rurale qui a laissé une empreinte durable dans la Corse d'aujourd'hui. Contraint d'utiliser de grandes étendues de parcours pour alimenter le bétail et recueillir la fumure, le berger, plus qu'aucun autre, s'est adapté à son milieu, le forgeant à ses besoins. Le recours au brûlis en est un exemple, les terres devenant ainsi provisoirement fertiles avant d'être de nouveau appauvries par les cultures. Alors que la constitution de propriétés privées s'est peu

◀ *Le Giunssani est un pays splendide où la montagne est restée sauvage.*
On y trouve des bergeries qui se limitent souvent à un enclos de pierres sèches et une cabane.

► *Les mouflons qui vivent dans le Parc naturel régional ne sont pas farouches.*

à peu concrétisée, le berger s'est vu de plus en plus contraint de négocier le droit de pâture de son troupeau. Pour lui, l'essentiel est de trouver de la nourriture pour ses animaux, qui s'attaquent aux lisières forestières, au maquis, consommant feuillage et jeunes pousses. Ainsi le feu est-il parfois une solution pour s'assurer de la poussée dans le maquis de l'herbe et de jeunes plants.

■ Un homme libre

La vie du berger s'inscrit dans un système économique précis, avec ses règles, ses circuits, ses traditions et ses échanges. Dans la Corse cloisonnée aux multiples sociétés, le berger joue un rôle social important, et l'agropastoralisme est l'un des pivots de la vie rurale, scandée par les foires, les marchés et les fêtes religieuses. Pendant des siècles, le berger a servi de lien entre les communautés, rapportant de ses voyages des nouvelles des *pieves* voisines et les légendes des lieux traversés.

■ Le patrimoine pastoral

À l'image des mouvements des troupeaux sauvages, les bergers, au rythme des saisons, partaient sur les chemins à la recherche de nourriture pour leurs bêtes, quittant les villages de montagne en hiver pour le littoral et faisant le chemin inverse en été. Cette mobilité est inscrite dans la société; ainsi la plupart des villages

► *La particularité des chèvres corses réside dans la diversité des couleurs de leurs robes : poil long, roux, fauve ou noir.*

►► *Un abri de berger typique, dit* pailler *ou* pagliaghju, *dans le désert des Agriates.*

◄ *On retrouve des abris de bergers dans le pays sec et pierreux du Giunssani.*

de montagne possèdent-ils sur le littoral un lieu constitué initialement de simples cabanes. Au fil des années, ces plages ont vu se développer un habitat plus durable, avant de se transformer pour beaucoup d'entre elles, comme Porticcio, en cités balnéaires. Parcourant les vallées, franchissant les cols, la route du berger était rude, interminable et ponctuée de haltes dans des abris sommaires construits avec les pierres trouvées sur place. Là, ils trayaient leurs bêtes et fabriquaient le fromage. Empruntés pendant des siècles par la plupart des bergers, ces sentiers ont constitué de vastes réseaux de communication qui ont marqué le paysage et la société. Les anciens chemins de transhumance s'inscrivent encore aujourd'hui dans le paysage. Devenus pour la plupart des sentiers de randonnée, ils conservent un grand nombre de vestiges de leur passé, à travers notamment ces multiples bergeries et abris de pierres qui témoignent de la vie des bergers d'autrefois.

Conséquence de l'insularité et de l'adaptation à un relief très contrasté, le cheptel corse, en grande partie de souche locale, offre bien des traits d'archaïsme et de rusticité.

Les spallisti

Certains bergers corses savaient lire l'avenir dans l'omoplate d'un mouton, la spalla. *Ces devins, que l'on surnommait* i spallisti, *retrouvaient dans cet os précédemment bouilli les lignes et traces qui leur permettaient, tels des chiromanciens, de prédire les événements heureux ou malheureux.*

CARTE P. 29

La pêche

Malgré ses centaines d'espèces de poissons et de crustacés et ses 1 000 kilomètres de côtes, la pêche n'est pas l'activité traditionnelle de la Corse. Pourtant, depuis quelques années, elle tend à devenir non seulement une valeur économique, mais également un argument touristique.

▲ *Saint-Florent recèle dans ses eaux poissonneuses, riches en mérous et en langoustes, les plus gros oursins du nord de l'île. Les déguster au soleil avec du pain de Murato et du vin blanc de Patrimonio est un vrai plaisir.*

■ Des eaux pures et limpides

Des baies, des criques et de longues étendues de sable : le littoral corse apparaît comme le paradis rêvé des pêcheurs. Dans ses eaux limpides se cache une faune d'une grande richesse et évoluent, à faible profondeur, de multiples espèces de poissons de roche – loups, mulets, sars, oblades – ou de poissons de sable – daurades, barbets –, sans compter les nombreux crustacés qui trouvent abri dans les côtes plus rocheuses. Du cap Corse à la Balagne, d'Ajaccio à Bonifacio ou de Porto-Vecchio à Biguglia, les eaux de la Corse sont riches de cette faune aquatique qui peut être pêchée du rivage ou en bateau.

■ La pêche en mer

Cette activité qui fut longtemps artisanale ne dispose pas de grandes infrastructures. La plupart des navires, concentrés sur la côte est, n'ont qu'un faible tonnage et pratiquent en majorité une pêche côtière, qui assure une production de quelque 1 500 t de poisson majoritairement destinées aux marchés locaux ou directement vendues aux restaurants. Soumise à la concurrence des importations et handicapée par le prix du gas-oil, supérieur à celui du continent, et par l'insuffisance des équipements de stockage et de chaîne du froid, l'industrie de la pêche reste encore marginale en Corse.

La Corse est la troisième région française productrice de poissons issus de l'élevage.

■ De nouveaux débouchés

L'absence de pollution et la présence de nombreux étangs sur la côte orientale ont permis le développement, depuis quelques années, de l'aquaculture. Cette filière compte aujourd'hui 11 unités de production consacrées à l'élevage de loups, de daurades et d'anguilles, et permet des exportations régulières vers l'Italie, ce qui en fait la première activité exportatrice de l'île dans le domaine des productions agricoles derrière la viticulture. Pratiquée dans les étangs de Diane et d'Urbino, sur la côte orientale, entre Bastia et Porto-Vecchio, la conchyliculture représente un autre débouché pour l'île. Les huîtres sont creuses, proches des portugaises, et d'excellente qualité.

▲ *Un retour de pêche : la rascasse.*

Vins et vignobles

CARTE P. 29

La vigne est apparue en Corse quelques siècles avant l'ère chrétienne, puis s'est développée et enrichie, notamment grâce à une production de qualité impulsée lors de la colonisation italienne du XIe au XIIIe s. Malgré l'invasion du phylloxéra au début du XXe s., la viticulture de masse des années 1960 et la crise des années 1970, le vignoble corse s'est restructuré pour se tourner vers une viticulture de qualité.

▲ *Patrimonio est réputée pour ses vins, mais également pour l'apéritif qu'elle produit, le rapu.*

■ Une terre de tradition viticole

Dès les années 1960, des rapatriés d'Afrique du Nord s'installent dans l'île et mettent à profit leur expérience de l'agriculture moderne. Mais cette production de masse bouleverse la physionomie du vignoble traditionnel et, dans les années 1970, le marché s'effondre. Dans les années 1980, les producteurs effectuent des replantations systématiques. Aujourd'hui, la qualité prime avec l'amélioration des techniques de vinification et l'utilisation de cépages traditionnels. Le Niellucio est désormais dominant (22 % des superficies totales). L'essentiel de la production se fait en Haute-Corse (source INSEE).

■ La route des vins

Le vignoble corse couvre près de 10 000 ha et a hérité de la particularité de chacune des régions.

- Le **cap Corse** et ses petits vignobles étagés donnent de savoureux muscats et de savants mélanges élaborés.
- La **Balagne** étale ses vignobles sur le sol caillouteux de ses coteaux. Ses terres arides donnent des blancs d'une grande finesse.
- Sur le **terroir d'Ajaccio**, entre Balagne et Sartène, la vigne s'accroche aux coteaux d'argile et d'arènes granitiques. Les crus sont parmi les plus anciens de Corse.
- Le **Sartenais** produit des vins rouges réputés depuis des siècles et autrefois appréciés par Napoléon.
- La **région de Porto-Vecchio**, gagnant sur le maquis des hectares de vigne, a confirmé la vocation viticole de la Corse. Bénéficiant d'un microclimat et d'un ensoleillement exceptionnel, ses vins ont obtenu l'appellation d'origine contrôlée « vin de Corse Porto-Vecchio ».
- Le **vignoble de Figari**, installé sur des coteaux entre 80 et 100 m d'altitude, produit des vins classés parmi les meilleurs de Corse.
- C'est dans la **région d'Aléria** qu'est née l'histoire de la viticulture en Corse. Son vignoble s'étend au-delà d'Aléria, sur Tallone et Linguizetta.

▲ *Le vignoble de Patrimonio produit des vins AOC à partir d'un seul cépage, le Niellucio, qui donne des vins rouges somptueux aux parfums de venaison et de violette.*

CARTE P. 29

Le tourisme et les sports

Dès le XIXe siècle, la Corse accueille ses premiers touristes, de riches voyageurs venus d'Angleterre, d'Allemagne ou de France en quête d'exotisme et de soleil. Mais ce n'est qu'à partir des années 1960 que l'île s'ouvre réellement au tourisme avec l'amélioration des liaisons maritimes et aériennes et la mise en place d'une politique d'aménagement des structures routières financée par l'État. Depuis, le tourisme représente la première source de revenus de l'île de Beauté.

▲ *L'épicerie de montagne est souvent la seule possibilité de ravitaillement pour les randonneurs.*

■ Une île très convoitée

Depuis les années 1990, le taux de fréquentation touristique de la Corse ne cesse d'augmenter. En 1999, près de 2 millions de touristes l'ont choisie comme lieu de vacances. Face à cet afflux, l'île a adapté ses structures d'accueil. Des hôtels ont été construits ou rénovés. Les côtes ont vu fleurir peu à peu un nouvel urbanisme, parfois mal contrôlé et souvent peu conforme à l'architecture locale. De Porto à Ajaccio, dans les régions de Porticcio ou sur la côte orientale, des résidences secondaires, villages de vacances, campings, restaurants, occupés seulement quelques semaines par an, envahissent le littoral et parfois même le maquis. Pour répondre à la demande, les différentes formes de trafic entre la Corse et le continent se sont multipliées au cours des dernières années. Les quatre aéroports internationaux de l'île assurent des liaisons quotidiennes

► *À la tombée de la nuit, retrouvez l'ambiance chaleureuse et accueillante des rues corses.*

◀ *La voile légère se pratique aussi en Corse.*

avec les principales capitales régionales françaises et européennes et huit compagnies maritimes assurent une desserte régulière des sept ports insulaires.

■ Le soleil et la mer

Le tourisme corse est principalement balnéaire : on vient ici en famille pour profiter de la plage et du soleil. La Corse est depuis longtemps connue pour ses longues plages de sable et la douceur de son climat. Au-delà de la baignade, la mer est aussi un paradis pour les adeptes des sports nautiques. À voile ou à moteur, les bateaux de plaisance offrent une autre façon de découvrir la Corse, de musarder le long de ses côtes ou de faire escale dans une petite crique sauvage. Ainsi la flotte de plaisance s'est-elle considérablement accrue et compte quelque 16 000 bateaux. Pour ceux qui n'ont pas la chance d'être propriétaires d'un bateau, il est possible de recourir à la location. Les usagers de ces sports de plaisance sont chaque année plus nombreux. Les 16 ports de l'île enregistrent plus de 60 000 escales par an et disposent de 6 500 anneaux dont 30 % réservés au passage. Mais peu à peu se dessinent de nouvelles motivations : la découverte du pays, la randonnée, les séjours culturels ou le sport. Depuis quelques années, la Corse met en place une politique de mise en valeur de son patrimoine et développe des produits touristiques répondant à ces nouvelles demandes.

■ La plongée sous-marine

Une côte rocheuse et déchiquetée, des eaux cristallines, la Corse des profondeurs offre aux plongeurs la découverte de fonds riches d'une faune et d'une flore exceptionnelles. Ces fonds sous-marins sont un des atouts de l'île : attention à ne pas dénaturer ce paradis aquatique préservé. On dit de la Corse que c'est une montagne dans la mer, mais c'est aussi une montagne sous la mer. Son faible plateau continental laisse rapidement place à des profondeurs abyssales, qui vont jusqu'à 800 m dans le golfe de Porto pour atteindre par-

Le monde des épaves

Des dizaines d'épaves peuplent les fonds marins du littoral corse et se sont naturellement transformées en sites d'exploration privilégiés et insolites pour les plongeurs. Méticuleusement répertoriées, elles reposent à des profondeurs variables allant de – 5 à – 30 m. On verra, au large de Porto-Vecchio, l'épave de la Pecorella *ou celle du* Toro*. Au large de Calvi, l'épave d'un bombardier américain B 17 datant de la dernière guerre mondiale repose à quelque 30 m de profondeur, au large de la citadelle. Au large du nouveau port de Bastia, l'épave d'un bombardier allemand repose à une trentaine de mètres de profondeur. Plus au sud, au large du golfe de Sagone,* La Girafe *repose à 18 m de profondeur; un peu plus loin gît la carcasse d'un Canadair.*

► *Le sentier le plus connu de Corse, le GR 20, traverse la haute montagne de Calenzana (région de Calvi) à Conca (région de Porto-Vecchio).*

fois plus de 1 000 m. Roches aux formes torturées, gouffres et profondes crevasses, le paysage sous-marin se fait l'écho du relief terrestre. Les sites somptueux se chiffrent par centaines. Outre les multiples espèces qui peuplent ses eaux, tels les mérous, girelles, murènes, limaces de mer ou méduses, le merveilleux corail qui tapisse les roches à quelque 100 m de profondeur donne à l'ensemble une touche exotique. Pour compléter l'ensemble, la visite d'épaves immergées en profondeur transforme le plongeur en véritable explorateur sous-marin. Une trentaine de centres de plongée répartis en divers points de l'île offrent des conditions maximales pour permettre aux plongeurs de partir à la découverte de ce sanctuaire.

■ À pied, à cheval et à vélo

La Corse est une terre sauvage, authentique et préservée. Sommets majestueux, sites grandioses et réserves naturelles méritent une découverte approfondie. Ici, les possibilités de randonnées sont multiples. Le Parc naturel régional et l'Office national des Forêts proposent une grande variété d'itinéraires aux promeneurs de tous niveaux et aux adeptes du VTT. Plus sportif, le GR 20, chemin mythique que l'on dit être l'un des plus difficiles d'Europe, traverse en quinze jours les paysages les plus grandioses de la haute montagne corse. L'Association régionale du tourisme équestre répertorie 1 900 km de sentiers de randonnée qui traversent des villages pittoresques ou des lieux inaccessibles par la route.

■ Sur les rivières

1 375 km de torrents et cours d'eau parcourent les reliefs de la montagne corse. Grâce

► *Avec 1 375 km de cours d'eau, la Corse dispose de conditions naturelles d'exception pour la pratique du canoë-kayak.*

◀ *La Corse possède de nombreux sites naturels d'escalade ; une trentaine d'entre eux sont aménagés.*

◀◀ *Les torrents sont nombreux et permettent aux randonneurs de se désaltérer.*

à une période d'étiage retardée et à un débit maximum prolongé pour les fleuves de haute altitude, rafting, canyoning et hydrospeed se pratiquent de février jusqu'à la fin mai ; le canyoning se pratique de la mi-avril jusqu'en novembre. Différents prestataires proposent sur place la location de l'intégralité du matériel.

■ Sur les crêtes et les sommets

L'alpinisme se pratique sur toute la chaîne principale depuis l'Ospédale, au sud, à la vallée de Tartagine, au nord. Les parois les plus célèbres sont celles des tours de Bavella, pour la région sud, et les faces du Capo Orto, de la Paglia Orba et du Cinto, pour la partie nord. On peut escalader des falaises de calcaire autour de Ponte-Leccia (falaises de Pietralba, Caporalino et Soveria), ainsi que dans le secteur de Saint-Florent. Autour de Corte, on rencontre de jolis sites de granit dans les gorges de la Restonica et la vallée du Verjello.

■ Les sports de glisse

Pour les amateurs de ski de randonnée ou de ski alpin, la Corse offre, avec plus de 100 km de crêtes et près de quarante sommets de plus de 2 000 m, un vaste domaine skiable, praticable de décembre à avril. L'un des itinéraires les plus classiques est la haute route corse, l'Alta Strada, qui utilise en partie le tracé du GR 20 par les crêtes. Il s'agit là d'un raid nécessitant de bons moyens techniques et physiques ainsi qu'une grande expérience de la montagne. Les stations de Ghisoni, de Bastelica (Val d'Ese) et de Vergio proposent aux amateurs de ski alpin et de surf des pistes aménagées dans des cadres uniques et préservés. On peut pratiquer le ski de fond sur le plateau du Cuscione, au sud de la Corse, où ont été aménagés et balisés de nombreux circuits.

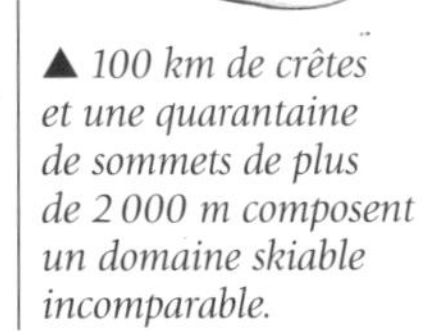

▲ *100 km de crêtes et une quarantaine de sommets de plus de 2 000 m composent un domaine skiable incomparable.*

IVECO

L'identité

Sagone p. 166
Ce port de plaisance se trouve à l'emplacement d'une ville très ancienne.

Casamaccioli p. 287
Un village niché au milieu des châtaigniers, surtout connu pour la fête de la Santa qui s'y tient chaque année.

Ajaccio p. 174
Une « cité impériale » qui possède les charmes d'une ville méditerranéenne.

Sermano p. 253
Ce village de la vallée du Tavignano est le haut lieu du renouveau du chant corse.

Pigna p. 131
Un village superbe restauré, véritable centre culturel de la Corse.

Bonifacio p. 218
C'est sur la marine que bat le pouls de la ville.

Muro p. 134
Un village aux maisons à arcades et à l'imposante église baroque.

Calvi p. 142
Le festival de jazz est le temps fort de la saison touristique calvaise.

Sartène p. 208
« La plus corse des villes corses » : Mérimée à sans doute donné à la ville son meilleur slogan publicitaire.

Bocognano p. 190
Un village de montagne au milieu des châtaigniers; on y fête le fruit de l'« arbre à pain » tous les ans au mois de décembre.

La vallée de l'Asco p. 274
Au cœur des plus hautes montagnes corses, une région longtemps restée à l'écart du monde.

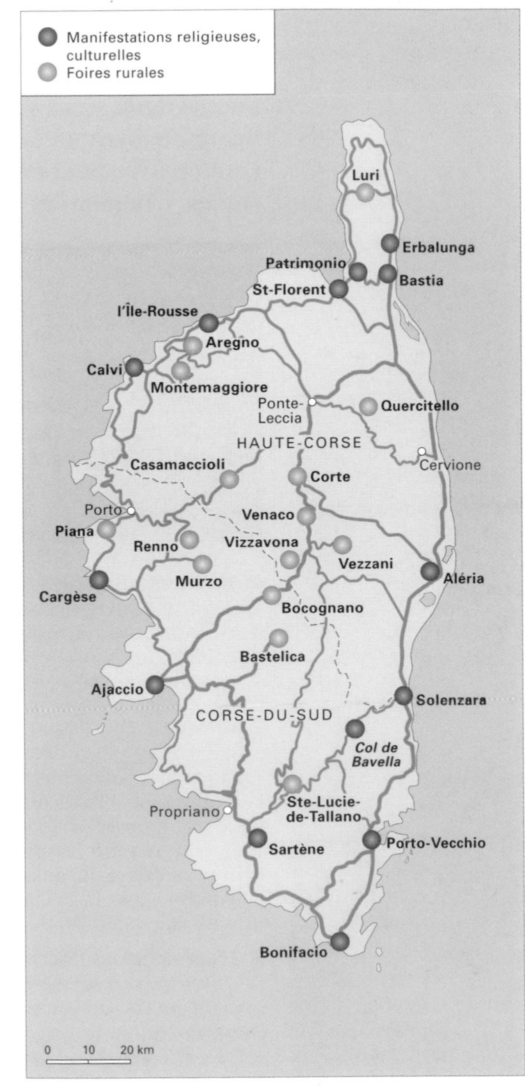

◀ *Un pêcheur de langouste, à Sagone.*

CARTE P. 41

La langue corse

Diodore de Sicile disait d'elle : « Elle est étrange et difficile à comprendre. » L'origine de la langue des « Corsi » reste inconnue ; certains y ont vu des traces d'influence ligure ou ibérique. Les invasions successives l'ont enrichie pour en faire une langue à part entière, d'origine latine.

► *Coexistence du français et du corse.*

■ Racines multiples

Les emprunts divers et une longue évolution phonétique formés au cours des âges dans la bouche d'un peuple en font sa richesse. La République de Gênes, souveraine en Corse du XIIIe au XVIIIe s., imposa le toscan comme langue officielle. La langue populaire des Corses a donc été, dès le Moyen Âge, au contact et en symbiose avec une autre langue utilisée par l'administration. Cette situation s'est poursuivie après l'entrée de la Corse dans la mouvance française, jusque dans la première moitié du XIXe s., pour les actes officiels – état civil ou actes notariés – et pour les affaires judiciaires. De même, l'Église employa, jusqu'au premier quart du XXe s., le latin pour le culte et l'italien pour les actes de son administration, le catéchisme et les sermons.

■ L'accession à l'écriture

La culture corse étant essentiellement rurale, la parole et le chant ont été pendant longtemps les seuls moyens de communication. La langue se transmettait ainsi, de la même manière qu'un geste, un chant ou une danse. C'est au XIXe s. seulement que fut édité le premier texte en langue corse. Séduit par cette langue sans écriture, le romantisme européen du XIXe s. essaya, en procédant à des transcriptions de la littérature orale, d'y retrouver des formes originales d'expression. L'exécuteur testa-

▲ *La littérature corse est sans cesse redécouverte.*

mentaire de Pasquale Paoli est le premier à publier, dans ses *Sketches of Corsica* (1825), des spécimens de poésie populaire. Il est suivi quelques années plus tard par la publication à Bastia d'un recueil comprenant la célèbre *Nanna di Cuscioni*, le *Sirinatu di un pastore di Zicavu* et le *Voceru di Chilina di Carchetu*. Prosper Mérimée en France, avec *Notes d'un voyage en Corse*, Niccolò Tommaseo en Italie, avec *Canti popolari della Corsica*, et Ferdinand Gregorovius en Allemagne, avec *Corsica*, transcrivent également des textes en langue corse. Après des siècles d'existence, la langue corse accède enfin à l'écrit.

Du nord au sud de l'île, le parler est différent. Les puristes vous diront qu'il existe ici plusieurs parlers corses, ceux de Bastia, d'Ajaccio ou de Bonifacio.

■ Langue et identité

Dès lors, les auteurs issus des différentes régions de l'île et ayant toujours écrit en italien redécouvrent leur langue. En 1895, Santu Casanova fonde le premier périodique en langue corse, *A Tramuntana*, qui paraît jusqu'au milieu du XXe s. Mais au lendemain de la Seconde Guerre mondiale, pour le peuple corse confronté aux problèmes économiques insulaires et soucieux de parvenir à quelque progrès matériel, la sauvegarde de la langue est loin d'être prioritaire. Malgré la création en 1955 de l'association Lingua corsa et de la revue *U Muntese*, son usage tombe en désuétude.

Tous les ans, à L'Île-Rousse, se tient à la fin du mois de juillet une foire organisée autour du livre corse et de ses écrivains. Renseignements ☏ 04 95 60 05 28.

■ Symbole identitaire

Puis la société se transforme : les Corses ne sont plus contraints à la seule insularité et à l'isolement des siècles passés. Beaucoup émigrent; la télévision diffuse les émissions du continent. Pour la plupart, la langue corse n'est plus à l'ordre du jour, l'évêché ne la reconnaît pas, l'école non plus et elle n'est pas considérée comme une langue régionale. Ce sont les courants identitaires des années 1970 qui font renaître une nouvelle fois cette langue, symbole culturel de la Corse. Elle est enfin reconnue comme langue régionale par le décret du 16 janvier 1974. Son enseignement est autorisé dans les écoles et elle bénéficie d'une option facultative au baccalauréat. Aujourd'hui, elle est au centre des discussions qui accompagnent la mise en place du statut corse et n'est plus le symbole d'une société archaïque. Elle est partout présente, sur les ondes des radios, au café, dans la rue et en famille.

◀ L'Almanach de la mémoire et des coutumes corse *présente les croyances propres à chaque village de l'île.*

CARTE P. 41

Le chant corse

Le succès des ritournelles de Tino Rossi a pu laisser penser que le chant corse ne se résumait qu'à ces chansons de charme. Il n'en est rien et, depuis les années 1970, on assiste à une renaissance de la musique traditionnelle corse.

► *Le chanteur Tino Rossi (1907-1983) a débuté au Casino de Paris en 1934. L'une des plages d'Ajaccio,* Marinella, *lui a inspiré une chanson devenue célèbre.*

■ La reconquête d'une identité

Volontairement oublié car symbole d'archaïsme rural, mal adapté à une société qui veut taire son passé, le chant corse renaît aujourd'hui et acquiert peu à peu ses lettres de noblesse. Victime du dépeuplement des campagnes, il a pourtant failli disparaître à tout jamais. Les premiers mouvements nationalistes dans les années 1970 l'ont aidé à perdre cette image de « chant folklorique », témoin d'une époque révolue. Dans ce climat fortement identitaire, le chant corse devient alors l'image d'un pays, de sa culture, de ses traditions et de sa différence.

■ Un rituel codifié

Généralement beau et grave, le chant, ici, n'est pas une simple mélodie, mais un véritable rite communautaire, essentiel pour cette société basée sur la transmission

► *Jusqu'au début des années 1980, les concerts d'I Muvrini étaient interdits. Aujourd'hui, ils donnent la réplique à Sting, Véronique Sanson ou Noa.*

orale. Il est l'expression de la vie rurale; il accompagne chaque événement, heureux ou malheureux, de la journée, de la saison et de la vie. Au-delà de son esthétisme, cette poésie populaire intervient comme un régulateur social des tensions et conflits individuels ou familiaux. Aux femmes reviennent les chants de naissance, les *nanne*, et ceux des morts, les *voceri*, chants de deuil mais aussi de vendetta. Les chants de l'absence, ou *lamenti*, étaient entonnés par un homme ou une femme pour évoquer le souvenir d'un être disparu. Les hommes portent la sérénade et excellent dans les joutes improvisées : les *chjam'è rispondi*. La confrontation des deux voix se répondant, produite aujourd'hui dans un même espace, se faisait autrefois d'une colline à l'autre. Ce chant improvisé a des allures de défi poétique.

■ Les polyphonies

C'était à l'origine l'apanage des hommes. La plus caractéristique est la *paghjella*, un chant à trois voix : la *segonda* commence le texte poétique, *u bassu* accompagne la *segonda*, alors que la *terza*, la plus haute, ajoute des notes plus rapides; les *rivuccate* donnent un effet de vibrato. Les paroles se fondent dans la trame musicale. Traditionnellement, elle n'est accompagnée d'aucun instrument de musique et c'est véritablement le chant spécifique insulaire, un langage musical très élaboré au sein de la tradition populaire orale. Les *terzetti* et *madrigali*, autres formes de polyphonies, racontent l'amour joyeux ou désespéré, la tristesse du prisonnier ou de l'exilé. Aujourd'hui, après des années d'oubli, le chant polyphonique renaît avec les voix de chanteurs héritiers de ces traditions. Le nom de ces groupes définit à lui seul ce territoire bien spécifique et montre leur attachement à ces valeurs : le végétal, *A Filetta*, la fougère; l'animal, *I Muvrini*, les petits mouflons; le temps, l'*Alba*, l'aube. Les chants polyphoniques semblent sauvés de l'oubli et continuent à se réinventer dans un monde moderne où la culture rurale qui était son berceau, tant à disparaître.

◄ *À la différence de la guitare classique,* la cetera *comporte neuf cordes, dont la plus grave n'est pas placée à l'extrémité, mais au milieu.*

■ Flûte, mandoline et coquillage

L'environnement et les invasions successives ont fourni à la Corse ses instruments de musique, qui servaient aussi de moyen de communication entre bergers. Si l'on a

► *Le festival Estivoce, à Piana. La voix est, ici, fêtée à travers les époques et les différentes sensibilités musicales.*

réussi à reconstituer le patrimoine vocal de la musique corse, il est en revanche difficile d'estimer la place que tenait l'instrumentation dans l'accompagnement des chants. À côté des instruments connus comme la guitare, la mandoline, le violon ou l'accordéon, la Corse possède un grand nombre d'instruments de musique spécifiquement insulaires. Beaucoup avaient disparu et il a fallu de nombreuses recherches pour reconstituer ce patrimoine instrumental. La *cetera*, dont l'usage avait cessé depuis 1930, est une sorte de mandoline, apparue en Italie à l'époque médiévale. Elle se serait d'abord appelée « celula » et, en France, on la connaissait sous le nom de « cistre ». La *fisculetta* est une flûte taillée dans l'écorce d'une branche de saule ou de châtaignier. La *pivana*, flûte à six trous aux tonalités médiévales, est taillée dans une corne de chèvre. Le son grave du *colombu*, un gros escargot marin dont on perçait la pointe, permettait de donner l'alarme. L'histoire de ces différents instruments est retracée à la Casa musicale de Pigna, une auberge musicale qui fonctionne toute l'année et fait revivre les instruments et la musique traditionnels. Elle propose des stages à ceux qui s'intéressent à la polyphonie.

Un chant retrouvé

C'est dans le petit village de Sermanu, au centre de la Corse, que les paghjelle *d'antan ont été réhabilitées. La volonté de trois hommes, Guelfucci, son fils Petru et Jean-Paul Poletti, est à l'origine de cette renaissance en 1974. Ils forment alors le groupe* Canta u Populu corsu *et le « petit noyau devient très vite le mouvement fédérateur d'une jeunesse en quête d'elle-même (...) ». C'est la* riacquisti, *la « reconquête » du patrimoine local. Depuis, femmes et hommes chantent ensemble la polyphonie et cet art est apprécié par tous.*

CARTE P. 41

Les traditions
la famille, le clan, l'honneur

Forgées par des années de conflits et d'invasions, les traditions et la famille sont en Corse le ciment de la société.

■ La famille

C'est la structure fondamentale de la société insulaire, héritée directement de son histoire. Devant les menaces permanentes vécues au cours des siècles, la famille a constitué l'élément de base de la cohérence sociale. Elle prend ici une dimension presque « tribale », englobant parents et enfants, grands-parents et petits-enfants. La maison est l'élément symbolique de ce lien fondateur. Aussi les héritiers sont-ils réticents à sortir de l'indivision, soucieux de maintenir intact le symbole de ce lien, même si la société moderne tend à distendre les rapports étroits qui réunissent les membres d'une même famille. La naissance et la mort demeurent les grands événements au moment desquels le groupe retrouve son unité.

▲ *Aquarelle de Prosper Mérimée représentant Colomba et son frère.*

■ Le clan : force politique et électorale

Aujourd'hui, on lui associe souvent la notion de « nationalisme »; pourtant le clan n'est pas un phénomène contemporain, ni spécifiquement insulaire. Il est lui aussi ancré dans l'histoire de la Corse. Selon l'historien Jean-Marie Arrighi, le phénomène de clan s'est constitué avec la Révolution française : « Les Corses ont été rattachés à un État où l'acte politique essentiel était le vote », et la conséquence l'élection. Il devenait donc important pour la Corse de figurer parmi ces forces de décision et de constituer pour le pouvoir central un interlocuteur valable. La faible démographie de l'île et sa fragilité économique ont favorisé le phénomène. Forme élargie de la famille, le clan représente un ensemble d'individus appartenant à un même groupe d'intérêt, à une même communauté. Souvent, il est en rapport avec l'identité d'un lieu ou d'un village. Ainsi s'affirme la solidarité et l'intégration de l'individu à un groupe. Le « lieu de vie » est important pour les Corses : qu'ils habitent ou non au pays, ils y reviennent, c'est le berceau de la famille, le lieu où l'on est né, où l'on sera enterré.

▲ *La femme était souvent à l'origine des querelles de vendetta. Gravure du XIXe s.*

▲ *À la fin du* XIXe *s., la réputation du célèbre bandit Antoine Bellacoscia et de son frère Jacques dépassa les limites de l'île.*

La vendetta

Colomba est présente dans tous les esprits et ce roman a immortalisé l'image d'un Corse prompt à venger l'honneur de sa famille. Au-delà de ces traits forcés que l'on a poussé presque jusqu'à la caricature, honneur et vendetta sont intimement liés et ne peuvent se comprendre si l'on oublie l'appartenance méditerranéenne et l'histoire d'un peuple qui, de tout temps, a subi le joug d'envahisseurs successifs. Refusant ces mainmises sur leur île, les Corses n'ont jamais reconnu les lois et les institutions du colonisateur. N'estimant aucune autorité supérieure légitime, le Corse a souvent fait justice lui-même. Au-delà des conséquences extrêmes et de règlements de compte parfois sanglants, la vente et l'achat de maisons ou de terrains se sont longtemps faits sur parole, en l'absence de tout acte de propriété.

L'honneur

Comme pour beaucoup de peuples méditerranéens, l'honneur en Corse est une valeur fondamentale. Il a son code et ses règles. Là encore, l'histoire et la physionomie du pays ont forgé le caractère de l'habitant. Dans cette société où le rôle de l'homme est prépondérant, l'honneur est l'un de ses attributs. Il se traduit par une recherche de préséance, une nécessité d'être reconnu par l'autre à son juste niveau. Ces valeurs, émoussées au fil du temps, ne se traduisent plus aujourd'hui par des vendettas et autres vengeances qui se perpétuaient de génération en génération. Pourtant, un fait demeure : le Corse est fier de son pays, de sa culture, et il exprime toujours une grande réticence lorsque l'on tente de lui imposer une quelconque loi. Au-delà du trait de caractère, c'est une défiance naturelle née de siècles d'invasions.

Les bandits corses

Le 8 novembre 1931, 640 gardes mobiles, des automitrailleuses et des ambulances investissaient la Corse occidentale, dont Vico et Guagno, pour procéder à une opération d'épuration du banditisme. Dans les villages occupés, le couvre-feu est décrété, près de cent personnes sont arrêtées et la presse parisienne envoie ses correspondants de guerre. Les dernières exécutions capitales, intervenues en 1934 et 1935, mettront un point final à l'époque des « bandits corses » sous la IIIe République.

Tiadore Poli : bandit corse et roi de la montagne

C'est l'un des plus célèbres bandits corses. Né à Guagno sous Charles X, c'est par hasard qu'il devint hors-la-loi, en refusant le tirage au sort qui l'avait désigné pour faire son service militaire. Emprisonné, il s'évade. Retranché dans la montagne, il bénéficie de l'appui de la population qui voit en lui un défenseur de l'indépendance. Il se fait nommer « roi de la montagne », avec droit de vie et de mort sur ses sujets, obligeant les notables à lui payer un impôt. Il est tué dans un guet-apens en 1827.

Croyances et ferveurs

CARTE P. 41

◄ *Le cimetière marin de Bonifacio, avec ses caveaux et mausolées érigés comme de petites maisons.*

Les profonds lacs d'altitude, les épaisses forêts, l'impénétrable maquis ou ces imposantes roches aux formes pétrifiées composent un paysage favorable à la naissance de mythes et de légendes.

■ Les rochers du diable

La Corse est terre de superstitions. La croyance en Dieu appelle la croyance au diable. On prête au Malin l'apparition de formations rocheuses spectaculaires comme celle de la Montagne percée, le Capo Tafonato, à l'ouest de Calacuccia, née à la suite d'une querelle entre le diable et saint Martin. C'est encore lui et son pouvoir maléfique qui aurait fait surgir les calanche de Piana. Toutes les roches ne sont pas d'origine diabolique, mais beaucoup sont habitées par des légendes, comme la montagne de la Sposata, « l'épousée », à l'est de Vico, qui serait la forme pétrifiée, à la suite d'un violent orage, d'une jeune fille et de son cheval.

▲ *Le crucifix des miracles de Muro (1659) a la réputation de dispenser guérisons et grâces à ceux qui viennent prier auprès de lui.*

■ Sorciers et sorcellerie

Les croyances et histoires populaires sont peuplées de récits de sorciers et de mauvais génies. La nuit, le village de Zicavo est hanté par un guerrier sarrazin du nom d'Agramante, dont les femmes se protégeaient naguère en dormant avec une serpe ou une faucille à leurs côtés. Les petits enfants étaient menacés par des sorcières – *streghe* – qui leur suçaient le sang comme des vampires. Quant aux voyageurs isolés, des revenants – *acciaccatori* – leur défonçaient le crâne. Dans les villages, les *mazzeri* savent « voir la mort » et le « mauvais œil » a ses remèdes.

■ Rites et croyances

Mêlant le sacré aux rites païens, le Corse se signe et multiplie les gestes destinés à lui assurer protection. Le jour de l'Ascension, on cueille très tôt le matin une petite plante grasse, « erba di l'Ascensione ». On la suspend vers le bas dans la maison afin d'être préservée. Elle fleurira à la Saint-Jean. Le premier œuf pondu ce jour même de l'Ascension se verra lui aussi attribuer des pouvoirs surnaturels. Bénédictions d'objets et d'animaux sont ici fort courantes.

◄ *Ex-voto marin dans l'église Sainte-Julie, à Nonza.*

Fare l'occhio

Menée par les « signatori » qui en détiennent le pouvoir, cette opération est effectuée sur une personne sous l'emprise du « mauvais œil ». La disparition immédiate de quelques gouttes d'huile tombées dans l'eau d'une assiette signifie l'étreinte du « mauvais œil ». L'eau jetée, on renouvelle l'opération : la goutte d'huile disparaît de nouveau. Lors de la troisième épreuve, la goutte tombe, claire, faisant sur l'eau un œil parfait. Alors le sort n'a plus d'effet et le charme est rompu.

CARTE P. 41

Les manifestations religieuses

► *Le 5 août a lieu le pèlerinage qui conduit à l'autel et à la statue de Notre-Dame-des-Neiges, édifiés au cœur d'une magnifique forêt de pins et au pied des célèbres aiguilles de Bavella.*

Outre ses multiples églises, la Corse affirme sa dévotion par l'ampleur et le faste qu'elle donne aux fêtes liturgiques. La plupart d'entre elles se déroulent sous l'égide de confréries, autrefois riches et puissantes. Ces cérémonies, teintées parfois de rites païens, font toujours l'objet d'une grande ferveur populaire. La plus importante d'entre elles est sans conteste la semaine sainte, qui donne lieu, depuis des siècles, aux processions les plus remarquables à travers toute la Corse. Les cérémonies religieuses sont suivies d'une fête profane, le lundi de Pâques. C'est la *Merendella*, un traditionnel pique-nique collectif dans les campagnes ou sur les plages, symbole de la renaissance du Christ, mais aussi de la fin de l'hiver.

■ Les processions de la « Sittimana Santa »

En Corse, la semaine sainte commence le dimanche des Rameaux avec la bénédiction des *E Crucette*, des petites croix fabriquées à l'aide de brins d'olivier ou de feuilles de palmiers. Elles seront conservées toute l'année.

- **À Bonifacio** : le vendredi saint, les membres des six confréries issues des chapelles ou églises de Bonifacio – Sainte-Croix, Saint-Érasme, Saint-Roch, Saint-Dominique, Sainte-Marie-Majeure –, escortés par les habitants de leurs quartiers, marchent en procession à travers la ville, empruntant des chemins différents. Lorsque les confréries viennent à se croiser, elles se saluent en silence et croisent leurs bannières. Chacune porte des reliques de saints sur des châsses en bois de style baroque, illuminées de flambeaux et de lanternes.

▲ *La procession d'une confrérie à Bonifacio le matin du vendredi saint.*

- **À Calvi**, la semaine sainte est marquée par des cérémonies religieuses qui revêtent un caractère original. Dès le jeudi après-midi a lieu la bénédiction des *canistrelli*, gâteaux corses en forme de couronne qui seront distribués lors de la procession des pénitents. Le prieur de la confrérie, reprenant les gestes du Christ, lave les pieds des douze apôtres : c'est la cérémonie de la *Lavanda*. Le vendredi saint se déroule la procession symbolique de la *Granitola* : les pénitents de deux confréries de Saint-Antoine et de Saint-Érasme, en cagoule et pieds nus, portent à travers les rues de la ville un Christ mort grandeur nature, suivi par la statue de la Vierge. La *Granitola* se noue et se dénoue quatre fois en une spirale symbolique de l'ascèse. Cette procession de pénitents résume le mystère pascal.

- **À Cargèse**, ancienne colonie grecque, les cérémonies pascales sont célébrées dans l'église orthodoxe selon un rituel conduit par l'archimandrite. Chants et lamentations se déroulent le soir du vendredi saint dans l'église non éclairée. Le samedi a lieu la cérémonie aux cierges pour le retour de la lumière. À minuit, chants du rite orthodoxe grec.
- **À Sartène**, le *Catenacciu*, à l'origine fort ancienne, est la plus connue des processions du vendredi saint, que l'on compare parfois à celle de Séville. Pieds nus, habillé de rouge, un pénitent cagoulé porte une croix de plus de 30 kg. À son pied droit est attachée une lourde chaîne de 14 kg qui a donné son nom à la procession : *U Catenacciu*, l'Enchaîné. Le Grand Pénitent rouge est suivi du Pénitent blanc qui l'aide, comme l'a fait Simon de Cyrène, le personnage qu'il incarne. À leur suite, les pénitents noirs portent sur un linceul le Christ mort ; suivent le clergé en violet et la foule des fidèles. La procession se déroule dans les ruelles étroites de la ville illuminée et s'achève sur la place où le prédicateur prononce son sermon avant de bénir la foule.
- **À Lota**, le soir du jeudi saint, se déroule l'office des Ténèbres, célébré et chanté en latin devant des enfants qui agitent des crécelles.
- **Dans le cap Corse** : partie d'Erbalunga, la *Cerca*, c'est-à-dire la recherche, se dirige vers la montagne. Cette procession du vendredi saint se déroule sur plus de 7 km d'église en église à travers les hameaux.

■ Le 15 août, à Ajaccio

Cérémonies de l'Assomption et fêtes commémoratives de la naissance de l'empereur Napoléon Ier.

■ Début septembre, à Casamaccioli

Célébration de la *Santa di U Niolu* : messe avec chants traditionnels au cours de laquelle on honore une vierge miraculeuse. C'est l'occasion d'une fête pastorale et commerciale.

▲ *Chaque année, l'abbé de Saint-Damien choisit le* Catenacciu *qui incarnera Jésus-Christ. Le chemin de croix débute place de la Libération, devant l'église Sainte-Marie de Sartène.*

▲ *Les confréries défilent en portant les reliques et les châsses du saint patron de leur église.*

◄ *Dans le sud de la Corse, la madone est encore plus vénérée que la croix.*

CARTE P. 41

Fêtes et festivals

Culturelles, gastronomiques ou folkloriques, les foires et les fêtes sont intimement liées à l'identité corse. Elles servent à renouer avec les traditions ancestrales de l'île.

▲ *Les producteurs de pâté de sanglier, une des spécialités de l'île, sont présents sur les foires agricoles et artisanales.*

■ Les foires rurales

- 1er **week-end de février** : ***A Tumbera*, à Renno**. Foire traditionnelle ayant pour thème le porc et ses différentes préparations dans la cuisine. Démonstrations et concours culinaires. ☏ **04 95 26 65 35.**
- **Fin mars** : **fête de l'olive, à Sainte-Lucie-de-Tallano**. Grand marché de l'huile d'olive. Visite des moulins et démonstrations culinaires. ☏ **04 95 78 80 13.**
- **29 avril** : **journée du brocciu, à Piana**. Conférences, expositions, démonstrations de fabrication et dégustations de l'un des plus traditionnels produits du terroir. ☏ **04 95 27 82 05.**
- **5 et 6 mai** : ***A Fiera di u casgiu*, à Venaco**. Foire des produits fromagers et rencontre des bergers autour de veillées. ☏ **04 95 47 00 15.**
- **9 et 10 juin** : **fête du cheval, à Corte**. Rendez-vous incontournable de la filière équine insulaire. ☏ **04 95 16 19 14.**

▲ *Le marché du square Campinchi, à Ajaccio, est réputé.*

- **7 et 8 juillet** : **foire du vin, à Luri**. Les vignerons venus de toutes les régions de l'île font déguster leurs productions. ☏ **04 95 35 06 44/04 17.**
- **Premier week-end de juillet** : **foire du Pratu, à Quercitello**. À l'entrée de la Castagniccia, cette foire rurale propose des concours de bêtes. Sont également organisés des concours de *Paghjelle* (chants de bergers à plusieurs voix) et *Chjami e Rispondi* (joutes oratoires chantées et polyphonies). ☏ **04 95 39 20 07/04 95 61 10 48.**
- **21 et 22 juillet** : **foire de l'olivier, à Montemaggiore**. Fête du patrimoine qui met l'accent sur la nécessité d'entretenir les oliveraies et sur le rôle essentiel de la prévention des incendies. ☏ **04 95 62 81 72/72 78.**
- **4 et 5 août** : **foire de l'amandier, à Aregno**. Conférences, débats et dégustations ; concerts d'orgues et de guitares. ☏ **04 95 61 79 42.**

▲ *La grande région du miel corse est la vallée de l'Asco, mais vous le trouverez dans toutes les foires agricoles.*

- **7 au 9 septembre** : **foire du Niolo, à Casamaccioli**. L'une des plus anciennes foires de Corse, célèbre pour son caractère religieux. ☏ **04 95 48 03 01.**
- **30 septembre** : **foire du miel, à Murzo**. Découverte des produits du terroir et notamment du miel AOC. ☏ **04 95 22 67 39.**
- **7 au 9 décembre** : **foire de la châtaigne, à Bocognano**. Rendez-vous incontournable des artisans, des professionnels de l'agriculture et des productions de châtaignes. ☏ **04 95 27 41 76.**

Manifestations culturelles

- **Le week-end de la Pentecôte : journées médiévales de Bonifacio.** Célébration de l'année 1541 et de l'arrivée de Charles Quint. Spectacle historique et marché médiéval. ☏ **04 95 73 00 75/11 88.**
- **23 au 30 juin : 14e Festival de jazz, à Calvi.** Cette manifestation internationale réunit pendant huit jours plus d'une centaine de musiciens et chanteurs parmi les plus prestigieux. ☏ **04 95 66 16 67/00 50.**
- **7 juillet : la Relève des gouverneurs, à Bastia.** Spectacle historique retraçant l'arrivée sur le Vieux Port du gouverneur de Bastia.
- **17 au 23 juillet : la Nuit de la guitare, à Patrimonio.** Réunion des meilleurs interprètes de musique classique, jazz, blues et flamenco. ☏ **04 95 37 12 15.**
- **Mi-août : fêtes napoléoniennes d'Ajaccio.** Cérémonies commémoratives de la naissance de Napoléon. Pyrosymphonie en baie d'Ajaccio. ☏ **04 95 51 53 03.**
- **11 au 15 septembre : 13e Rencontres polyphoniques de Calvi.** Ensembles polyphoniques du monde entier. Les spectacles ont lieu dans le chœur de la cathédrale Saint-Jean-Baptiste. ☏ **04 95 65 23 57.**
- **Mi-octobre : 14e Musicales de Bastia.** Les voix et les musiques du sud à travers les chansons, le jazz et le blues. ☏ **04 95 32 75 91.**
- **21 au 28 octobre : 18e Festiventu, à Calvi.** Fête du vent sous toutes ses formes. Art, culture, sport, science et techniques. ☏ **04 95 65 16 67/01 53 20 93 00.**

▲ *Bastia a trouvé sa place au sein des festivals avec, entre autres, le Salon de la bande dessinée.*

Manifestations sportives

- **5 au 8 mai : la route du Sud.** Épreuve cycliste par étapes se déroulant durant 3 jours. ☏ **04 95 25 08 13.**
- **Deuxième week-end de mai : fête du nautisme.** Découverte de la voile, plongée sous-marine, motonautisme, glisse et aviron.
- **Fin mai : le Corsica Raid Aventure.** Une compétition sur 8 jours qui combine plusieurs disciplines, parmi lesquelles course en montagne, passages de corde, VTT et canyoning. ☏ **04 95 23 83 00.**
- **Début juin : Grand Prix motonautique de Corse, à Ajaccio.** Première manche du championnat d'Europe de vitesse Inshore-Formule 4 et deuxième manche du championnat de France de vitesse Inshore-Formules S 2000/3000 et T 850. ☏ **04 95 51 36 06.**
- **7 et 8 juillet : Grand Raid inter-lacs.** Une course pédestre en montagne qui passe par les sept plus beaux lacs d'altitude de Corse. ☏ **04 95 46 12 48.**
- **21 au 29 juillet : Mediterranean Trophy.** Épreuve internationale de voile ouverte aux bateaux de croisière.
- **21 au 23 septembre : rallye Terre de Corse, de Porto-Vecchio.** 413 km de pistes et 145 km d'épreuves spéciales : c'est l'un des plus beaux parcours de France. ☏ **04 95 70 67 33.**

▲ *Le Tour de Corse automobile compte pour le championnat du monde des rallyes.*

CARTE P. 41

La gastronomie

La Corse n'est pas une région uniforme ; cette diversité se retrouve dans sa gastronomie et dans l'authenticité des produits du terroir qui sont la base de recettes traditionnelles.

▲ *Le marché du square Campinchi, à Ajaccio, est réputé pour ses spécialités gastronomiques, comme l'ambroussati.*

▲ *Les beignets de farine de châtaigne sont souvent proposés en second dessert.*

Une gastronomie de qualité

La cuisine traditionnelle a longtemps été l'apanage des tables familiales, les restaurants se contentant souvent de reproduire une cuisine continentale. La recherche par le consommateur de produits authentiques et de qualité, la création de labels et d'appellations contrôlées ont profondément amélioré l'image des produits et de la cuisine corses. Aujourd'hui, l'île de Beauté se veut pays de la gastronomie, fière de la qualité de ses produits locaux.

■ La cuisine corse

Jusqu'au XIXe s., il était difficile de parler de cuisine corse dans ce pays cloisonné par ses multiples vallées, réduit à l'autarcie et aux famines sporadiques. Les habitudes alimentaires dépendaient davantage de la région, des zones agricoles et de leur climat que d'une pratique culinaire spécifique. La préoccupation principale était celle de pouvoir manger. À partir du XIXe s., des produits nouveaux apparaissent, les recettes anciennes sont transcrites et la recherche incessante de nourriture n'est plus la préoccupation majeure. Le régime alimentaire va évoluer. Pourtant, de ces siècles de pénurie, le Corse a longtemps gardé à l'esprit que l'acte de manger était avant tout celui de se nourrir. La gastronomie est longtemps restée ici un concept étranger à la vie quotidienne. Héritière de la cuisine continentale ou italienne, s'inspirant de recettes traditionnelles corses ou rapportées par les insulaires expatriés, la cuisine de l'île s'est peu à peu inventée dans le courant du XXe s. Simple mais savoureuse, elle est dominée sur le littoral par les produits de la mer, dans les zones de montagne par les charcuteries. Et partout les pâtes, accommodées de diverses façons.

■ La charcuterie

La charcuterie corse tient principalement dans la qualité de la matière première, c'est-à-dire le porc, nourri en liberté dans le maquis de glands et de châtaignes. Il fournit une qualité de viande exceptionnelle et une variété de produits qui va du fromage de tête aux pieds de porc en passant par le jambon *prisuttu*, les saucisses *salcicce*, le *lonzu*, la *coppa* ou les *ficatellu*, des saucisses de foie qui sont à l'image de cette charcuterie, simple, rude et montagnarde.

■ La farine de châtaigne

Elle a constitué pendant des siècles la base de l'alimentation du paysan corse. Dans certaines régions, il était d'usage, aux repas de noce, de servir vingt-deux mets différents, tous à base de farine de châtaigne. Malgré cette variation presque à l'infini, les plats principaux que l'on trouvait sur les tables corses jusqu'au début du XXe s. se résumaient en un pain de farine de châtaigne, les *pisticcine* ou de la *polenta*. Aujourd'hui, cette farine est surtout utilisée dans les pâtisseries.

▲ *Produits corses, à Sartène.*

■ Les soupes

Elles constituaient autrefois l'essentiel de la restauration rurale. La plus connue est la *minestra*, faite de haricots, de chou frisé, de pommes de terre, d'oignons, de lard fumé et de pâtes fraîches. Longtemps mijotée, elle est souvent servie très chaude et bien poivrée. Il y a aussi la soupe aux herbes du maquis, la soupe à l'ail, la soupe aux pois chiches, la soupe à l'oignon, la soupe de châtaignes ou celle de truite, que l'on peut trouver dans la vallée de la Restonica, à l'ouest de Corte.

■ Les poissons et les fruits de mer

Poissons et fruits de mer garnissent les tables du littoral. On appréciera l'*aziminu*, sorte de bouillabaisse à prédominance de langouste, les rougets grillés, le loup au fenouil, la brandade de morue au *brocciu*, les beignets de calmars ou la seiche farcie, sans oublier la *boutargue* : salés et séchés, ces œufs de mulet ou de loup sont considérés comme le caviar de la Corse.

◄ *Un retour de pêche : la rascasse.*

■ Truites et anguilles

La Corse est l'île des torrents dans lesquels prospèrent les truites fario, à la robe mouchetée et à la chair délicate. À Corte, on cuisine l'*aziminu di Corti*, une bouillabaisse de truites cuites dans une sauce au vin et aux piments. On peut la préférer cuite sur une *tehgja*, pierre plate chauffée à blanc. Autre poisson de rivière et d'étang, l'anguille est souvent consommée grillée aux herbes du maquis ou à la matelote.

■ Les fromages

La production laitière est très importante, avec plus de 17 millions de litres de lait de chèvre ou de brebis. Le fromage est donc un produit très répandu en Corse. Le plus célèbre est le *brocciu*, fromage national que l'on retrouve dans un grand nombre de préparations culinaires et qui a obtenu l'AOC.

◄ *Les fromages de Haute-Corse sont doux et moelleux. En Corse-du-Sud, ils sont pressés et séjournent longuement en cave.*

L'histoire

Filitosa p. 200
L'un des sites culturels et artistiques les plus importants du monde pour la préhistoire.

Pieve p. 120
Un petit village du Nebbio aux vestiges très anciens.

Cargèse p. 160
Une ville à l'histoire et au patrimoine originaux ; des Grecs se sont installés ici dès le XVIIe s.

Ota p. 162
Le pont de Pianella, construit par les Génois, enjambe la Spelunca.

Morosaglia p. 264
Le berceau de Pasquale Paoli, le « père de la nation corse ».

Galéria p. 150
Cette station balnéaire possède une tour génoise et de riches gisements préhistoriques aux alentours.

Bastelica p. 191
La patrie du célèbre Sampiero, dont la statue se dresse en face de l'église.

Aléria p. 249
Une des villes les plus anciennes de l'Europe occidentale.

Castirla p. 284
Un très vieux village à flanc de montagne et un Pont-du-Diable bâti par les Génois.

Corte p. 278
Verrou stratégique et carrefour de voies de communication, Corte avait été choisie par Pasquale Paoli comme capitale.

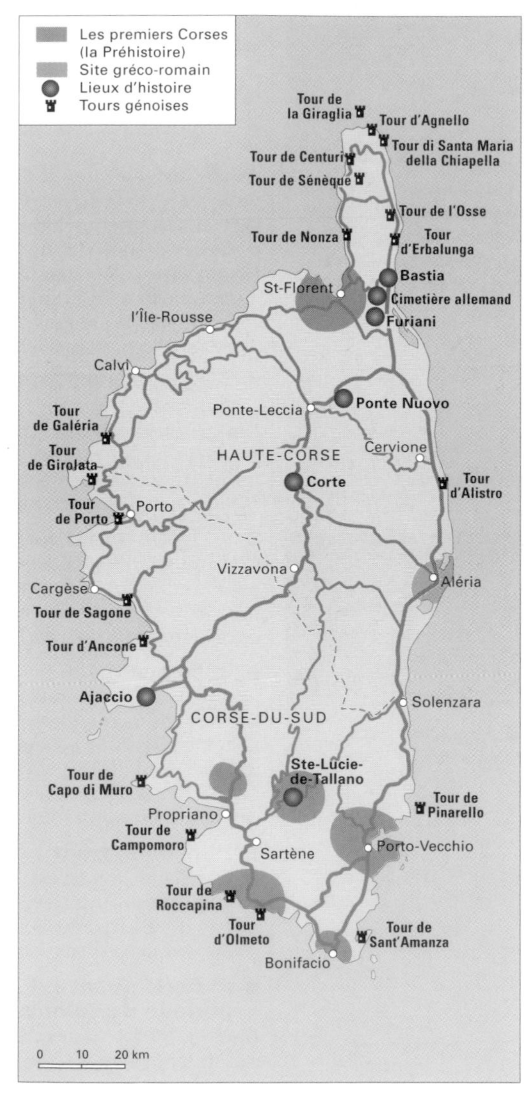

◀ *Filitosa.*

CARTE P. 57

Chronologie

▲ *Au hameau de Cambia, le gros rocher plat, appelé la Petra Frisgiada, porte des gravures rupestres préhistoriques.*

■ VIIIe-VIIe siècles : le pré-néolithique

Le squelette de la « dame de Bonifacio », daté de 6570 avant J.-C., découvert en 1973 sur le site de l'Araguinola-Sennola, constitue la plus ancienne trace d'occupation humaine retrouvée à ce jour.

■ VIe-Ve siècles : le néolithique

C'est l'âge de la pierre polie. Haches et faucilles sont taillées dans le silex et l'obsidienne. Apparition des premières céramiques. Les bergers et les paysans se sédentarisent et vivent dans les abris naturels. Les élevages saisonniers s'intensifient. Au fil des siècles, des circuits saisonniers caractéristiques de l'économie corse traditionnelle s'organisent, entre territoires d'estivage et d'hivernage. Il est probable que le mouflon actuel descende de ces troupeaux primitifs.

■ À partir de 4000 et jusque vers 1800 avant J.-C.

Des cultures céréalières archaïques se développent en plaine et sur les coteaux. Dans la basse vallée du Liamone, le Monte Lazzu semble avoir été le centre de meunerie en plein air d'une importante station agricole.

▲ *Statues-menhirs, Filitosa VI.*

■ IVe siècle avant J.-C. : les mégalithes

Constitution des premiers villages. Avec eux se développent le culte des morts et l'édification de monuments funéraires : les dolmens et les menhirs, très nombreux dans la région de Sartène.

■ 2000 avant J.-C.

Début de l'âge du bronze et apparition de la civilisation « torréenne », caractérisée par l'édification de *torré*, vastes constructions circulaires que l'on trouve dans le sud de l'île et dont la vocation est encore mal connue. Les premiers villages se constituent et se retranchent derrière des fortifications, les *castelli*.

■ L'an 1000 avant J.-C. : l'âge du fer

La Corse entre dans l'ère du commerce et de l'échange. La population migre vers l'intérieur des terres. Les formes d'habitat se développent plus modestement sous forme de cabanes. Une phase de déclin commence.

■ Ier siècle avant J.-C. : période de colonisation

En 565, les Phocéens, fuyant la domination perse, créent leur premier comptoir en Corse, à Alalia, qui deviendra Aléria. C'est une civilisation qui maîtrise l'écrit et développe sa propre culture. Pendant plus de deux siècles, de riches relations commerciales vont s'établir entre Alalia la Grecque et l'Italie centrale.

■ IIIe siècle avant J.-C. : la colonisation romaine

En 259, les légions romaines débarquent sur la côte orientale, détruisent Alalia et conquièrent toute l'île. La Corse est rattachée à la Sardaigne. Deux villes sont créées sur la côte orientale : au nord Mariana, fondée par Marius en l'an 100, et Aléria. Ces deux cités vont donner naissance à une urbanisation à la « romaine ».

■ IIIe siècle après J.-C. : la christianisation

Arrivée des premiers missionnaires, implantation d'un réseau d'églises dont il subsiste quelques vestiges : Aléria, Ajaccio et Sagone, qui témoignent d'un enracinement urbain ou littoral, conformément au modèle général de la diffusion de la nouvelle religion dans le bassin méditerranéen.

■ Ve siècle : le temps des invasions

Après la chute de l'Empire romain, la Corse connaît une succession d'invasions : d'abord les Vandales, puis les Ostrogoths. Livré aux pillards et aux pirates, le littoral se dépeuple peu à peu. Les habitants se réfugient dans les montagnes. La démographie s'effondre. La Corse entre dans une période de repli.

■ À partir du VIIIe siècle : terre pontificale

En 754, Pépin le Bref, roi des Francs, fait don de la Corse au pape Étienne II. La Corse, placée sous contrôle pontifical, subit une succession de raids sarrasins qui anéantissent toute son économie et sa culture. Les villes se dépeuplent, les ports sont abandonnés.

■ Xe siècle : la dynastie des féodaux

Une féodalité insulaire régnant sur les *pievi* (paroisses rurales) se met peu à peu en place.

■ XIe siècle : l'époque pisane

Après la faillite des pouvoirs féodaux, les Pisans obtiennent du pape Grégoire VII l'administration de la Corse en 1077. Les églises sont reconstruites, l'art pisan laisse son empreinte; c'est l'art roman.

1133 : les rivalités entre Gênes et Pise obligent le pape Innocent II à partager les six évêchés de l'île entre les deux sièges métropolitains : ceux du nord-est (Mariana, Saint-Florent et Accia) seront attribués à Gênes, ceux du sud-ouest (Aléria, Ajaccio et Sagone) à Pise.

■ Seconde moitié du XIIe siècle : l'emprise de Gênes

Toujours placée sous domination pisane, la Corse est peu à peu colonisée par les Génois, qui fondent en 1195 la ville de Bonifacio. En 1268, ils fondent Calvi.

1284 : la bataille navale de Meloria élimine définitivement l'influence pisane sur la Corse et consacre la suprématie de Gênes.

▲ *Vestiges romains de l'époque impériale découverts sur le site archéologique de Piantarella.*

▲ *Pont génois de Pianella, surplombant les gorges de la Spelunca, à Ota.*

▲ *Église romane de Saint-Pancrace, à Castellare di Casinca.*

▲ *Église Saint-Agnel de Rogliano.*

▲ *Statue de Sampiero Corso, à Bastelica.*

▲ *Napoléon, originaire d'Ajaccio, a été couronné empereur en 1802.*

1297 : le pape Boniface VIII donne la Corse et la Sardaigne au roi d'Aragon. Le conflit entre Gênes et l'Aragon va durer deux siècles. La période de troubles, l'anarchie féodale et religieuse qui règnent alors, puis la grande peste noire qui va ravager l'île dans les années 1347-1348, vont favoriser l'implantation d'églises nouvelles comme celle des « Giovannali », qui prend naissance en 1350 dans la région du Sartenais. Excommuniés en 1355, les Giovannali sont jugés hérétiques et schismatiques.

■ XIVe siècle : l'anarchie féodale

1358 : des révoltes anti-seigneuriales éclatent sur l'ensemble de l'île, balayant la féodalité insulaire.
1372 : Arrigo della Rocca, appuyé par le roi d'Aragon, devient maître d'une partie du pays avec le titre de comte de Corse. Son neveu, Vincentello d'Istria, est vice-roi de Corse jusqu'en 1434. Il sera décapité à Gênes.
1420 : siège de la ville génoise de Bonifacio par Alphonse V d'Aragon.
1453 : Gênes confie la gestion de la Corse à la Banque de Saint-Georges. La plantation de la vigne, du châtaignier et de l'olivier est encouragée à l'intérieur des terres. Un vaste programme céréalier est mis en place sur le littoral. Un grand nombre de tours littorales sont construites pour surveiller et protéger les côtes.
1553 : les troupes du roi de France Henri III, appuyées par Sampiero Corso, débarquent en Corse pour faire de l'île un des pôles de la politique italienne. Certains habitants se réfugient dans les montagnes, d'autres émigrent vers l'Italie ou la Provence. La Corse devient française.
1559 : le traité de Cateau-Cambrésis restitue la Corse à la république de Gênes, qui en redevient le maître incontesté. Sampiero Corso, qui cherche à se dégager de cette emprise, est assassiné en 1567. Le littoral est entouré de tours de guet pour lutter contre les attaques barbaresques.

■ Du XVIe au XVIIIe siècle : la paix génoise

La Corse, placée sous administration génoise, va vivre une paix relative pendant deux siècles. Durant cette période, la politique agricole oblige les Corses à planter de la vigne, des châtaigniers et des oliviers. Dans les villes et les villages, des églises sont édifiées ; ainsi naît l'art baroque. Les plaines côtières sont mises en valeur au bénéfice de grandes familles génoises. Peu à peu s'instaure un déséquilibre entre le pays de l'intérieur et le littoral.

■ Naissance d'une nation

1730 : début des insurrections qui vont conduire la Corse à son indépendance, proclamée à Orezza en 1735.
Mars 1736 : Théodore de Neuhoff, baron allemand né à Cologne, est proclamé roi de Corse.
Novembre 1737 : traité de Fontainebleau. La France s'engage à aider Gênes à reconquérir la Corse.
Février 1753 : les troupes françaises évacuent la Corse.

■ 1755 : indépendance de la Corse

Élu le 6 avril 1725, Pasquale Paoli tente de réaliser l'unité en créant un État corse indépendant. La Constitution nationale corse est proclamée en novembre 1755. En 1763, Paoli est élu général de la nation corse.
15 mai 1768 : Gênes cède la Corse à la France.
1769 : bataille de Ponte Nuovo. Les paolistes sont vaincus, les foyers de résistance anéantis. Paoli est exilé en Angleterre ; il reviendra en Corse 20 ans plus tard.
1789 : la Corse est déclarée partie intégrante de l'Empire français.
1794-1796 : institution d'un royaume anglo-corse avec sir Gilbert Elliot pour vice-roi.
1796 : l'île est reconquise par Napoléon Bonaparte.
1811 : la Corse devient un département français ; Ajaccio en est la capitale.

▲ *« Général de la nation », « père de la patrie » : Pasquale Paoli est la grande figure de l'indépendance corse. Ici, son buste à L'Île-Rousse.*

■ Le XXe siècle

Des travaux d'infrastructures routières sont réalisés, le chemin de fer est créé, la navigation entre la Corse et le continent se développe.
1914-1918 : la Première Guerre mondiale crée une saignée démographique.
1942-1943 : la Corse est occupée par les troupes de Mussolini. Elle sera le premier département français à être libéré.
1957 : un programme d'action régionale de valorisation des terres est mis en place et va permettre le défrichement et l'irrigation des plaines.
1970 : la Corse devient la 22e région française.
1975 : les événements d'Aléria relancent les volontés indépendantistes. La même année, la Corse est divisée en deux départements : Haute-Corse (2 B) et Corse-du-Sud (2A).
1976 : création du FLNC (Front de libération nationale de la Corse).
1981 : réouverture de l'université de Corse, fondée en 1765 à Corte.
1982 : élection de la première Assemblée corse au suffrage universel.
13 mai 1991 : création de la Collectivité territoriale corse (CTC).
1995 : création de l'IMEDOC : regroupement d'intérêt économique des trois grandes îles de la Méditerranée occidentale, la Sardaigne, la Corse et les Baléares.
1996 : mise en service des navires à grande vitesse (NGV) entre Nice, Livorno et la Corse.
1998 : assassinat du préfet Claude Érignac à Ajaccio.
1999 : incendie d'une paillote et mise en examen du préfet de la région Corse.
Mai et juin 2000 : série de discussions avec les élus corses à Matignon.
Juillet 2000 : réunion à Ajaccio de l'Assemblée territoriale corse pour se prononcer sur le nouveau statut de l'île.

▲ *La Première Guerre mondiale a fait plus de 15 000 morts parmi la population corse.*

CARTE P. 57

Les mégalithes

L'homme était-il présent en Corse à l'âge ancien de la pierre, au paléolithique ? Les archéologues restent prudents quant aux origines de l'occupation de l'île. Les premières migrations humaines remonteraient aux VIIIe et VIIe millénaires, en provenance de la Sardaigne et de la Toscane, qui est à cette époque un archipel relié à la péninsule italienne, donc plus proche de la Corse qu'aujourd'hui parce que la mer est alors plus basse de 30 m dans la région.

▲ *Au nord de la Punta Cauria (276 m), le dolmen de Fontanaccia est le mieux conservé de l'île.*

■ La Corse des premiers temps

Cette théorie s'appuie sur les similitudes entre les motifs décoratifs des céramiques du néolithique ancien (VIe millénaire) retrouvées à Basi, Aléria, Filitosa, et ceux de Pienza, en Toscane. On a pu supposer qu'en s'aidant du « pont » de l'archipel toscan, des colonies de peuplement auraient accosté en plaine orientale et, de là, essaimé en direction du nord et du sud, empruntant les grandes vallées fluviales du Prunelli, du Taravo, du Rizzanese... Mais des datations plus hautes ont été découvertes, qui remonteraient au pré-néolithique lui-même. Ce sont notamment les sites archéologiques de l'Araguina, avec le squelette de la « dame de Bonifacio » (6570 ans avant J.-C.), de Currachiaghju, près de Levie (6610 ans), et de Strette, dans la région de Saint-Florent (7190 ans). Sur ces sites, l'outillage d'éclats de roche sans céramique évoque une activité de ramassage et de cueillette, de chasse aussi, notamment d'un mammifère, le lagomys, sorte de lapin-rat. À partir de 4000 ans et jusque vers 1800 avant J.-C., la culture des céréales archaïques se répand dans les plaines et sur les coteaux. Il en reste de nombreuses traces : meules dormantes et cuvettes utilisées pour le broyage des glands. Le Monte Lazzu, par exemple, dans la basse vallée du Liamone, semble avoir été le centre de meunerie en plein air d'une importante station agricole.

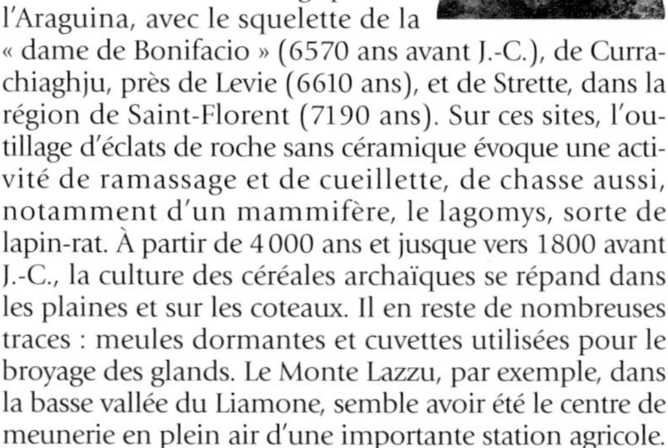

► *Filitosa est le plus grand site de l'art statuaire méditerranéen. Ici, sculptée il y a 4000 ans, la figure énigmatique d'une des célèbres statues-menhirs.*

En direction d'Olmeta-di-Capocorso (cap Corse), par la D 433, se trouve la **Grotta Scritta**, perdue dans le maquis. On peut voir sur une paroi douze inscriptions datant du mégalithique et faites à l'encre rouge, particularité unique en Corse. Elle n'est pas balisée. Pour vous guider, contacter l'association A Cima (☏ 04 95 37 80 01).

■ Le phénomène mégalithique

Ce phénomène quasiment inexistant dans les autres îles méditerranéennes est l'une des grandes originalités insulaires. Cette culture s'épanouira à l'âge du bronze, vers 1500, et jusqu'au début du Ier millénaire. Les Corses de la préhistoire vont ainsi construire des dizaines de tombes à coffre *(bancali)* et de dolmens *(stazzone)*, notamment dans le sud de l'île, sans doute plus peuplé. Plusieurs centaines de menhirs *(stantari, paladini...)* seront également dressés, principalement à Pagliaju, dans la commune de Sartène, où on en compte plus de 250 en impressionnants alignements. Progressivement, les blocs de pierre prennent forme humaine, la tête s'individualise, le corps est parfois sculpté de glaives et de poignards. L'ensemble s'apparente aux statues-menhirs des Cyclades. Le Sartenais et la vallée du Taravo en contiennent plus d'une quarantaine. Le reste se disperse surtout entre le nord et la Corse occidentale.

▲ *Statue-menhir près de la chapelle San Quilico de Cambia.*

■ La civilisation torréenne

Elle apparaît au début du IIe millénaire et tient son nom des monuments mégalithiques de forme circulaire ou *torré* voûtés en encorbellement, très caractéristiques de la Corse du Sud à l'âge du bronze, et rappelant les *nuraghi* de Sardaigne et les *talayots* des Baléares. On a longtemps attribué ces constructions aux Shardanes, l'un des « Peuples de la Mer » originaires de Méditerranée orientale. Aujourd'hui, les préhistoriens s'attachent davantage à étudier le contexte archéologique dans lequel ces *torre* s'inscrivaient : type d'habitat, activités artisanales, structures agraires, etc. Dans une perspective plus ancrée dans la « vie quotidienne », l'interprétation se modifie et la piste de l'invasion de l'île est abandonnée au profit d'une évolution purement autochtone qui se serait inscrite au sud d'une ligne Ajaccio-Solenzara.

▲ *Statue du moine et de la religieuse à Propriano.*

■ Les premiers villages

Édifiés sur des buttes ou des éperons rocheux, les *castelli* ont constitué, au Ier millénaire, les premiers villages. Pendant tout l'âge du bronze et même au-delà, ces agglomérations fortifiées vont assurer la survie des groupes humains : protection militaire, habitat, conservation des récoltes et des vivres, activités artisanales, etc. Puis les formes d'habitat s'organisent plus modestement en cabanes, mais réutilisent parfois les sites défensifs antérieurs. Les *castelli* continuent à être occupés, mais on commence à trouver la trace de populations qui n'appartiennent plus à l'âge préhistorique. Contrairement aux époques précédentes, les grandes concentrations ne se trouvent plus sur les zones littorales, mais à l'intérieur du pays, où se développent l'agriculture et l'élevage.

▲ *Statues-menhirs du IIe millénaire avant J.-C. devant l'église de Pieve.*

CARTE P. 57

Le temps des invasions

Les premières civilisations porteuses de l'écriture abordent en Corse au VIe s. avant J.-C. Elles rencontrent un monde archaïque resté à l'écart des échanges commerciaux, qui ont engendré ailleurs la prospérité d'un grand nombre de cités du monde méditerranéen.

► *Les traces de civilisation grecque ont été effacées par les Romains.*

■ La colonisation grecque

L'hellénisation de la Corse appartient à la légende, avec l'arrivée d'Ulysse pénétrant dans le port de Bonifacio. Elle conserve de cette conquête son nom : « kalliste », la plus belle. En 565, les Grecs de Phocée, en Asie Mineure, fuyant la domination des Perses, fondent le premier comptoir d'Alalia, transformé en 540 en colonie de peuplement. Situé à l'embouchure navigable de la rivière du Tavignano, sur une butte dominant la plaine alluviale, ce site portuaire va commercer, entre les VIe et IIIe s., avec les cités de l'Italie méridionale, d'Espagne, de Gaule et du monde étrusque. Les sépultures, les céramiques et autre mobilier funéraire retrouvés à ce jour dans la nécropole pré-romaine d'Alalia témoignent de l'importance des échanges avec le reste du monde méditerranéen. Les écrits gréco-romains de Polybe, Strabon ou Ptolémée témoignent de la nature sauvage de l'île, de la densité de son massif forestier aux essences multiples et de la richesse de ses matières premières. La Corse est à l'époque faiblement peuplée, à peine quelques dizaines de milliers de *Corsi* dont la langue, selon Diodore de Sicile, était « étrange et difficile à comprendre ». Ce peuple pastoral des *Corsi* vivait retranché, au rythme alterné des déplacements entre plaine et montagne, entre estivage et hivernage.

▲ *Aléria est la sixième ville de l'Europe occidentale fondée avant le Christ. Ici, les bassins centraux.*

Aléria la romaine

Après avoir repoussé les attaques des Étrusques et des Puniques en 535, Alalia ne résistera pas, en 259, aux légions romaines du consul Publius Cornelius Scipio. Rome s'installe en Corse et, après plus de deux siècles de luttes, en devient le maître. Les campagnes, dépeuplées, sont mises à sac. La résistance des *Corsi* fait l'objet de représailles. Le peuple est envoyé en esclavage. Rapidement, la domination de Rome s'affirme sur tous les points de l'île et la Corse, rattachée à la Sardaigne, devient une province romaine. Cette romanisation s'inscrit dans la société et l'urbanisme. De nouvelles villes sont créées : Mariana, au sud de Bastia, fondée vers 100 avant J.-C. ; au sud, Aléria, construite sur les ruines d'Alalia. L'une et l'autre deviennent des centres actifs de romanisation.

▲ Le Martyre de sainte Julie *dans l'église Sainte-Julie, à Nonza.*

Les premières églises

Après plusieurs siècles de présence romaine, la Corse entre dans l'ère de la christianisation avec l'arrivée des premiers missionnaires. Dès le IVe s., un premier réseau d'églises se constitue. Principalement situés en milieu urbain ou sur les zones littorales, ces premiers édifices témoignent de la présence de groupes épiscopaux à Ajaccio, Aléria, Mariana, Nebbio et Sagone. L'île a ses saints et ses martyrs (sainte Dévote, sainte Julie, saint Restitute), qui vont être l'objet d'une grande dévotion populaire durant des siècles.

Barbares, Vandales et Sarrasins

La chute de l'Empire romain entraîne dans son sillage une vague d'invasions successives. En 465, les Vandales, après avoir détruit Aléria et Mariana, se rendent maîtres de l'île ; ils seront chassés, près d'un siècle plus tard, par l'empereur byzantin. La Corse est alors dépeuplée, dévastée et réduite à l'autarcie. L'économie et les infrastructures romaines sont réduites à néant. Soumise aux invasions permanentes, la population s'exile ou se retranche dans les montagnes et retourne à la vie archaïque d'une agriculture basée sur la simple autosuffisance. Le littoral est abandonné, laissé à l'ensablement et à la malaria.

L'époque pisane

Pendant presque 600 ans, la Corse va vivre sous le joug d'envahisseurs successifs. Cette longue période prendra fin au XIe s., lorsque le pape Grégoire VII confie l'administration de la Corse à l'évêque de Pise. Dès lors, les Pisans vont reprendre et réaménager l'œuvre de christianisation entreprise aux temps paléochrétiens. Des cathédrales sont reconstruites sur le littoral, des chapelles et des églises font renaître les paroisses rurales.

▼ *L'église grecque de Cargèse.*

CARTE P. 57

L'époque génoise

Après l'hégémonie de Pise, qui dure du XIe au XIIIe s., c'est la pression militaire et économique de Gênes qui s'affirme. Au début du Moyen Âge, un réseau de grands seigneurs féodaux venus de Gênes se met peu à peu en place, d'abord au cap Corse, où s'implantent aux environs de 1100 les seigneurs Avogari autour de leurs *castelli* de Brandon et de Nonza ; puis à la pointe de la presqu'île, où les De Mari organisent leur seigneurie autour de Motti (Luti) et de San Colombano (Rogliano).

▲ *Le pont à trois arches de Castirla, dit Pont-du-Diable, marque l'ancienne présence des Génois.*

■ L'emprise de Gênes

À l'autre extrémité de l'île, les Génois fondent en 1195 la ville de Bonifacio, un bel exemple de ville coloniale du Moyen Âge. Le choix de ce site stratégique tend à affirmer leurs prétentions face à la domination de Pise sur le détroit corso-sarde. Bonifacio va devenir au fil des ans une vaste colonie de peuplement. Elle atteint son apogée au XIIIe s. avec près de 3 000 habitants. De ces implantations naît une nouvelle économie : celle du négoce. Les Génois sont pour la plupart des commerçants, qui exportent les denrées agricoles et pastorales : grains, cire, peaux, viandes, fromages… et redistribuent en retour dans les *pievi* les articles qu'ils rapportent de Gênes : draps, toiles, armes... La monnaie circule et le jeu du crédit apparaît. Gênes affirme peu à peu son emprise sur l'ensemble de la Corse. Pourtant, dans cette conquête, les Génois vont rencontrer une résistance farouche menée notamment par Giudice di Cinarca : un seigneur de l'Au-Delà-des-Monts qui s'est engagé dans une tentative de réunification de l'île.

▲ *Génoises pour la plupart, les tours de guet, comme celle de Galéria, avaient pour fonction de prévenir la population de l'approche des Barbaresques.*

■ L'anarchie féodale et les Giovannali

Au XIVe s., Gênes est occupée par ses conflits avec Venise et son expansion en mer Noire. L'Aragon revendique la Corse et tente d'y prendre pied. L'île est abandonnée à l'anarchie féodale de seigneurs affranchis de toute tutelle. Les impositions s'alourdissent sur un monde paysan soumis à une oppression politique de plus en plus vive. La peste noire qui ravage l'île en 1348 finit de précipiter le peuple dans la misère. C'est dans ce climat de dénuement et de pauvreté que prend naissance la secte des

Giovannali. Un mouvement religieux, né dans la *pieve* de Carbini, à l'est du Sartenais, qui prône, face à l'oppression féodale et ecclésiastique, et comme le mouvement des Fraticelli apparu à la même époque sur la péninsule italienne, des vertus de pauvreté et de solidarité. Cette secte est excommuniée et déclarée hérétique en 1355.

▲ *La république de Gênes a occupé la Corse pendant presque cinq siècles.*

■ La Terre de la Commune

Alors que se déroule en France la Grande Jacquerie, la Corse connaît les mêmes révoltes contre les prétentions de seigneurs locaux de plus en plus influents. Des mouvements naissent et se propagent dans toute l'île à partir de l'En-Deçà-des-Monts. Les paysans, menés par Sambucciu d'Alandu et appuyés par Gênes, assiègent les châteaux et les démantèlent. Ainsi va naître une nouvelle organisation, celle de communautés rurales autonomes échappant à l'emprise féodale : la Terre de la Commune ou *Terra di u Cumunu*. Les populations, libérées du joug de la féodalité, tombent alors sous l'égide de Gênes. La République assure la protection des populations en échange d'un impôt. En quelques années, le mouvement va balayer la féodalité insulaire, sauf dans le cap Corse génois. Devant cette pression populaire, un grand nombre de seigneurs devront s'exiler avant de pouvoir regagner leurs domaines quelques années plus tard.

■ L'hégémonie aragonaise

Dès 1372, face à l'impuissance du parti pro-génois, Arrigo della Rocca impose son autorité et recrée à son profit, vers 1380, le titre de comte de Corse. En 1407, son neveu et successeur, Vincentello d'Istria, a autorité sur la Corse face aux Génois jusqu'en 1434 ; il devient aussi vice-roi de Corse, au nom du roi d'Aragon. La Corse se trouve ainsi intégrée dans la stratégie méditerranéenne de la couronne d'Aragon. Dès lors, le pays se rallie au nouveau roi et la pression contre Gênes s'intensifie. La ville de Bonifacio, verrou de la présence génoise, est assiégée en 1420 par une flotte aragonaise de 400 vaisseaux, menée par Alphonse V d'Aragon, entouré de Vincentello d'Istria et d'un grand nombre de seigneurs locaux. Malgré cet échec, Vincentello d'Istria restera maître du pays. Des rivalités de clans mettront un terme à cette hégémonie aragonaise. Rapidement, la puissance des seigneurs locaux et la lourdeur des liens féodaux vont faire naître un mouvement de révolte au sein de communautés paysannes asservies. Un siècle après le mouvement de la Terre de la Commune, les Corses se tournent vers Gênes pour demander protection. Celle-ci viendra de la Banque de Saint-Georges.

▲ *Les Génois construisirent des tours sur tout le littoral corse afin de se protéger des attaques successives des pirates.*

CARTE P. 57

► *Doté d'une formation intellectuelle à la fois classique et universaliste, Pasquale Paoli prônait une version tempérée du despotisme éclairé.*

▼ *Le duc de Choiseul obtint de la république de Gênes la souveraineté sur l'île.*

Gaffori, le patriote

Allié à la puissante famille Matra, Gian Pietro Gaffori, médecin de formation, est l'un des personnages importants dans le mouvement d'opposition insulaire au pouvoir génois. Il soutient le bref royaume de Théodore de Neuhoff puis s'oppose à l'intervention française de 1739. Après l'exil des chefs insurgés, il s'impose comme principal dirigeant après la consulte d'Orezza de 1745. Aux yeux des Génois, il est sans conteste le personnage clef de la Révolution corse, obstacle à la souveraineté de la Sérénissime, qui le fera abattre le 2 octobre 1753.

Pasquale Paoli
l'État corse indépendant

Paoli est, pour les Corses, le symbole de l'indépendance, cette période d'une dizaine d'années (1755-1768) qui mit un terme à cinq siècles de domination génoise.

■ Naissance d'une nation

Le programme de colonisation agraire, mis en place par la Banque de Saint-Georges puis poursuivi et amplifié par les Génois, est le point de départ de l'hostilité des Corses, spoliés de leurs terres de pacage d'hiver au bénéfice de riches familles. Cette situation ouvre la voie aux révoltes du XVIIIe s. que la république de Gênes ne parvient pas à résoudre. Le règne éphémère de Théodore de Neuhoff, baron allemand autoproclamé roi de Corse en 1736, s'inscrit dans ce contexte. Il doit quitter l'île quelques mois plus tard. Devant les risques d'internationalisation du conflit, la France propose son arbitrage à la république de Gênes. Malgré plusieurs expéditions dans l'île, la révolte se poursuit. C'est dans ce contexte que les Corses décident, en 1755, de faire appel à Pasquale Paoli, qui sert alors dans l'armée de Charles III, roi des Deux-Siciles.

■ Proclamation de l'État corse

Né à Morosaglia en 1725, dans un pays sous domination génoise, Pasquale Paoli a grandi à l'ombre de son père, chef des insurgés. À 14 ans, il l'accompagne dans son exil napolitain. Inspiré par Montesquieu, Machiavel et Plutarque, il suit avec attention les événements qui secouent l'île. En 1755, il répond à l'appel de notables insulaires et rentre en Corse pour y être proclamé général en chef de la nation. Il devra pourtant lutter pendant près de deux ans pour s'imposer sur l'ensemble de l'île, à l'exception des citadelles génoises.

■ Institutions et vie politique

Il s'agit de « libérer la Corse de l'occupant génois et de proclamer l'indépendance de l'île ». La constitution nationale corse est proclamée dès novembre 1755. Inspirée par la philosophie politique des Lumières, elle affirme la souveraineté du peuple dont les représentants se réunissent en consulte. Le gouvernement de la nation, qui a son siège à Corte depuis 1758, vote les lois et fixe le taux des impôts. Le général, chef de l'exécutif, préside le Conseil, composé de neuf membres, un par province (Corte, Balagne, Nebbio, Casinca, Campoloro, Orezza, Ornano, Cinarca, Vico), et divisé en trois « ministères » : guerre, justice et finances. Pour lutter contre le blocus maritime génois, Paoli réunit les premiers éléments d'une marine de guerre et d'une flotte de commerce. Le pouvoir judiciaire est organisé selon une hiérarchie rigoureuse, depuis les communautés rurales jusqu'à la *Rota civile*, tribunal d'appel qui siège à Corte et au Conseil d'État lui-même.

L'économie et l'enseignement

À côté de l'enseignement primaire confié au clergé, principalement aux franciscains, Paoli fonde à Corte une université, inaugurée en janvier 1755 et qui enseigne la théologie, le droit civil et canon, la morale, la philosophie, la rhétorique et plus tard les sciences. Malgré sa Constitution et sa structure, l'État corse de Paoli trouve difficilement sa place. Le coup décisif vient de la cour de France, dont la diplomatie, conduite par le duc de Choiseul au nom de Louis XV, obtient de la république de Gênes une délégation de souveraineté sur l'île (traité de Versailles, 15 mai 1768). La conquête militaire française suit cet accord et les régiments français viennent à bout des milices patriotiques lors de la bataille de Ponte Nuovo, le 8 mai 1769. Paoli s'exile en Angleterre.

◀ *De nombreuses écoles primaires portent le nom de Paoli, en hommage à son souci de l'éducation des Corses. Ici, l'école de sa ville natale, Morosaglia.*

La Corse et la Révolution

Paoli revient en Corse en juillet 1790, à la faveur de la Révolution française. Nommé président du conseil départemental et commandant en chef des gardes nationales, il est de nouveau confronté aux rivalités claniques. Des troubles éclatent un peu partout sur l'île, en juin 1791 à Bastia, puis en avril 1792 à Ajaccio. Pour tenter d'affaiblir le courant séparatiste, l'île est divisée en deux départements. Paoli est nommé généralissime et prend la tête de la rébellion séparatiste. Il est mis hors la loi par Paris en juillet 1793. Désormais, la rupture avec la Convention est consommée. En 1794, un royaume anglo-corse est constitué, dont sir Gilbert Elliot est le vice-roi. Paoli est rapidement écarté du pouvoir au bénéfice de Charles André Pozzo di Borgo. Contrairement à la consulte qui avait été votée en juin 1794 à Corte, la Corse n'est pas indépendante et Paoli, rappelé à Londres, connaît un nouvel exil. Il meurt en 1807.

La garnison de Nonza

Par le traité de Versailles (15 mai 1768), Gênes cède à la France ses droits sur la Corse. Furieux de n'avoir pas été consultés, les Corses se mobilisent. Marbeuf est envoyé sur l'île avec 1 200 hommes pour occuper les places fortes. Devant Nonza, il somme la place de se rendre. Un paoliste, Jacques Casella, déclare que la garnison ne se rendra qu'avec les honneurs des armes. La proposition est acceptée; Jacques Casella sort de la tour; il est seul! Stupéfait et plein d'admiration, le commandant français le fera reconduire avec beaucoup d'égards au quartier général de Paoli.

CARTE P. 57

Le statut corse

L'identité de la Corse est née de son passé douloureux et de son insularité. La société corse conserve, à travers les siècles et au-delà de son histoire, le sentiment profond d'appartenir avant tout à cette terre rude qui a marqué sa destinée.

▲ *Affichage sauvage d'opinions politiques à L'Île-Rousse.*

■ Un sentiment identitaire

Pise d'abord, Gênes ensuite, les Français enfin, l'histoire et les invasions successives ont naturellement fait naître en Corse un profond sentiment identitaire caractérisé notamment par une volonté d'opposition à tout pouvoir et une méfiance vis-à-vis des étrangers. C'est dans ce contexte que s'élaborent les rapports souvent chaotiques entre l'île et le continent.

■ Une île dépeuplée

Le déficit de population est en Corse une donnée constante. Ses 260 000 habitants en font l'île la moins peuplée de la Méditerranée. C'est le département français qui affiche la plus faible densité démographique. Cette « désertification » n'a pas été sans conséquences sur le développement économique de l'île, qui reste à bien des égards attachée à un certain archaïsme. Région essentiellement rurale et confrontée à un problème d'enclavement dû à son relief montagneux, la Corse fut tenue à l'écart des grandes mutations économiques de la fin du XIXe s. et du début du XXe s. La chute des revenus des produits agricoles et les conflits mondiaux ont considérablement érodé sa population, qui s'est massivement exilée. Le mouvement s'est inversé depuis les années 1960.

■ L'intégration à la France

▲ *Paoli a fait de la tête de Maure le drapeau officiel de sa jeune nation.*

Réalisée non sans heurts en 1768, celle-ci sera régulièrement remise en cause. Pourtant, l'intégration se réalise peu à peu. Tout d'abord à travers les élites : 30 généraux ou maréchaux corses ont servi la République ou l'Empire. En 1934, on estime que 20 % du personnel administratif français colonial est d'origine corse, un pourcentage qui atteint les 50 % dans certains pays. Cependant, cette adhésion à la France est confrontée à la persistance de la culture locale et au souvenir d'une histoire qui n'est pas « gauloise ». La question corse, maintes fois posée, reste sous-jacente et resurgit à la moindre crise.

■ Naissance des mouvements nationalistes

À partir de 1973, de nouvelles contestations voient le jour, d'abord contre les boues toxiques déversées par la compagnie italienne Montedison au large de Bastia, puis contre les grandes spéculations foncières menées par les banques ou les multinationales qui veulent urbaniser une partie du littoral. Tous ces événements provoquent l'émergence de mouvements nationalistes comme l'Action régionaliste corse (ARC) et le Front régional corse (FRC), des entités de plus en plus radicales qui contesteront la politique de clientélisme menée par l'État. Leur impact se stigmatise lors des événements d'Aléria, en 1975. Cette montée des mouvements nationalistes évolue vers une « corsitude » rigide et clandestine, qui trouvera sa concrétisation avec la création du Front de libération nationale de la Corse (FLNC) (officiellement dissous en 1983) et l'intensification de la lutte armée. Au-delà de ces mouvements extrémistes qui n'emportent pas l'adhésion de l'ensemble des Corses, l'île souffre d'un sous-développement qui paralyse toute expansion économique et la maintient dans un état de pauvreté et de dépendance vis-à-vis du continent.

▲ *Façade de l'Assemblée territoriale à Ajaccio.*

◄ *Les revendications régionales s'inscrivent sur les murs des maisons.*

■ Valorisation de la Corse

Depuis des décennies, divers plans de valorisation de l'économie insulaire se sont succédé. Des sociétés d'économie mixte comme la SETCO et la SOMIVAC ont été créées pour valoriser les terres de la côte orientale et développer son activité touristique. Parallèlement, l'État tend à réviser le statut de l'île, qui est soumise par la loi de 1982 à un régime particulier qui confère à l'Assemblée de Corse des pouvoirs étendus. Le manque d'accompagnement financier et l'instabilité politique insulaire verront ces espoirs déçus. La loi de 1991 qui crée la Collectivité territoriale de Corse accroît les transferts de compétence et de responsabilité de l'État dans les domaines du développement économique, social et culturel. Le nouveau statut actuellement en discussion devrait, après avoir décidé de la réunification des deux départements, accroître les pouvoirs de l'Assemblée.

Un drapeau à tête de Maure

Pris comme emblème par Alphonse V, roi d'Aragon, rappelant la conquête de l'Espagne sur les Maures, le drapeau à tête de Maure est depuis ce temps le symbole de la Corse.

Le patrimoine

Murato **p. 121**
L'église San Michele séduit par sa bichromie et la fantaisie de son décor.

Aregno **p. 131**
Le village doit sa célébrité à l'église de la Trinité et de San Giovanni aux pierres polychromes.

Carbini **p. 238**
L'église San Giovanni Battista est sans doute l'une des plus charmantes églises romanes de Corse.

Calenzana **p. 133**
L'église Saint-Blaise, du XVIIIe s., étonne par ses dimensions.

Pino **p. 110**
Un village qui s'étage au-dessus de la mer et d'où émerge une église baroque.

Santa-Lucia-di-Tallano **p. 236**
Sans doute l'un des plus beaux villages de Corse, au patrimoine architectural exceptionnel.

Belgodère **p. 135**
Très beau retable baroque dans une chapelle de l'église Saint-Thomas.

Fozzano **p. 203**
Des ruelles étroites et escarpées et deux tours génoises des XVIe et XVIIe s.

Vallica **p. 137**
L'un des ponts romains de la Corse traverse ici la Tartagine.

Canari **p. 110**
Ce village à flanc de montagne au-dessus de la mer est dominé par deux églises intéressantes.

◄ *L'église San Michele de Murato.*

CARTE P. 73

L'art roman

► *L'église de la Trinité, à Aregno, renferme des fresques remarquables (1458).*

Les multiples invasions qui ont ravagé la Corse au cours des siècles ont façonné le paysage de l'île. Leurs traces se lisent dans sa culture, ses traditions, mais aussi son patrimoine. De l'héritage de l'ère pisane, la Corse a reçu et conservé les plus beaux vestiges de l'art roman. Un legs architectural parmi les plus importants d'Europe, qui compte à lui seul des centaines de chapelles et d'édifices religieux.

▲ *Deux statuettes flanquent l'arc de la porte de l'église de la Trinité, à Aregno.*

■ Structure sociale et religieuse

Après des siècles de guerres et de pillages, la domination de Pise au XIe s. va correspondre pour la Corse à une période de réorganisation sociale. Reprenant l'œuvre de christianisation des temps paléochrétiens, les Pisans vont reconstituer les paroisses rurales ou *pievi*. Des centaines d'églises romanes sont alors édifiées. À la fois lieu religieux et profane, l'église représente, pour ces vallées, un véritable centre de vie politique, adapté à la spécificité géographique, historique et démographique des lieux.

▲ *Une grande figure du Christ orne chacune des deux absides jumelles de la chapelle Santa Christina (1473), près de Cervione.*

■ Des formes simples et austères

Souvent construite à la place d'anciens édifices religieux, l'église en conserve les principes architecturaux. L'architecture pisane corse affiche une sobriété et une simplicité de lignes propres à l'architecture rurale dans laquelle elle s'inscrit. L'édifice utilise les pierres du pays, schiste, granit, calcaire, régulièrement taillées ; les décors sculptés ou gravés sont rares. Massives, de forme compacte avec peu d'ouvertures, les églises de village ou basiliques ont toujours des proportions modestes. L'une des plus grandes, la cathédrale Santa Maria Assunta, dite la Canonica de Mariana, n'a que 35 m de longueur. La simplicité de la forme se retrouve aussi dans le plan des constructions. La majorité d'entre elles comportent une nef unique couverte d'une charpente. Les

▲ *Modillons en forme de créatures de l'église San Giovanni Battista, à Carbini.*

► *Le décor sculpté accroît la simplicité de l'église San Giovanni Battista, à Carbini.*

◄ *Les deux absides jumelles de l'ancienne église romane Santa Mariona sont voûtées en cul-de-four et percées dans l'axe d'une fenêtre meurtrière.*

◄◄ *La chapelle Sant'Andrea de Biguglia.*

voûtes de pierre ne sont utilisées que pour l'abside, voûtée en cul-de-four, souvent orientée à l'est. Certaines cathédrales présentent des formes architecturales différentes : celles de Mariana et de Saint-Florent ont, par exemple, une nef bordée de bas-côtés.

■ La décoration

Les premiers édifices pisans du début du XIe s. présentent peu d'ornements architecturaux. Souvent, il s'agit d'un décor simple, de petites arcatures au sommet de l'édifice, à la base du toit. La richesse des roches présentes en Corse (schiste, calcaire, granit gris, blanc ou rose) a largement inspiré les architectes pisans. Les blocs étaient découpés de manière précise et inégale pour servir non seulement de matériau de construction, mais aussi d'élément architectural. Dès la moitié du XIe s., la nature de la pierre participe à la décoration de l'édifice : elle est alors utilisée comme une sorte de mosaïque, jouant de sa couleur pour créer un effet de polychromie. L'église San Michele de Murato en est le meilleur exemple.

▲ *L'église Santa Maria Assunta, à Santa Maria Figaniella, est caractéristique par l'emploi de ce bandeau souligné par des arcatures.*

■ Le témoignage de l'époque médiévale

On estime à plus de 300 les églises et édifices religieux construits en Corse au cours de l'époque pisane, la majorité étant concentrée dans l'En-Deçà-des-Monts. Beaucoup de ces constructions n'ont pas résisté aux siècles. Il n'est pas rare ici, au détour d'un chemin, au sommet d'un col ou en plein maquis, de retrouver l'une de ces ruines, envahie de végétation. L'histoire de la Corse, de ses guerres et de ses invasions successives les a longtemps laissées dans l'oubli. L'influence de Prosper Mérimée, au XIXe s., a permis la redécouverte de ce patrimoine, seul témoignage de l'époque médiévale. L'architecture de ces édifices religieux et leur implantation donnent des indications sur la vie quotidienne et l'organisation sociale et religieuse de cette époque, dont il n'existe que peu de traces écrites.

◄◄ *Le mur sud de San Michele de Murato est orné d'un savant dessin d'entrelacs, deux serpents fascinant des oiseaux.*

◄ *On remarquera la finesse des sculptures qui décorent les fenêtres de San Michele de Murato.*

▼ *La frise d'arcatures courant sous la corniche de l'église San Michele de Murato repose sur des modillons sculptés.*

CARTE P. 73

L'art baroque

L'art baroque fait partie des deux arts majeurs de l'architecture corse. Si l'art roman reste le témoignage, à partir du XIe s., de la culture pisane, l'art baroque est celui du renouveau spirituel et de la renaissance du pays après des siècles de guerres et d'invasions. Une période qui a fait l'impasse sur l'art gothique dont les seuls témoignages n'apparaissent qu'en de rares endroits : une ébauche d'arcature à Sainte-Restitute de Calenzana, l'abside hexagonale de Santa-Lucia-di-Tallano couverte d'une voûte d'ogive et surtout l'église Saint-Dominique de Bonifacio.

► Le maître-autel de la cathédrale Saint-Jean-Baptiste, à Calvi, est en marbre polychrome.

▼ Le triptyque de la cathédrale Saint-Jean-Baptiste, exécuté en 1498, est l'œuvre de l'un des meilleurs peintres ligure du XVe s., Barbagelata, élève de Mazone.

▲ Le clocher baroque (XIe s.) de l'église Saint-Blaise, à Calenzana, est séparé de l'église et s'élève sur le cimetière des Allemands.

■ Des églises en ruine

L'élément déterminant de la naissance de cet art est sans conteste le concile de Trente, qui débuta en décembre 1545 pour se terminer en décembre 1563. Les conclusions de ce que l'on a nommé la Contre-Réforme visaient avant tout à la restauration de la valeur spirituelle de l'Église. Après ces années de guerre et de dévastation, le patrimoine ecclésiastique, livré au pillage, était en état de ruine et d'abandon. « Les églises et cathédrales, témoigne le gouverneur de la Corse Lambo Doria, sont pleines d'herbe et de serpents. Elles n'ont plus de toiture. » Les revenus ecclésiastiques étaient détournés de leur destination. Les fidèles avaient perdu la notion même d'Église.

■ Un renouveau spirituel

Le concile de Trente va avant tout restaurer la valeur spirituelle de l'Église et lui redonner sa place dans la société en lui restituant ses rites. Des évêques inspirés de l'esprit du Concile vont être nommés, à charge pour eux de faire renaître la foi et l'esprit religieux. Dès lors, à partir de 1580, on va réparer, construire ou reconstruire, meubler et décorer le patrimoine ecclésiastique, qui avait peu à peu sombré dans la ruine. La Réforme née du Concile de Trente se traduit dans l'architecture de ses sanctuaires. C'est à travers elle que le baroque va s'épanouir en Corse jusqu'à la fin du XVIIIe s. Aux dimensions modestes des églises romanes succèdent des lieux de culte plus vastes, permettant le déroulement de somptueuses cérémonies codifiées par une liturgie romaine épurée de ses rites et renouvelée dans ses formes.

▲ *Fonts baptismaux de l'église Sainte-Marguerite, à Carcheto-Brustico.*

■ Un lieu d'organisation sociale

À partir de la fin du XVIe s. s'engage en Corse une vaste campagne de reconquête des 300 lieux de culte répartis sur les 6 diocèses de l'île. À la suite du concile, ceux-ci sont redécoupés en *pieve*, comprenant un certain nombre de paroisses. Pour s'adapter à l'évolution de la société et assurer une plus grande sécurité des populations, la répartition de l'urbanisation se modifie. Certaines *pieve* durent s'éloigner du littoral, attaqué en permanence par les Barbaresques; ce fut le cas pour les diocèses de Mariana, Sagone et Aléria, dont les évêques durent s'installer à Bastia, Calvi et Cervione. Pour ces mêmes raisons, les hameaux se resserrent pour former des agglomérations plus importantes, implantées autour d'édifices religieux construits parfois avec les pierres d'églises romanes ruinées ou devenues trop petites.

▲ *Tabernacle de marbre polychrome de grande taille (1698), dans l'église conventuelle de Saint-François, à Vico.*

■ XVIIe et XVIIIe siècles

Après l'ébauche des débuts de reconquête spirituelle, le XVIIe s. fut véritablement le siècle de la reconstruction. C'est l'époque où se dessinent les grandes lignes de l'art baroque, importé non seulement de Gênes, mais aussi de Milan et de Rome. Cet art venu de l'extérieur va s'adapter ici à son contexte et aux différents terroirs

◄ *Les buffets d'orgue de tradition italienne et de facture corse, comme celui de l'église Sainte-Marie de Pino, accompagnent les messes et incitent à l'élévation de l'âme.*

▲ La Crucifixion *est attribuée au maître de Castelsardo, peintre dont les origines espagnoles transparaissent dans la facture de l'œuvre. Ancien couvent Saint-François, à Santa-Lucia-di-Tallano.*

pour laisser place à un baroque corse, où se multiplient les décorations extérieures : niches, volutes, moulures et corniches. Contrairement aux dimensions réduites des églises romanes, l'église baroque, qu'elle soit conçue avec une ou trois nefs, offre un vaste espace, clair et rayonnant, à l'image d'une liturgie et d'une foi affermies et rétablies dans leur vitalité. En référence à la Jérusalem céleste, dont les églises ne sont que la préfiguration, les autels et les chapelles latérales sont couverts de marbres précieux, de stucs raffinés dorés à la feuille. À l'inverse des églises romanes, les ouvertures sont larges et nombreuses et les murs s'ornent de peintures en trompe-l'œil ou de riches velours de Gênes.

■ La symbolique

Le baroque est langage, tout y est affirmation de la puissance spirituelle de l'Église. Cet art, dont la véritable finalité est celle d'une communication de masse, traduit cette démarche dans les stucs et les dorures. Le croyant doit être nourri de la puissance de l'Église, qui affiche l'image d'un art triomphant. Éléments majestueux et centraux, les autels sont richement sculptés d'anges et de saints qui viennent renforcer la parole des Évangiles. Dans la nef, les fidèles et ministres du culte se côtoient dans cette même communion avec Dieu. Succédant à l'Église de « pouvoir », l'Église du XVIIIe s. s'affirme comme la « maison commune » réunissant le peuple de Dieu. Les fastes du décor, la puissance de sa liturgie soulignent, parfois de manière ostentatoire et théâtrale, la cohésion d'une communauté partageant le même idéal de foi et de charité.

■ Les instruments de la liturgie

À côté du décor et de l'architecture, ces instruments participent eux aussi à la représentation de la ferveur et de la foi. Les franciscains adoptent des tabernacles en marqueterie reproduisant des modèles réduits d'architecture avec frontons, colonnettes, statuettes finement sculptées déposées dans des niches. Parmi les plus remarquables buffets d'orgue du XVIIIe s., trois se trouvent dans le cap Corse et notamment dans l'église Sainte-Julie de Nonza. Dans le même temps, les sacristies s'enrichissent de meubles somptueux, de fines argenteries, de chapes, de chasubles et de dalmatiques aux brocarts d'or et d'argent.

► *La grande taille des tabernacles correspond au développement de la dévotion au saint sacrement. Ici, celui de l'église Saint-Michel de Speloncato (XVIIe s., école florentine).*

■ La peinture

Elle a une place prépondérante dans l'art baroque et vient en confirmer les différents symboles et réaffirmer les grands principes du concile de Trente. En place

◄ *Le beau retable baroque de la chapelle Sainte-Croix, à Corte, est surmonté d'un grand médaillon représentant* La Vierge de l'Apocalypse, *avec à sa droite deux papes et à sa gauche deux pénitents cagoulés.*

◄◄ *D'un baroque théâtral,* L'Écorchement de saint Barthélemy, *dans l'église Saint-Dominique de Bonifacio, est l'un des groupes de bois très lourds (800 kg) qui sont portés au cours de la procession du vendredi saint.*

majeure au-dessus de l'autel, le tableau monumental encadré par des colonnes torses renforce la solennité des lieux. Les thèmes principaux en sont l'Annonciation et l'Immaculée Conception, image symbolique de la Contre-Réforme qui affirme la virginité de Marie à l'opposé des calvinistes. L'image de l'Assomption a cette même vocation : elle montre Marie après sa mort, emportée au ciel par des anges.

■ Du baroque au rococo

À partir de la fin du XVIIe s., les ors et stucs abondent. Le décor ne participe plus à l'ensemble, mais s'impose à lui en recherchant l'effet. Le baroque devient rococo, une évolution déjà préfigurée dans l'église Saint-Jean-Baptiste de Bastia, classée par les spécialistes dans le post-baroque. Volutes, courbes et pilastres se multiplient. L'église la plus représentative de l'évolution de ces lignes architecturales est certainement celle de Saint-Jean-Baptiste de la Porta d'Ampugnani, construite entre 1648 et 1680, qui donne libre cours à la multiplicité de ses décors.

■ Le baroque monastique

À côté de l'emphase des églises et des chapelles, les ordres monastiques adaptent l'art baroque à la sobriété de leur ministère ; ils en conservent la force, mais en perdent la démesure. Installés en Corse dès 1553, les Jésuites fondèrent un premier collège à Bastia en 1601 et un second à Ajaccio en 1617. Tous deux présentent des façades à deux étages surmontées d'un fronton triangulaire. Les églises attenantes sont le type même de constructions jésuites, sobres et élégantes. Les franciscains, qui dans le seul XVIIe s. fondèrent 24 couvents, affirment cette même sobriété. Un grand nombre de ces monastères ne sont plus aujourd'hui qu'en ruine, mais ils conservent toutefois les traces de leur splendeur baroque.

▲ *Détail du retable de bois sculpté ornant la chapelle Saint-Jean de l'église Saint-Thomas, à Belgodère.*

CARTE P. 73

L'art défensif

▲ *Édifiées avec l'autorisation du gouverneur, les tours, comme celle de Nonza, communiquaient entre elles par signaux et renseignaient ainsi sur d'éventuelles incursions barbaresques.*

Comme dans chaque région, l'histoire, en Corse, est restée inscrite dans l'architecture. Les invasions qui ont balayé l'île ont laissé sur son littoral et dans les villages les traces de constructions défensives, qui émaillèrent des siècles de troubles, de luttes et de conquêtes. Aux points stratégiques furent édifiées des forteresses, dites tours génoises, qui défendirent les centaines de kilomètres de côtes, et les villages retranchés s'organisèrent autour de puissantes maisons fortes.

■ Les tours du littoral

Avec plus de 1 000 km de côtes, la Corse a fait face au cours de son histoire à de multiples invasions souvent dévastatrices. Les Génois, dans leur volonté de mise en valeur des plaines du littoral, vont édifier, à partir du XVe s. et pendant tout le XVIe et le XVIIe s., un réseau de quelque 200 tours de guet. En moins d'une heure, il était possible d'alerter toute la Corse. Principalement bâties sur des masses rocheuses qui permettaient une vision large et dominante, elles répondent à une architecture précise. Bien que certaines soient de forme carrée (tour de Giraglia, de Porto ou de San Pelegrino), la plupart ont une forme ronde et atteignent 15 à 18 m de haut. En bas de la tour, une citerne permettait l'alimentation en eau à partir d'une canalisation venant du sommet de la tour. Les appartements du gardien étaient constitués bien souvent d'une pièce unique de quelques dizaines de mètres carrés, percée de meurtrières et

▶ *La citadelle de Calvi.*

Les gardiens de la tour

Les torregiani, *placés sous la responsabilité de particuliers, des présides ou des communes, avaient pour mission essentielle de surveiller les côtes et parfois celle de percevoir des taxes.*

pourvue d'une échelle amovible. Abandonnées au début du XIXe s., ces tours ont subi les assauts du temps et l'érosion des vents. Toutefois, depuis quelques années, un grand nombre d'entre elles ont été restaurées.

▲ *La tour de l'hôtel de ville, à L'Île-Rousse, était autrefois une poudrière dont le rôle était de défendre l'ancien port.*

Les citadelles

Œuvres des Génois, les citadelles ont constitué la marque de leur domination en Corse. Véritables édifices militaires, elles ont été souvent le point de départ de la création d'une cité. Majoritairement édifiées sur le littoral, Bastia, Ajaccio, Calvi, Bonifacio..., elles ont rapidement constitué un point d'ancrage stratégique pour la république sérénissime qui s'assurait ainsi la maîtrise des côtes, lieu de débouché de ses productions et lieu de défense d'éventuelles invasions. Demeure du gouverneur, mais aussi lieu de garnison et lieu de peuplements de colonisation génoise, elles vont au fil des siècles, face aux Pisans, permettre à Gênes d'assurer sa domination sur l'île. Édifiées à partir de la fin du XIIe s., ses fortifications seront améliorées et renforcées à partir de la fin du XVe s., comme Bonifacio et Calvi, à la suite du siège de la coalition franco-turque de 1553.

Corte : la citadelle du centre

Seule citadelle génoise de l'intérieur, Corte est rapidement apparue comme un verrou stratégique, au carrefour des voies de communication importantes entre la côte est et la côte ouest. Simple place forte, elle ne sera véritablement transformée en citadelle qu'avec l'arrivée de Vincentello d'Istria, émissaire du roi d'Aragon, qui fera édifier sur la couronne d'un relief rocheux ces vastes bâtiments qui ne seront modifiés qu'au XVIIIe s. avec l'arrivée des Français.

▲ *Massives et avec peu d'ouvertures, les maisons fortifiées de Fozzano constituaient un lieu de protection quasiment imprenable face aux attaques barbaresques qui ravageaient les campagnes.*

Les maisons fortifiées

Des châteaux féodaux, il ne reste que peu de traces, seulement quelques ruines disséminées çà et là au détour d'un profond maquis. Des traces de la Corse féodale se lisent à travers notamment ces hautes et massives maisons fortifiées, lieux d'habitation et de repli pour les populations assiégées. Leur apparence austère et leur caractère inexpugnable leur ont tout naturellement conféré le qualificatif de *torra*. Ces tours ont été principalement édifiées à la fin du Moyen Âge, au moment où les populations longtemps isolées dans les montagnes se regroupent dans des villages. Nombre d'entre elles ont traversé les siècles et, malgré quelques modifications ou transformations, elles portent aujourd'hui le témoignage de cette architecture féodale corse.

CARTE P. 73

▲ *À l'extrémité de la pointe de la Revellata, près de Calvi, le phare est un feu fixe, d'une portée de 20 miles.*

► *Le phare du nouveau port, à Bastia.*

▼ *Les îles Rousses, dont la couleur a donné le nom à la ville, sont rattachées à la terre par une jetée.*

▲ *La pointe de la Chiappa.*

Les phares

Pays au vaste rivage qui cumule plus de 1 000 kilomètres de côtes, où alternent plages de sable et roches aux pentes abruptes, l'île est plus qu'aucune autre la terre des phares, qui orientent et guident les navigateurs. Pourtant, pendant des siècles, elle se contentera de modestes feux entretenus par des guetteurs perchés en haut de leur tour. Le phare ne fait son apparition en Corse qu'au XIXe s.

■ Le balisage des côtes

Une étude précise, à laquelle participent des ingénieurs et des marins, va déterminer en 1838 leur implantation, bien souvent à proximité des anciennes tours génoises, lieux stratégiques qui firent pendant des siècles office de balises. Ainsi fut décidée la construction des cinq premiers phares ; un chantier qui durera plus de cinq ans. Le 15 novembre 1844, le phare de Pertusato sera le premier à être inauguré, avant d'être suivi par ceux de la Revellata, des Sanguinaires, de la Chiappa et du phare de la Giraglia, inauguré trois ans plus tard. Chacun d'entre eux répond à une architecture spécifique, adaptée au terrain sur lequel il est édifié. Ces hautes tours, dont certaines culminent à 30 m de haut, nécessitaient à l'époque une autonomie totale. Un puits, un poulailler et une écurie pour l'âne y étaient donc systématiquement adjoints. Au sommet, la lanterne, élément essentiel, était installée au centre d'une plate-forme. Rapidement, les phares vont bénéficier des progrès de la technologie, l'électrification, la radio et les panneaux solaires. Peu à peu, le gardien devient un technicien ; les phares sont aujourd'hui automatisés. Même si on ne peut plus, comme Alphonse Daudet, rêver sur la vie solitaire du gardien de phare, ces puissants signaux, connus de tous les marins, conservent néanmoins leur magie. Comme les tours génoises, ils font aujourd'hui partie, après plus d'un siècle d'existence, du patrimoine de la Corse.

Les ponts

CARTE P. 73

La Corse est une île montagneuse dont les voies de communication furent pendant des siècles le souci majeur des populations habitant en altitude. La multiplication des échanges avec l'arrivée des Génois entraîna la construction de dizaines de ponts, traits d'union d'une vallée à l'autre ; il en subsiste des vestiges parfois restaurés, sinon oubliés.

▲ *Le pont d'Altiani, en dos d'âne, est un ancien pont muletier de pierre, construit par les Génois et élargi au XXe s.*

■ Un patrimoine architectural

Résistant aux siècles et aux crues, ces ouvrages fascinent encore aujourd'hui par la résistance que bien d'autres édifices postérieurs n'ont pu égaler. Enjambant de leur arche unique arc-boutée sur les berges des torrents ou rivières vigoureux, ces ponts, majoritairement construits entre le XIIe et le XVIIIe s., ont à tort ou à raison été baptisés « ponts génois », bien que certains datent de l'époque pisane, comme le pont *Spin'a Cavallu* (le dos de cheval ; XIIIe s.), qui enjambe le Rizzanese.

▲ *L'élégante anse de panier (24 m) du pont d'Ucciani enjambe la Gravona.*

■ L'adaptation aux lieux

Ces ponts à arche unique sont des preuves non seulement d'une maîtrise architecturale, mais aussi de la connaissance de la force des eaux qui, dans ces montagnes, transforment rapidement les frêles cours d'eau en de véritables torrents. La forme en dos d'âne, empruntée au procédé des clés de voûte employé lors de la construction des églises et cathédrales, a l'intérêt de ne pas freiner le débit violent et soudain des rivières. Traversant les siècles, un grand nombre sont encore aujourd'hui presque intacts. S'il fait preuve de solidité, le pont à arche unique se trouve limité par la largeur de la rivière et il ne peut excéder 15 à 20 m de long. Fleuves plus importants et plus larges, le Golo et le Tavignano nécessiteront la construction d'ouvrages à plusieurs voûtes. On pense par exemple au Ponte Nuovo, un pont à cinq arches, rendu célèbre par la bataille de 1769, qui opposa Pasquale Paoli aux troupes du comte de Vaux.

▲ *Le pont de Vallica, sur la Tartagine, serait l'un des quatre ponts romains de la Corse.*

■ Les grands travaux du XIXe siècle

L'ouverture de la voie de chemin de fer et la création d'un réseau routier vont nécessiter la construction de nouveaux ouvrages de grande ampleur. L'un des plus significatifs est sans conteste le pont viaduc de Venaco-Vivario, classé monument historique. Cette œuvre de Gustave Eiffel surprend par l'audace de ses proportions : 44 m de long et 80 m au-dessus du vide. Sa construction fut à l'époque un record unique au monde.

CARTE P. 73

La Corse industrielle

Que l'on ne s'y trompe pas, au-delà de ses paysages sauvages et grandioses, la Corse cache un passé industriel né de la présence sur son sol d'un certain nombre de matières premières, qui furent exploitées notamment à partir du XIXe s. C'est à cette époque que cette société, essentiellement rurale, va découvrir les richesses de ses roches. Un grand nombre de sites seront mis en exploitation, des carrières seront ouvertes. Aujourd'hui, pour la plupart abandonnées, elles laissent en témoignage de vastes cavités béantes et des bâtiments minés par les ronces et conquis par le maquis. Briqueteries, exploitations minières ou forestières, la Corse, au centre de sa ruralité séculaire, va vivre les bouleversements d'un monde industriel qui ne sera qu'éphémère.

■ Mines et minerais

Connue depuis des temps très anciens, la richesse des roches et minerais fut exploitée dans un premier temps par les Romains, puis par les Génois. Au XVIIIe s., le plan

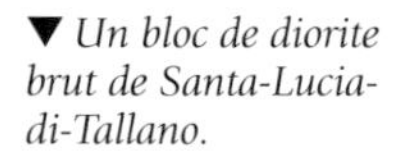

▼ *Un bloc de diorite brut de Santa-Lucia-di-Tallano.*

Terrier révéla environ 21 puits de mine et 28 carrières répartis sur l'ensemble de l'île. Mais ce n'est qu'au XIXe s. que cette activité prendra sa réelle dimension et l'on dénombrera alors 400 gisements disséminés sur l'ensemble de l'île. On extrait de l'arsenic à Matra, du manganèse à Morosaglia, du plomb argentifère à Argentella, du cuivre à Ponte-Leccia, de l'anthracite à Osani, de l'antimoine à Meria et de l'amiante à Canari. Au total, près d'une trentaine de gisements ont été exploités. Malgré cette richesse en minerais, la difficulté d'extraction et la faible productivité des gisements les rendront peu exploitables.

◀ *La mine d'amiante de Canari fut fermée en 1965.*

■ La filière bois

Les vastes massifs forestiers et les différentes essences qui les composent ont fait l'objet d'exploitations multiples depuis le XVIIIe s. L'utilisation des châtaigneraies pour ses extraits tannants ou l'exploitation massive du liège au XIXe s. ont souvent été des activités non maîtrisées par les Corses, et elles ont parfois porté atteinte à l'équilibre des plantations. Depuis quelques années, une filière bois tend à exploiter les potentialités de la forêt.

▼ *Le chêne-liège a permis aux Corses de survivre pendant longtemps.*

LE CHALUT
CAFÉ DU PORT
LES PALMIERS

Visiter

SOMMAIRE

◄ *Le port de Calvi.*

Bastia et le cap Corse

Face à la mer Tyrrhénienne, adossée à un important massif montagneux, Bastia a conservé le charme de ses origines génoises et a gardé de son histoire un ensemble architectural caractéristique.

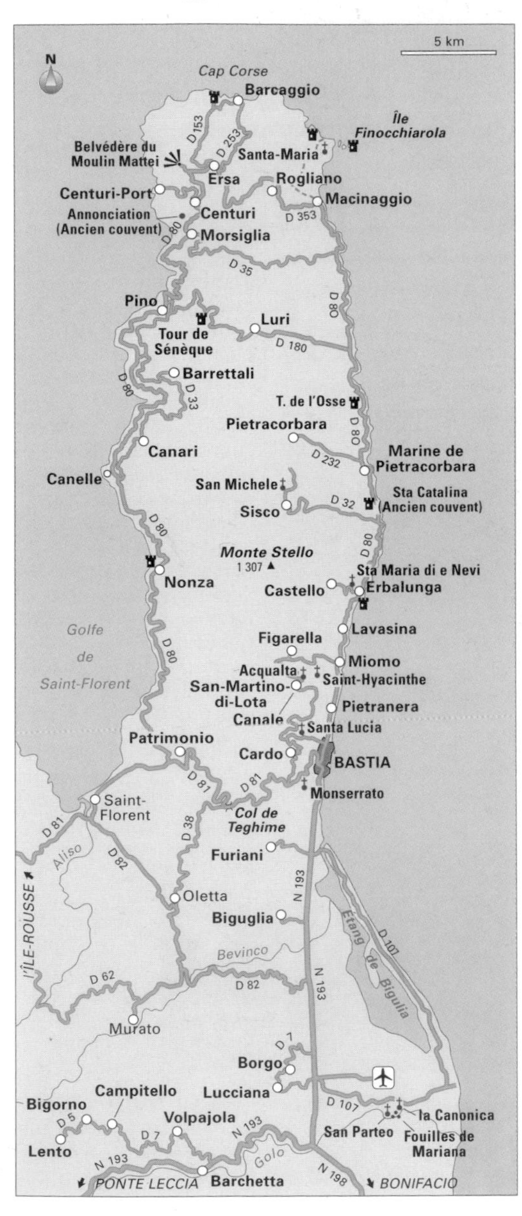

◀ *Le phare de Bastia.*

Bastia

Prise entre la mer et les hauteurs, Bastia, avec ses rues escarpées, ses places secrètes et ses églises richement décorées, possède un patrimoine architectural de qualité.

CARTE P. 89

Office du tourisme : place Saint-Nicolas. ☏ 04 95 54 20 40.

Gare ferroviaire : ☏ 04 95 32 80 61.

Aéroport de Bastia-Poretta, à 20 km au sud : ☏ 04 95 54 54 54.

SNCM : nouveau port, terminal Sud. ☏ 04 95 54 66 99.

Corsica Ferries : 5 bis, rue du Chanoine-Leschi. ☏ 04 95 32 95 95.

INCONTOURNABLES

1re quinzaine de février : Rencontres du cinéma italien.
En mars : Salon de la bande dessinée.
2e quinzaine de mars : Rencontres du cinéma espagnol.
En mai : Semaine du film britannique.
2e samedi de juillet : Relève des gouverneurs.
2e semaine d'octobre : les Musicales de Bastia. ☏ 04 95 34 98 00.

La ville génoise

C'est ici que Mantinum, citée par Ptolémée, aurait été créée. À l'époque médiévale, elle devient le fief d'une grande famille de féodaux et domine les *pieves* de Mariana. Plus tard, le port de pêche de Porto-Cardo se développe. Sa position stratégique à l'extrémité des plaines fertiles de Marana, ses voies de communication vers l'arrière-pays et sa façade maritime font de Bastia un site d'implantation idéal pour les Génois, jusque-là installés dans le vieux château de Biguglia. En 1370, le gouverneur de l'île, Leonello Lomellino, fait édifier une tour ou *bastia*, qui donnera son nom à la ville. La construction au XVe s. d'une forteresse et de maisons d'habitation fait de la Terra Nova la base de la puissance politique de Gênes en Corse. Le siège officiel de l'ancienne capitale, Biguglia, y sera transféré. La cité acquiert dès lors une importance économique et commerciale, formée de deux cités distinctes : « Terra Nova », la Génoise, ville forteresse, et Terra Vecchia, le vieux port, où s'entassent les populations venues de l'arrière-pays. Pendant plus de trois siècles, Bastia sera le siège des gouverneurs de l'île et le chef-lieu de la Corse génoise.

Une ville ouverte

Au début du XVIe s., pour éviter les révoltes dans cette partie de l'île non encore soumise et s'assurer la fidélité de sa population, les Génois renoncent à faire de Bastia une simple place forte. Communautés ligure et corse s'y côtoient sous le contrôle de l'administration génoise. La ville devient rapidement l'agglomération la plus peuplée de l'île. Profitant d'un arrière-pays prospère – le cap, la Casinca et le Nebbio –, le transport maritime s'intensifie avec le négoce de denrées alimentaires. Le commerce devient florissant et Bastia assure sa légitimité.

▲ *La situation stratégique de Bastia sur la mer Tyrrhénienne lui a valu de jouer un rôle essentiel dans l'histoire de l'île.*

Confréries et sociétés savantes

Au cours du XVIe s., un grand nombre de confréries s'installent, celles de Sainte-Croix, de Saint-Roch ou de la Miséricorde, regroupant des centaines de membres. Elles édifient, grâce aux dons qu'elles reçoivent de leurs riches protecteurs, des chapelles et des oratoires. Parallèlement, dès le XVIIe s., la vie intellectuelle et culturelle s'enrichit de la présence d'un collège de jésuites et de la création de sociétés savantes, telle l'*Accademia dei Vagabondi*, une société de belles-lettres regroupant les talents de juristes et d'écrivains.

▲ *Dans les ruelles étroites de la vieille ville se succèdent les façades des maisons aux couleurs chaudes.*

Entre révoltes et Révolution

Cette prospérité s'achève à la fin du XVIIIe s. avec l'arrivée des troupes françaises. Gênes n'est plus la puissante république des siècles passés et, depuis des années, elle doit faire face à des révoltes sporadiques de populations venues de l'intérieur du pays. La période révolutionnaire donnera lieu ici à des manifestations tumultueuses. Après avoir acclamé l'arrivée de Pasquale Paoli en juillet 1790, l'application de la constitution civile du clergé en 1791 est l'occasion de troubles graves. Le 2 juin 1791, jour de l'Ascension, un mouvement de révolte avec à sa tête la légendaire Flora Olivia, la *Colonella*, se déclenche. Paoli transfère alors le chef-lieu du département à Corte et suspend la municipalité de Bastia. En 1794, la direction du royaume anglo-corse s'installe à Bastia pour deux ans.

Déclin, exode et reconstruction

Le Directoire ouvre l'ère de la réorganisation des institutions ; la Corse est divisée en deux départements, le Liamone, chef-lieu Ajaccio, et le Golo, chef-lieu Bastia. À la suite du rétablissement de l'unité de la Corse (avril 1811), Bastia n'est plus que sous-préfecture et subit un déclin économique. Au cours du XIXe s., un grand nombre de Corses quittent l'île. En 1942, les troupes italiennes d'occupation débarquent à Bastia, remplacées un an plus tard par l'armée allemande. Une résistance farouche va s'organiser.

Le premier centre économique de l'île

Aujourd'hui, tout en conservant les images de son passé inscrites dans son architecture, Bastia est devenue le premier centre économique de l'île. Sa position au débouché de plaines fertiles et sa façade maritime en font tout naturellement le lieu de transit des productions agricoles de la plaine orientale, qui partent vers le continent ou la proche Italie. Le trafic maritime est au centre de cette activité, avec son port classé au deuxième rang des ports français de la Méditerranée. L'aéroport de Bastia-Poretta est également le lieu de transit des touristes. Pourtant, la ville ne parvient pas encore, malgré son riche patrimoine, à être un lieu de villégiature.

bonnes adresses

U Paese. 4, rue Napoléon. ☏ 04 95 32 33 18. Vous trouverez dans cette épicerie les fameuses charcuteries artisanales : ficatellu, coppa, panzetta.
Restaurant *Le Vieux Chêne*, sur la route supérieure de Cardo. ☏ 04 95 34 17 06. Une cuisine inventive à base des produits du terroir.

Accademia dei Vagabondi

Elle fut fondée en 1545 par le poète historien et érudit bastiais Gérolamo Biguglia. Elle reprenait, à l'image des sociétés savantes de la péninsule italienne, la mode d'utiliser des noms étranges pour baptiser ces académies d'érudits (Académie des Abasourdis, des Oisifs, des Endormis, des Inquiets, des Obtus, des Brumeux...).

Terra Vecchia, la ville basse

Un quartier coloré

C'est le quartier le plus ancien de la ville, avec les quais du Vieux Port qui s'animent chaque jour en début de soirée. Réaménagé au fil des siècles, le lieu conserve néanmoins tout son charme, constituant avec l'église Saint-Jean-Baptiste un décor de caractère.

■ Le Vieux Port

PLAN B2

▲ *Le Vieux Port abrite aujourd'hui des barques de pêche et des bateaux de plaisance mais a concentré jusqu'au milieu du* XIXe *s. l'essentiel du trafic commercial.*

Cette crique profonde, bordée d'immeubles élevés de cinq à six étages, est en fait l'ancienne marine de Cardo, petit village de pêcheurs bien antérieur à l'époque génoise. Débouché naturel des vieux quartiers de Bastia, il est dominé par la citadelle. Le soir, les terrasses des cafés et des restaurants en font un lieu animé qui a conservé toute son authenticité. Chaque année, il sert de décor à la cérémonie de la Relève des gouverneurs, évoquant l'arrivée à Bastia du nouveau gouverneur génois de la Corse.

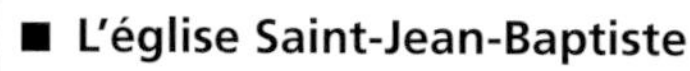

■ L'église Saint-Jean-Baptiste

PLAN B2

Elle constitue le principal sanctuaire de la Terra Vecchia. Elle remplace un précédent édifice, probablement de l'époque pisane, dont la destruction a été décidée par le pape Paul V qui le jugeait trop exigu. L'actuel bâtiment, l'un des plus vastes de Corse, sera édifié entre 1636 et 1666, mais ne sera réellement achevé qu'au XIXe s. avec la construction de tours campaniles qui dominent le Vieux Port et forment avec lui une cohérence architecturale. Enserrée dans la vieille ville, l'église présente deux aspects saisissants. Place du Vieux-Marché, elle offre aux regards le côté sud de son architecture avec ses contreforts, le débordement de ses chapelles latérales et le petit porche d'entrée à colonnes de marbre. La façade baroque est plus théâtrale, formée de deux étages avec fronton triangulaire accolé de volutes.

- À l'**intérieur**, sa nef unique est complétée par un chœur très profond et par une série de trois **chapelles** latérales qui communiquent entre elles. L'ensemble est remarquable par ses **ornementations**, ses **marbres** et ses œuvres d'**ébénisterie** : stalles de l'avant-chœur du XVIIIe s., Christ du maître-autel (XVIIe s.), meubles de sacristie marquetés (XVIIIe s.) et tribune d'orgue sculptée par le maître bastiais Tarrigo (1742). Les deux chapelles latérales en avant du chœur sont dignes d'intérêt, celle de droite, consacrée à saint Augustin, est devenue la chapelle des Pêcheurs, celle de gauche est dédiée à saint Érasme, le patron des marins. On y voit un haut retable baroque à colonnes (XVIIIe s.), avec peinture sur toile représentant la Vierge de l'Immaculée Conception.

▲ *L'église Saint-Jean-Baptiste se dresse comme un décor de théâtre au-dessus du Vieux Port de Bastia.*

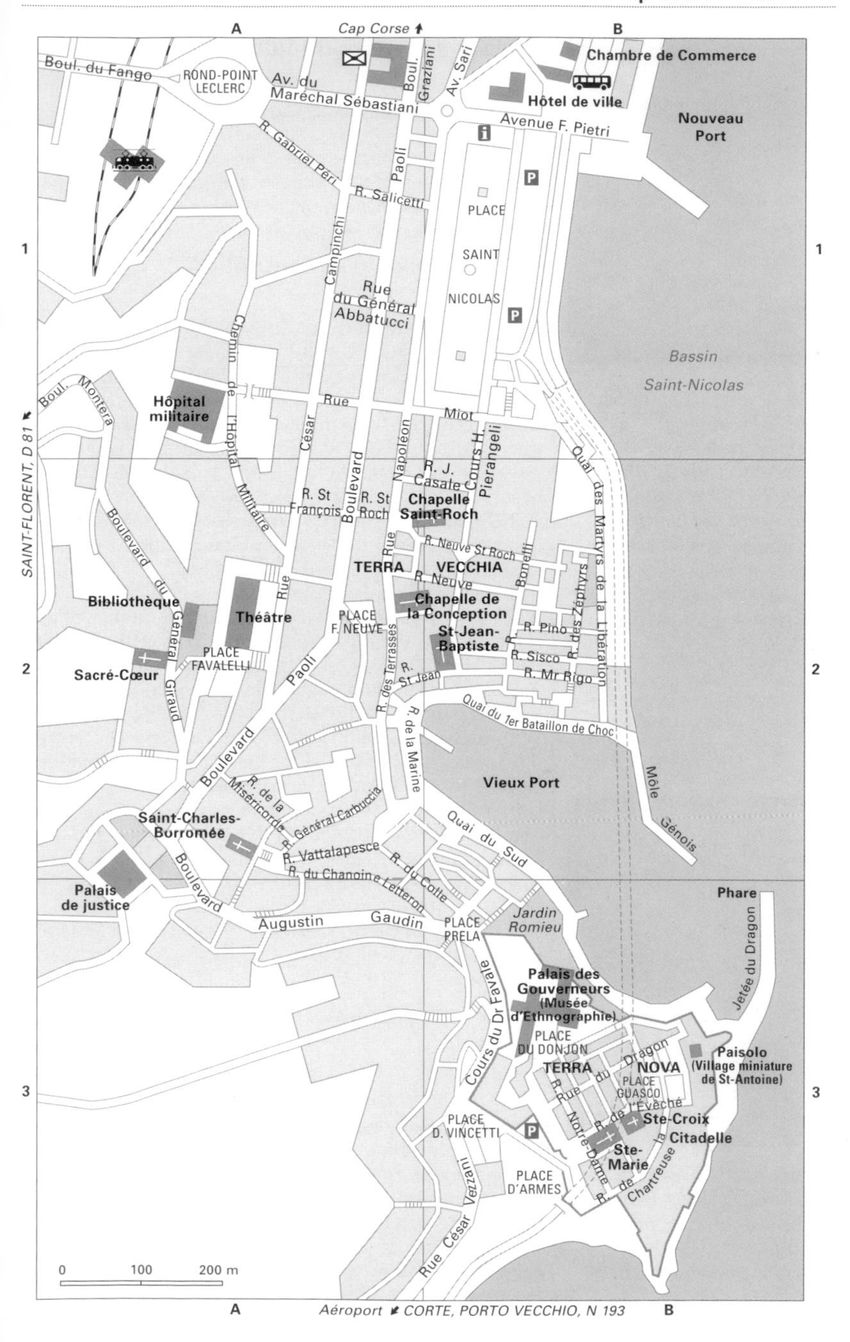

Cap Corse
Chambre de Commerce
Hôtel de ville
Nouveau Port
Boul. du Fango
ROND-POINT LECLERC
Av. du Maréchal Sébastiani
Boul. Graziani
Av. Sari
Avenue F. Pietri
R. Gabriel Péri
Paoli
R. Salicetti
PLACE SAINT NICOLAS
Campinchi
Rue du Général Abbatucci
Bassin Saint-Nicolas
Chemin de l'Hôpital Militaire
Boul. Montera
Hôpital militaire
Rue Miot
César
Napoléon
Cours H. Pierangeli
Quai des Martyrs de la Libération
R. J. Casale
R. St François
Boulevard
R. St Roch
Chapelle Saint-Roch
SAINT-FLORENT, D 81
Boulevard du Général Giraud
R. Neuve St Roch
Bonelli
TERRA VECCHIA
R. Neuve
Rue
R. des Zéphyrs
Bibliothèque
Théatre
PLACE F. NEUVE
Chapelle de la Conception
St-Jean-Baptiste
R. Pino
R. Sisco
R. Mr Rigo
PLACE FAVALELLI
Sacré-Cœur
Paoli
R. des Terrasses
R. St Jean
R. de la Marine
Quai du 1er Bataillon de Choc
Boulevard
Vieux Port
Môle Génois
R. de la Miséricorde
R. Général Carbuccia
Saint-Charles-Borromée
R. Vattalapesce
R. du Chanoine Letteron
R. du Colle
Quai du Sud
Palais de justice
Boulevard Augustin Gaudin
PLACE PRELA
Jardin Romieu
Phare
Jetée du Dragon
Palais des Gouverneurs (Musée d'Ethnographie)
Cours du Dr Favale
PLACE DU DONJON
TERRA NOVA
Rue du Dragon
PLACE GUASCO
Paisolo (Village miniature de St-Antoine)
R. de l'Evêché
Ste-Croix
Citadelle
PLACE D. VINCETTI
Ste-Marie
R. Notre-Dame
R. de la Chartreuse
PLACE D'ARMES
Rue César Vezzani
0 100 200 m
Aéroport CORTE, PORTO VECCHIO, N 193

▲ *La voûte de la chapelle de la Conception est entièrement peinte de fresques et rehaussée de stucs. On verra notamment la Vierge de l'Immaculée Conception et les prophètes.*

Selon la tradition au Moyen Âge, saint Roch se dévoua aux miséreux et soigna les pestiférés. Lui-même atteint par la maladie, il se retira dans la solitude. Il fut soigné par un ange et assisté par un chien, celui qu'on représente à ses côtés. Il recouvrit alors miraculeusement la santé.

▲ *La porte d'entrée de la chapelle Saint-Roch est soulignée par des colonnes cannelées (1740) et surmontée par de superbes tribunes d'orgues.*

■ Place de l'Hôtel-de-Ville

PLAN B1

Par la sortie latérale, on accède à la place de l'Hôtel-de-Ville. Entourée de hautes maisons du XVIIe s. aux fenêtres abritées de persiennes, c'est le lieu de rendez-vous des Bastiais qui viennent ici chaque matin faire leur marché. De cette place, on peut découvrir le cœur de la vieille ville, ses couleurs et ses odeurs.

■ La chapelle de la Conception

PLAN A2

Elle est construite en retrait de la rue sur une petite place décorée d'une mosaïque de galets. L'oratoire de la confrérie de l'Immaculée Conception cache derrière une sobre **façade** de marbre finement sculptée un **décor** d'un luxe surprenant. L'édification de ce monument est la conséquence directe d'une scission, fin XVIe s., au sein de la puissante confrérie de la Sainte-Croix. Les dissidents parmi lesquels de riches marchands entendent rivaliser de raffinement avec leur communauté d'origine. Au cours du XVIIIe s., d'importantes assemblées politiques se sont tenues là : celles des États de Corse, de 1770 à 1785, ainsi que les assises du Parlement anglo-corse en 1795. En 1791, on y avait procédé à l'élection de la municipalité.
- L'**intérieur** est remarquable par la qualité de son décor. Les murs sont tendus de velours de Gênes et de précieuses soieries damassées de couleur cramoisie. Ces tissus étaient à l'origine destinés à la famille de Savoie. Le **maître-autel** (1763) a été conçu comme une sorte d'arc triomphal, orné d'une copie de l'Immaculée Conception de Murillo. Les **stalles** de noyer (XVIIIe s.) courent sur toute la largeur de la nef.
- La **corniche** est rythmée par des médaillons ovales qui évoquent les apôtres et les évangélistes (1806). Dans une vitrine, belle **statue** processionnelle de la Vierge en bois polychrome (XVIIIe s.).
- Le **trésor** comprend de très belles pièces d'orfèvrerie génoise et romaine du XVIIIe s., ainsi que des ex-voto populaires.

■ L'oratoire de Saint-Roch

PLAN A2-B2

L'édifice, bâti au XVIe s., donne sur une *piazetta* récemment restaurée. Derrière sa façade néoclassique refaite en 1900, l'église renferme quelques pièces intéressantes. Les murs latéraux et la nef unique sont tendus de damas de soie rouge et rythmés par des pilastres sous des chapiteaux et une corniche enrichie de dorures.
- Le **maître-autel** de marbre polychrome est surmonté d'une peinture de la Vierge à l'Enfant qu'accompagnent saint Roch, saint Jean-Baptiste et sainte Catherine, œuvre maîtresse de Giovanni Bilivert, artiste florentin du XVIIe s.

L'église Saint-Charles-Borromée

PLAN A2

Bâtie en 1636, elle présente une façade de style classique à deux étages de pilastres et fronton triangulaire. D'abord dédiée à saint Ignace de Loyola, elle fut attribuée après 1747 à la confrérie de Saint-Charles dont elle porte le nom. À l'intérieur, les murs blancs donnent une impression de grande sobriété. Seul le **retable** du maître-autel est richement décoré. Une toile représentant la Vierge de Lavasina, fêtée le 8 septembre, est enchâssée dans une structure de bois à la manière des icônes.

Terra Nova, la citadelle

Un charme génois

Cachée derrière ses remparts, elle est édifiée sur un promontoire rocheux, à l'abri de ses fortifications du XVe s., et domine le Vieux Port et la ville.

La citadelle

PLAN B3

Elle n'est accessible que par un nombre restreint d'ouvertures. La porte principale, restaurée sous Louis XVI, mène à la **place du Donjon**. Au sud, juste devant la cathédrale, une autre percée a été rendue possible par le réaménagement du bastion Sainte-Marie.

- Un curieux **escalier** sous voûte peut être emprunté dans les **jardins Romieu** à partir du Vieux Port. **Vue** admirable sur le port, les vieux quartiers de la marine et plus loin les rivages du cap. Par temps clair, on aperçoit les îles de l'archipel toscan.

Le palais des Gouverneurs

PLAN B3

Accolé au bastion (fin du XIVe s.) qui a donné son nom à la ville, le palais des Gouverneurs a été édifié entre le XVe et le XVIe s. Il s'ordonne autour d'une grande cour intérieure et constitue à lui seul une forteresse indépendante de la citadelle. Conçu pour soutenir un siège, ce bastion, destiné à asseoir la puissance de Gênes, va être la résidence des Gouverneurs jusqu'en 1766.

- Le palais abrite aujourd'hui le **musée d'Ethnographie de Corse**, dédié au patrimoine insulaire à travers divers départements : géologie, botanique, histoire, archéologie... L'ensemble est en cours de restauration et n'ouvrira ses portes qu'en 2002.

La cathédrale Sainte-Marie

PLAN B3

Construite sur le site de l'ancienne église de Terra Nova édifiée à la fin du XVe s., cette nouvelle église, bâtie en 1619 en une quinzaine d'années, fut le siège des

▲ *Le palais des Gouverneurs est surmonté d'un campanile du XVIe s.*

▲ *La cathédrale Sainte-Marie présente une façade en forme de triptyque. Les panneaux sont délimités par des pilastres à chapiteaux corinthiens et couronnés de frontons triangulaires. Un clocher carré à coupole, haut d'une quarantaine de mètres, complète l'ensemble.*

Trouvé flottant en mer par deux pêcheurs d'anchois en 1428, le Crucifix des Miracles fut transporté à Sainte-Marie. Tous les 3 mai, il est porté en procession à travers les rues de la ville.

▲ L'Assomption de la Vierge, *datée de 1512 et signée Leonoro d'Aquila, est la plus ancienne peinture conservée dans la cathédrale Sainte-Marie. Elle y est entourée d'anges musiciens tandis que les douze apôtres contemplent la scène.*

évêques de Mariana. Elle fut érigée en cathédrale en 1570 et le resta jusqu'en 1801, date à laquelle le siège épiscopal fut transféré à Ajaccio.

- L'**intérieur**, conçu selon un plan d'inspiration ligure, s'ouvre sur trois nefs à cinq travées séparées par des piliers carrés surmontés de pilastres. L'ensemble est richement décoré d'or et de marbre dans le plus pur style baroque. Le **dallage polychrome** en marbre blanc de Carrare, bleu de Corte et rouge d'Oletta a été restauré lors de la visite de l'impératrice Eugénie en 1869.
- Le **maître-autel** de marbre polychrome (fin XVIIIe s.) est décoré de rinceaux et d'angelots ailés. De nombreuses œuvres d'art consacrées à Marie méritent l'attention. Notamment, à gauche du maître-autel, une *Crucifixion* de Luca Cambiaso (XVIe s.). Dans une niche vitrée, on peut découvrir l'**Assomption de la Vierge**, en argent massif (1856), travail de l'orfèvre Gaetano Macchi et objet d'une vénération toute particulière. Chaque année, le 15 août, elle est portée en procession à travers les rues de la ville.
- Les **stalles du chœur** (XIXe s.) ont été sculptées par le Pisan Guiseppe Fontana; les plus anciennes, du XVe s., tapissent le fond du chœur.
- L'**orgue** (1844), œuvre des frères Serassi de Bergame, est le seul instrument de facture italienne classé monument historique en France.
- Sur la gauche en contrebas et donnant sur la mer, le **couvent des clarisses**, confisqué à la Révolution.

■ La chapelle Sainte-Croix

PLAN B3

Joyau de l'art baroque insulaire, elle était l'oratoire d'une importante confrérie. Elle a été construite en 1600 sur l'emplacement d'un édifice dédié à l'Annonciation, sur un terrain dépendant de Saint-Jean-de-Latran. L'actuelle sacristie conserve une brique de la sainte porte de cette basilique. Elle possède un somptueux **décor** baroque (XVIIIe s.). Des stucs dorés dans les tons bleu pastel ornent les murs, la voûte de la nef unique et une partie des deux chapelles latérales.

- Le **maître-autel** de marbre polychrome (XIXe s.) évoque le lien avec le Latran et s'enrichit d'un retable représentant l'Annonciation, daté de 1633, de Giovanni Bilivert. De part et d'autre, statuettes en marbre de saint Blaise et de saint Antoine de Padoue (XVIIe s.).
- On s'attardera, dans la chapelle de gauche, sur le **Christ noir**, dit « Très Saint Crucifix des Miracles ». Il est placé sur un autel du XVIIIe s., dans un encadrement de stuc fait de feuillages et de volutes et sous un plafond à caissons peints, de style Renaissance.
- À l'ouest de la citadelle, l'**église Saint-Joseph** (XVIIe s.) fut le sanctuaire d'un couvent.

Valéry, armateurs et poètes

En 1843, deux frères, Jean Mathieu et Joseph Valéry, fondent à Bastia la Compagnie insulaire de navigation, une flotte de 12 petits vapeurs et de 6 voiliers, battant pavillon tricolore et blanc à tête de Maure. Elle sera rapidement portée à 33 vapeurs et voiliers qui relient Bastia à Marseille, Nice, Toulon, Alger, Livourne, Cagliari, Barcelone, Le Pirée. De cette famille est issu Amboise, Paul, Toussaint, né le 30 octobre 1871, plus connu dans l'histoire de la littérature sous le nom de Paul Valéry.

Paisolo : le village miniature de saint Antoine

6, rue de l'Évêché, la citadelle. PLAN B3

Ouvert en saison tous les jours de 9 h à 12 h et de 14 h à 18 h.
☏ 04 95 36 52 98.

René Mattei a reconstruit son village à une échelle 1/30e avec des matériaux du pays. Une véritable féerie.

▲ *Le boulevard Paoli, avec ses hauts immeubles colorés.*

Les quartiers du XIXe siècle

L'influence italienne

Situés au nord et à l'ouest de la ville, ils sont caractérisés par une enfilade de hauts bâtiments où se succèdent les couleurs chaudes et ambrées de la péninsule italienne.

Le boulevard Paoli

PLAN A2

C'est l'une des plus belles rues de cette époque. Elle s'est substituée en 1850 à la rue Napoléon. Les immeubles qui la bordent sont imposants, massifs avec des porches et des escaliers très élégants. Hauts de cinq ou six étages, ils s'intègrent parfaitement dans l'architecture bastiaise. - Autre artère essentielle de la ville au XIXe s., l'ancienne **rue de l'Opéra** est parallèle à la mer et au boulevard Paoli. Très étroite, elle mène vers l'avenue du Maréchal-Sébastiani et l'**Hôtel des Postes** (1960).

▲ *Dans le palais de justice, de grands maîtres du barreau comme H. de Montera se sont illustrés dans des procès criminels célèbres.*

Le palais de justice

PLAN A2-A3

Édifié entre 1852 et 1860 à la place des jardins des jésuites, il présente une architecture harmonieuse avec une façade constituée de deux pavillons latéraux surmontés d'un fronton. La cour, très sobre, est à deux étages à arcades et à colonnades.

Le théâtre municipal

PLAN A2

La tradition théâtrale bastiaise est ancienne et la première salle fut construite au début de la présence française, sur l'actuelle place de l'Hôtel-de-Ville. On souhaitait alors aider à l'apprentissage d'une culture nouvelle. En 1878, un nouveau théâtre est inauguré. Bombardé pendant la Seconde Guerre mondiale, l'édifice ne rouvrira ses portes qu'à la fin des années 1970. Le Festival du cinéma et des cultures méditerranéennes y tient ses assises chaque automne.

▲ *Sur la place Saint-Nicolas, la haute statue en marbre de Napoléon Ier est l'œuvre du sculpteur florentin Lorenzo Bartolini.*

La place Saint-Nicolas

PLAN B1

Elle doit son nom à l'ancienne chapelle pisane détruite au XIXe s. C'est une place majestueuse animée par les nombreuses terrasses de café à l'ombre des palmiers plantés sur cette vaste esplanade face au nouveau port.

Les environs de Bastia

CARTE P. 89

La route du sud s'ouvre sur la plaine orientale, qui n'offre apparemment au regard que les extensions urbaines et industrielles de la proche cité bastiaise. Elle a pourtant conservé des traces des invasions génoises et pisanes. Longtemps insalubre, l'étang de Biguglia est aujourd'hui une réserve naturelle unique qui abrite un grand nombre d'espèces protégées.

■ Le couvent Saint-Antoine

À 1 km au sud de Bastia, sur la route de Saint-Florent.

Couvent capucin. Fondé en 1540, ce sanctuaire fut dédié à saint Antoine de Padoue. Il présente une nef unique à trois chapelles latérales. L'avant-chœur est fermé par un retable qui le sépare du chœur des religieuses. Beau tabernacle du maître-autel et peintures (XVIIe s.).

■ L'oratoire de Monserato

À quelques centaines de mètres, sur la gauche.

► *La* scala santa *de l'oratoire de Monserato lui a été offerte par le pape Pie VII (1742-1823), en reconnaissance de l'hospitalité accordée en 1811 par les Bastiais aux prêtres exilés par Napoléon Ier.*

Le lieu est peu visible et l'on y accède par un petit sentier, pourtant il mérite le détour. Cette chapelle (XVIe-XVIIe s.) est dédiée à la Madone de Montserrat, en Catalogne. L'église a le privilège de posséder une *scala santa*, identique à celle de la basilique Saint-Jean-de-Latran, à Rome, rappelant l'escalier du palais de Ponce Pilate, à Jérusalem, que le Christ a monté et descendu le jour de la Passion. La chapelle consacrée à saint Pancrace fait l'objet d'un pèlerinage annuel le 12 mai.

■ Furiani

À 9 km au sud de Bastia par la N 193 et une petite route sur la droite à 5 km de Bastia.

► *L'étang de Biguglia est le plus grand étang de l'île.*

Fortement urbanisé, le lieu semble avoir perdu tout intérêt, ne laissant apparaître le long de cette route que des bâtiments industriels. Son expansion économique a commencé dans les années 1920 avec l'autorisation de la culture libre du tabac. L'installation de l'usine Job-Bastos en fera la première industrie de l'île. Perché sur une colline, le vieux village domine la mer et les étangs de Biguglia. À voir, la **chapelle** bénédictine Santa Maria Assunta du XIIe s.

▲ *Le vieux village de Furiani est gardé par une forteresse génoise en ruine.*

■ Biguglia

À 8 km au sud de Bastia. À San Lorenzo, sur la N 193, tourner à droite et prendre une petite route.

C'est l'ancienne capitale de l'île sous la domination pisane puis génoise. En 1372, Arrigo della Rocca, à la tête des Corses révoltés, enlève Biguglia aux Génois. Chassé de la ville, le gouverneur génois fait alors construire une bastille au-dessus de la marine de Cardo, qui donnera son nom à Bastia.

- **Chapelle** du XIIIe s. en ruine sur le col Sant'Andrea. Au sud du village, sur le Monte Grosso (192 m), un **site néolithique**. Vincentello d'Istria, vice-roi de Corse lorsque l'île appartenait au roi d'Aragon, y a laissé un château aujourd'hui en ruine.
- Le village domine une belle **plage** de sable bordée de pins et d'eucalyptus.

■ L'étang de Biguglia

D'une superficie de 1 600 ha (11 km de long sur 2,5 km de large), il est séparé de la mer par une mince langue sableuse. Il est inscrit depuis 1990 sur la liste des zones humides d'importance internationale et déclaré réserve naturelle depuis 1994. Cet espace naturel regroupe à lui seul divers milieux (lagune, vasières, roselières, pré-salé), qui favorisent la présence d'une grande variété de végétaux et accueillent plusieurs espèces de poissons, de reptiles, de batraciens mais aussi d'oiseaux. On compte ici plus d'une centaine d'espèces rares dont un grand nombre de migrateurs.

Les anguilles de Noël

Les anguilles sont très présentes dans l'étang de Biguglia où elles sont pêchées à partir du mois d'octobre, selon des méthodes traditionnelles. Longtemps, des bateaux-viviers, venus d'Italie, embarquèrent des tonnes de capitone, *nom donné à Naples à de grosses anguilles, dont la consommation est traditionnelle dans le Mezzogiorno la veille de Noël. Les anguilles de Biguglia, transportées vivantes dans des bacs, rejoignaient les marchés de la Péninsule.*

La route de la corniche

CARTE P. 89

Suivant les caprices du relief, la route domine la mer Tyrrhénienne offrant une vue sur l'archipel toscan, l'île d'Elbe et celle de Montecristo. Au milieu de châtaigniers, d'orangers ou d'oliviers, on découvre de vieux villages et d'antiques chapelles.

▲ *À l'est du hameau de Mela se dresse un ancien couvent de capucins construit au XVIIe s. et transformé en château au XXe s. par le comte Cagninacci.*

bonne adresse

à San-Martino-di-Lota

Hôtel-restaurant de la Corniche, à 7 km au nord de Bastia. ☏ 04 95 31 40 98. Une cuisine créative et 18 chambres meublées avec goût. Vue sur les îles de l'archipel toscan.

Le libeccio

C'est le vent dominant de la Corse. Un vent sec, puissant, qui pousse son souffle uniformément aux quatre coins de l'île, attisant parfois les incendies. C'est à Bastia et dans le cap Corse qu'il souffle avec le plus de violence, ses rafales pouvant parfois atteindre près de 200 km/h.

■ Cardo

À 5 km au nord-ouest de Bastia. Sortir de Bastia par la route de Saint-Florent. Prendre à droite la D 64.

Situé sur une colline qui domine la mer, c'est le village dont la marine, aujourd'hui le Vieux Port, a donné naissance à Bastia. Lieu de résidence d'un grand nombre de Bastiais, il en est devenu l'un de ses faubourgs.

■ Santa Lucia

Passé Cardo, prendre la première route à gauche, puis la D 231 et la D 31.

L'**église** paroissiale de la commune de Ville-di-Pietrabugno est construite en un point culminant (339 m) et offre une **vue** remarquable sur Bastia, l'étang de Biguglia et l'archipel toscan. On peut voir les **ruines** de la **chapelle romane San Colombano** et admirer de beaux tombeaux. À l'ouest, le site est dominé par deux sommets : le San Colombano (832 m) et le Monte Muezzoni (941 m).

■ Canale

À 5,5 km au nord de Santa Lucia sur la D 31.

Ce hameau de la commune de San-Martino-di-Lota est entouré de châtaigniers. Dans la **chapelle** (1702) dédiée à saint Pierre, deux tableaux représentent l'apôtre.
- Au sud du hameau, un **sentier** permet de monter au Monte Iovu (607 m), où l'on découvre les **ruines** d'une chapelle qui aurait remplacé un ancien temple romain dédié à Jupiter.

■ Acqualta

Après Canale, traverser le fleuve Grisgione.

Au centre du hameau, l'**église** San Martino fut construite au début du XVIIe s. à la place d'un précédent édifice détruit en 1516. Dans l'abside, une **Vierge** en marbre Notre-Dame des Grâces (XIIIe s.). Dans la nef, **retable** sculpté au XVIIe s. par les moines du couvent de Mola. La place de l'église couvre un immense ossuaire. Pour cette raison, elle est devenue un lieu sacré, *U Sacraziu*. Au début du XIXe s., les morts étaient ensevelis dans

l'église. Lorsque le sous-sol de l'église fut comblé, ils furent enterrés sous la place. Beau **panorama** sur le cap et la mer Tyrrhénienne. Trois hameaux entourent Acqualta :
- **Oratoggio** tire son nom de la présence d'un oratoire qui a aujourd'hui disparu.
- **Castagneto** est la patrie du poète Angelo Santo Marcucci, dit Grillettu. Chapelle du XVIe s.
- **Mucchiete**, à 425 m d'altitude. Il peut servir de point de départ pour de multiples **randonnées** vers les sommets voisins : Cima Ventajola (686 m), Cima di Morelli (791 m), Cima di Fornelli (822 m), Cima di Pietr'Ellerata (877 m) et Monte di Campu Venardu (794 m).
- À 450 m à l'ouest du hameau de Mela, la **source des Pinzi**, dont l'eau soulage les maux de reins.

Grillettu le poète

Né en 1789 à Castagneto, Santo Marcucci, dit Grillettu, a écrit des poèmes en langue italienne évoquant la vie quotidienne, la cueillette des olives, les joies du mariage ou les gaietés d'un festin. D'autres, pleins de verve et de sensualité, s'adressaient à des femmes aux noms étranges : Chloris, Lydia, Philis.

Figarella

À 15 km au nord de Bastia par la D 31.

Son nom évoque une plantation de figuiers. Comme beaucoup de villages corses, Figarella a un bas quartier *(Suttanu)* et un haut quartier *(Supranu)*, désignés ici respectivement par *Ghjundi* et *Sundi*. Dans Figarella Ghjundi, l'**église Sant'Antone** a été construite à la fin du XIXe s. sur des grottes.

Saint-Hyacinthe

Sur la D 31.

Ce couvent, construit au début du XVIIe s. par une communauté dominicaine, fut le siège du chef insulaire de l'Inquisition.
- De Saint-Hyacinthe, continuer la D 31 puis tourner dans un chemin à gauche qui conduit à **Partine**. Dans l'**église Sant' Assunta**, un très beau **triptyque** sur bois du XVIe s. sur lequel saint Jean-Baptiste et saint André encadrent l'Annonciation.

▲ *La tour génoise de Miomo monte la garde devant le village.*

Miomo

Poursuivre la D 31.

Bordée par une **plage** de galets, cette petite marine a conservé une **tour** génoise du XVIe s. Le village est devenu aujourd'hui une station balnéaire très fréquentée par les Bastiais.

▲ *Entre Figarella et Mandriale, un vieux pont datant de 1600 traverse la rivière Miomo.*

Pietranera

Prendre la D 80 vers Bastia.

Au XVIIIe s., ce hameau était un petit dépôt de vin. Il n'y avait aucune maison d'habitation mais des caves et des entrepôts. Aujourd'hui, il est devenu un faubourg résidentiel de Bastia. Son nom fut illustré par Mérimée et son ami Stendhal : il est devenu le village de *Colomba* et celui de l'une des héroïnes de *La Chartreuse de Parme*.

▲ *Autrefois, chaque village possédait ses* franghji, *moulins à huile qui tiraient leur énergie de l'eau des rivières ou du vent du large. Ici, à Santa-Lucia-di-Tallano.*

▲ *Aujourd'hui, l'oléiculture tient plutôt de la tradition.*

▲ *Belles jarres contenant de l'huile d'olive.*

L'olivier

Arbre mythique symbole de paix, l'olivier est arrivé en Corse par l'entremise des Génois. Il entrait alors dans un programme de mise en valeur et d'exploitation économique de la terre incitant chaque famille à planter des arbres nobles, châtaigniers, oliviers ou pieds de vigne. C'est à cette époque, à la fin du XVIe s. que la vocation oléicole de la Balagne va se dessiner pour en devenir l'une des ressources principales.

■ Une terre oléicole

Les dizaines de milliers d'oliviers de Balagne ont produit jusqu'à 20 millions de kilos d'olives. Pendant des mois, les moulins tournaient sans relâche, fournissant des centaines de milliers d'hectolitres d'huile destinés pour une large part à l'exportation. Les huileries de Belgodère ou de Santa Reparata pouvaient satisfaire à elles seules plus de la moitié des besoins français. Après la guerre, l'arrivée de l'huile d'arachide sur les marchés occidentaux va profondément ralentir ces exportations jusqu'à les rendre quasiment inexistantes. La production oléicole de la Balagne avait vécu et l'incendie de 1971, détruisant la majeure partie de ses 35 000 arbres, allait porter un coup fatal à cette économie.

■ L'image d'un patrimoine rural

L'olivier fait partie du patrimoine de la Corse ; la Balagne, bien sûr, en porte le symbole mais aussi d'autres régions de Corse comme le Nebbio, l'Alta Rocca ou le bas Taravo. En de multiples endroits, l'olivier a marqué le paysage, laissant ici ou là les ruines d'un vieux moulin. Aujourd'hui encore, ces champs plantés d'oliviers, au sol recouvert de vastes filets rouges tendus pour recevoir le fruit, font l'originalité du paysage. Après des années de désintérêt, l'huile d'olive tend à revenir en force sur le marché. En Corse, différentes incitations ont été mises en place pour faire renaître l'oliveraie et relancer sa production. Aujourd'hui, on vise la qualité et la spécificité d'un produit.

■ Une saveur douce et fruitée

Laissée sur l'arbre jusqu'à pleine maturité, l'olive corse donne une huile d'une saveur douce où se révèle le parfum des fleurs et des herbes du maquis. L'huile d'olive corse se veut unique, à l'image de son pays. La région a constitué des groupements de producteurs pour valoriser au mieux sa production.

CARTE P. 89

Les agrumes

Les plantations et les vergers ont de tout temps fait partie du paysage de la Corse. Sur ces terres pauvres au relief accidenté, ils ont d'abord représenté une économie de subsistance destinée principalement à la consommation d'une famille ou d'une collectivité. Puis, bénéficiant d'un climat favorable et d'une bonne pluviométrie, certaines espèces se sont développées sur les coteaux entre mer et montagne. Généralement regroupés autour des villages, les vergers plantés de pommiers, poiriers, cerisiers, mandariniers, orangers et citronniers se sont intégrés naturellement au paysage rural, à côté d'une multitude de figuiers, de noisetiers et de châtaigniers. À partir du début du XXe siècle, la désertification des campagnes entraîna l'abandon de ces cultures.

▲ *On peut faire de la confiture avec tous les fruits qui poussent en Corse.*

■ Le renouveau des vergers

Il faut attendre la seconde moitié du XXe s., et notamment l'assainissement du littoral de la côte est, pour que l'ensemble de cette production s'inscrive désormais dans l'économie de la région. À partir des années 1950, les plantations se sont multipliées. La création d'une station de recherche agronomique de l'INRA à San Giuliano permit, en élaborant de nouvelles espèces, de développer considérablement ce secteur arboricole. Parallèlement, un vaste programme hydraulique agricole assura la mise en valeur des terres.

■ Les clémentines et les pommes corses

Petite, douce, fruitée et acidulée, la clémentine corse, commercialisée avec ses feuilles, est l'un des fleurons de la production insulaire. Principalement récoltée en Haute-Corse et majoritairement exportée sur le continent, elle représente l'une des récoltes les plus importantes de l'île avec une production de près de 30 000 t par an, faisant de la Corse le troisième producteur européen. Traditionnels aussi en Corse, les pommiers sont présents dans tous les vergers et se déclinent en de multiples variétés, les reinettes de Zicavo, de Ciamanacce ou du Taravo. Bastelica en a fait sa spécialité à travers une foire qui se déroule chaque année le premier week-end de novembre.

De nouvelles productions

Après une période d'abandon due à la désertification, on revoit aujourd'hui châtaigniers et amandiers. Dans les années 1980, ces derniers furent plantés sur des parcelles jadis occupées par la vigne. La conquête des terres sur le maquis et la mise en place d'un vaste plan d'irrigation ont permis de diversifier les cultures de la plaine orientale. Ainsi, le kiwi couvre aujourd'hui près de 1 500 ha. Malgré la diversité de sa production, la Corse reste confrontée au problème de son insularité. Face à la concurrence, elle oppose la qualité de ses produits.

Le cap Corse

CARTE P. 89

Office du tourisme du cap Corse : maison du cap Corse, 20200 Ville-di-Pietrabugno. ☏ 04 95 32 01 00.

Le Promontoire sacré, comme le nommaient les Romains, forme l'extrémité nord de la chaîne montagneuse corse et se prolonge en une longue échine de 40 km de long et de 12 à 15 km de large. Les deux côtes sont très contrastées. Les villages, bâtis dans des sites escarpés, abritent des églises richement décorées. Les petits ports du littoral ont conservé leur pittoresque.

INCONTOURNABLES

▲ *La route permet de découvrir de superbes points de vue sur le littoral du cap Corse.*

El Callao

Né en 1819 à Pino, Antoine Liccioni fait partie de ces Cap-Corsins partis aux Amériques faire fortune. Après des années d'effort, il trouve un filon d'or : « El Callao. » Puis il crée une société qui sera cotée à la Bourse de Paris. À sa mort, don Antonio Liccioni est copropriétaire de la Guyane avec Guzman Blanco, président de l'État de Bolívar.

Une terre très convoitée

Au centre de routes maritimes, le cap a très tôt développé des relations commerciales avec d'autres régions méditerranéennes. Les nombreux vestiges romains découverts attestent du passage de civilisations maritimes antiques. Pise, qui marqua sa présence par des monuments romans, vit en lui un point stratégique pour sa défense. Puis Gênes chercha à y prendre pied en s'appuyant sur le pouvoir de seigneurs locaux. Une puissante féodalité a marqué le cap Corse au Moyen Âge. D'origine génoise, les familles da Mare, Avogari, de Gentile se sont partagé les seigneuries de Brando, Canari et Nonza, des fiefs qui ont subsisté avec leurs privilèges jusqu'en 1769.

Un peuple de voyageurs

Contrairement au reste de l'île, le cap a toujours été ouvert sur l'extérieur. Pêcheurs, agriculteurs et négociants, les Cap-Corsins vendaient leurs produits dans les villes du littoral toscan, génois ou provençal. Ils en ramenaient des matières premières et les denrées nécessaires à la vie de l'île. Le Cap-Corsin a toujours cherché à tirer parti de son sol, de son sous-sol et de son environnement. À partir du XVIIIe s., la fin des relations économiques avec Gênes et plus tard la destruction par le mildiou d'un grand nombre de vignobles vont provoquer un déclin économique, renforcé quelques années plus tard par l'abandon de l'exploitation de certaines carrières d'extraction de minerais : celles de l'amiante à Canari ou de l'antimoine à Ersa, Luri et Meria. Cette situation va entraîner l'émigration de Cap-Corsins.

Les « nouveaux Américains »

Les liens entre le cap Corse et le Nouveau Monde remontent au XVIe s. Si certains paolistes vont s'établir aux États-Unis après la défaite de Ponte Nuovo, c'est surtout à partir de l'éclosion des nouvelles républiques latino-américaines que des émigrants partirent de Rogliano, de Morsiglia ou de Pino pour aller faire souche à Saint-Domingue, à Porto Rico ou au Venezuela. Quelques-uns sont rentrés chez eux, fortune faite. Ils y ont construit de somptueuses demeures, pleines de meubles de valeur et d'objets d'art, ainsi que de riches mausolées.

▷ La côte est

CARTE P. 89

Le cap Corse est plus connu pour son littoral que longe interminablement la route qui en fait le tour. De petites baies bien abritées se dessinent le long de la côte orientale peu découpée et moins élevée. On y découvre mille curiosités : chapelles en ruine, prairies perchées et vieux sentiers dallés conduisant à des bergeries.

■ Lavasina

À 7,5 km au nord de Bastia sur la D 80.

Dans ce village en bord de mer, l'**église** Notre-Dame-des-Grâces (XVIIe s.) abrite un **tableau** dit miraculeux, représentant une Vierge à l'Enfant, *La Madone de Lavasina*, attribuée à l'école du Pérugin (XVIe s.). Elle est couronnée d'un diadème en or offert par le pape Pie XII en 1949.

Pèlerinage à Lavasina chaque année, le 8 septembre, jour de la nativité.

Chaque année, le vendredi saint, se déroule une procession, la *Cerca* ou la recherche. Quittant l'église d'Erbalunga, les pèlerins parcourent à pied près de 7 km, allant d'église en église à travers les hameaux. Elle s'achève le soir à la lueur des torches par cette curieuse figure en spirale, la *Granitola*.

■ Erbalunga

À 2,5 km de Lavasina.

Des maisons les pieds dans l'eau, une vieille tour génoise, l'ensemble ne manque pas de charme et attire de nombreux peintres. On la surnomme la « Collioure de la Corse ». Ce fut le berceau de la famille du poète Paul Valéry. Erbalunga est une authentique marine dépendant du village de Brando, situé quelques kilomètres plus haut.

■ L'église Sainte-Marie-des-Neiges

À 3 km à l'ouest d'Erbalunga, sur la route de Castello (D 54).

Sur le mur nord, léger relief de motifs naïfs : quadrupèdes, bateau, rosaces et oiseaux. À l'intérieur, remarquer les **fresques** (1386) et le retable en bois du XVIe s. : la Vierge à l'Enfant entre saint Jean Baptiste et sainte Catherine.

▲ *La petite chapelle romane Santa Maria di e Nevi (IXe-Xe s.), au-dessus du hameau de Castello, est un édifice à nef unique et abside semi-circulaire voûtée en cul-de-four.*

■ Le Monte Stello

Au départ d'Erbalunga ou de Lavasina, accès par la D 54 jusqu'à Pozzo puis 5 h à pied aller-retour.

Point culminant du cap Corse (1 307 m), il est constitué à son sommet par un bloc de serpentine verte ; **vue** remarquable sur l'ensemble du cap. Par temps clair et de préférence au lever du soleil, on peut apercevoir le golfe de Saint-Florent, L'Île-Rousse, Calvi, les massifs du Cinto et du Rotondo, une partie de la plaine orientale, ainsi que les îles de l'archipel toscan et de la côte italienne.

◀ *Le chef reliquaire de saint Jean Chrysostome, dans l'église Saint-Martin de Sisco, en cuivre argenté et doré, est attribué à un orfèvre armurier de la vallée de Sisco.*

■ Sisco

À 5,5 km au nord d'Erbalunga, sur la D 80.

La commune se disperse en de multiples hameaux répartis sur les pentes

Les reliques de Saint-Martin

Au XIIIe s., des marins venus du Levant, pris dans une tempête, auraient fait le vœu, s'ils arrivaient à bon port, de déposer les reliques qu'ils transportaient dans la première chapelle qu'ils apercevraient. Tissus orientaux et pierres du mont Sinaï et du Saint-Sépulcre furent ainsi déposés à l'église Santa Catalina, puis transférés à l'église Saint-Martin au XVIIe s.

▲ *Au nord de la marine de Pietracorbara, la tour de l'Osse s'appelait autrefois la tour de l'Aigle. L'abbé Galetti, au milieu du XIXe s., l'avait surnommée la* torre dell'Osso *car ses fondations recelaient une grande quantité de squelettes.*

Villages et marines

Le cap Corse est une terre de marins. De nombreux villages y possèdent une marina, *petit port ou simple grève. Les marines n'avaient à l'origine pour seules constructions que des* magazini *servant à entreposer des marchandises. Aujourd'hui, la plupart d'entre elles sont devenues des ports de plaisance et des lieux de villégiature.*

de la vallée du Sisco. Les terrasses conquises par le maquis portent le témoignage de l'activité qui régnait aux siècles passés. Au-delà de l'agriculture et de l'élevage, l'activité métallurgique qui s'y était développée au Moyen Âge en a fait l'un des territoires les plus peuplés du cap. Le lieu conserve une belle architecture traditionnelle.
- L'**église paroissiale Saint-Martin** possède un chef **reliquaire** (XIIIe s.) qui procède des techniques de l'armurerie, industrie très florissante au Moyen Âge dans cette région.

■ L'église San Michele

15 mn à pied par la D 32, puis à gauche.

Bâtie sur un roc dominant la mer, cette construction romane à nef unique avec abside ornée d'arcatures et de bandes lombardes date du XIe s.
- À proximité, départ d'une **piste** qui relie Sisco au village d'Olcani.
- Au col Saint-Jean, un chemin conduit au sommet de la **Cima di e Folicce** (1 324 m), point culminant du cap Corse, moins connu que le Monte Stello.

■ L'ancien couvent Santa Catalina

Sur la D 80.

Construite sur un promontoire rocheux, l'église Santa Catalina est élevée en partie sur une crypte dite Tomboli (XIIe s.), où étaient vénérées des reliques que la légende disait venir du Levant (par la suite, celles-ci furent transférées à Saint-Martin de Sisco). L'édifice se compose d'un grand vaisseau, couvert d'une charpente sculptée et peinte, disposée perpendiculairement à une nef unique. Ce faux transept date de 1443. L'ensemble de l'église est de style roman. La corniche repose sur des modillons sculptés. La façade est animée par un décor de poterie de style oriental.

■ Pietracorbara

À 4,5 km de Sisco, sur la D 80.

Une marine traditionnelle du paysage du cap Corse dont le village se retranche sur les hauteurs. Ce petit port fut autrefois le site de la fondation gréco-romaine *Ampuglia*, à laquelle la tradition orale fait souvent allusion. On imagine cette cité mythique aujourd'hui engloutie dans les marais qui bordent la route.
- La **marine de Porticciolo**, à 2 km de la tour de l'Osse, possédait jusque vers 1873 un petit chantier de construction navale (voiliers). En 1960, c'était le troisième port de pêche du cap Corse.
- À 1 800 m au nord-ouest de Santa Severa, **ruines de la tour** génoise et du village de **Mata**, abandonné au XIXe s.
- De Santa Severa à Pino (16 km à l'ouest), la D 180 traverse le cap.

Les toits du cap Corse

Longtemps, l'architecture s'est adaptée à un paysage, se fondant à ce milieu et empruntant les matériaux trouvés sur place. Ainsi peut-on, par la seule observation de l'habitat, repérer la nature de ses roches. Les villages de la Corse schisteuse – cap Corse, Castagniccia et Nebbio – en sont de merveilleux exemples. Leurs maisons aux toits de pierres plates *(teghje)* forment un ensemble en parfaite harmonie avec leur environnement.

▲ *Les toitures de* teghje *ont une belle couleur tirant sur le gris ou le vert.*

■ Le matériau du sous-sol

Les carrières communales Casa Vechje, Pozzu Brandu et les Pettre Scritte fournissaient encore au XIXe s. le matériau de base de construction de ces toitures. Pierres taillées à la main, leur extraction représentait une rude besogne, à laquelle les femmes participaient. Pieds nus, elles remontaient des carrières ces lourdes plaques de schiste qu'elles portaient sur la tête : les vieilles toitures du Pozzu ou de Porettu sont les témoins de ce terrible labeur.

■ Un savoir-faire en perdition

Après la Première Guerre mondiale, un nouveau matériau fait son apparition : la tuile rouge mécanique, dont l'emploi vient rompre l'harmonie de cette tonalité schisteuse des toitures de certains villages. Le savoir-faire et la profession de couvreur de *teghje* ont pratiquement disparu, minés par un perpétuel chômage technique. Ainsi, la *teghja*, matériau commun d'hier, est devenue désormais un luxe. Aujourd'hui, un toit de schiste coûte deux fois plus cher qu'une couverture de tuiles mécaniques. Pourtant, depuis 1971, plusieurs décrets ont tenté de favoriser le recours aux matériaux traditionnels. Des possibilités d'extraction moderne sont étudiées, des stages de formation sont mis en place pour tenter de préserver cette architecture traditionnelle, créatrice d'un emploi local et témoin d'un savoir-faire ancestral.

▼ *Le hameau de Montilati, sur la commune de Figari, garde une jolie chapelle romane (San Quilico), qui a conservé sa toiture primitive de* teghje.

De Macinaggio à Centuri

Les villages du cap surprennent par leur dispersion en une foule de petits hameaux adossés aux collines. Les Cap-Corsins se sont adaptés aux facteurs naturels et ont cherché à se protéger contre l'envahisseur. Les nombreuses tours rondes et carrées édifiées au XVe s. en témoignent.

CARTE P. 89

SI de Macinaggio : ☏ 04 95 35 40 34.

bonne adresse
à Rogliano

Le domaine Gioielli. ☏ 04 95 35 42 05. Un blanc de blanc réputé. Et la production du *rapu*, un vin issu d'un raisin local entièrement fermenté, vieilli en fût et bu 5 ou 6 ans après.

▲ *Le couvent de Rogliano rappelle l'importance de la localité au Moyen Âge.*

Les vieilles maisons de schiste à escalier extérieur de la marine de Tollare se groupent autour d'une crique où débouche le Granaggiolo. Les îles Finocchiarola, classées réserve naturelle en 1987, abritent une colonie de goélands d'Audoin, reconnaissables à leur bec rouge et noir. L'accès est interdit entre le 1er mars et le 31 octobre. Le chemin des douaniers longe les criques à travers maquis et vignobles. Il relie Macinaggio à Centuri en 7 h 45 en passant par Barcaggio (en 3 h).

■ Macinaggio

À environ 38,5 km au nord de Bastia.

Port de pêche et de commerce, Macinaggio fut dès l'Antiquité une escale importante pour les marins sillonnant la mer Tyrrhénienne. C'est ici que débarqua Pasquale Paoli au retour de son premier exil, en 1790. En 1869, l'impératrice Eugénie y fit escale. Il est aujourd'hui aménagé en port de plaisance.

■ L'église Santa Maria di a Chiapella

À 3,5 km au nord de Macinaggio, 2 h 15 AR par le sentier.

Située dans un site grandiose et désertique face aux îles de Finocchiarola, c'est une chapelle romane très remaniée au XVIIIe s., où subsiste une abside double du XIe s. À côté, **ruines** d'une tour génoise datant de 1549.

■ Rogliano

Revenir sur la D 80 et prendre la D 53.

La commune est formée de sept hameaux bâtis en belvédère au pied du Monte Poggio dans un paysage de maquis et de cultures en terrasses. Son nom, dérivé du latin *Aurelianus*, témoigne de ses origines romaines. Dès le XIIe s., elle fut le fief de la puissante famille da Mare.
- Deux églises dominent **Bettolacce**, centre communal de Rogliano : l'église **Sainte-Côme et Saint-Damien** (XVIe s.) et l'église **Saint-Agnel** (XVIe s., agrandie en 1720), qui abrite un beau maître-autel en marbre offert par les Caps-Corsins émigrés à Porto Rico. La clôture du chœur fut offerte par l'impératrice Eugénie.
- Sur un éperon rocheux, les ruines du **château San Colombano**, fief de la famille da Mare. À proximité s'élevait le **couvent Saint-François**, dont subsiste l'église.

La famille da Mare

Venue de Gênes et vassale de cette république depuis le XIIe s., la famille da Mare habitait le château San Colombano, construit au XIIe s. En 1553, Jacques da Mare trahit cette fidélité et se rallie à Sampiero Corso, colonel au service du roi de France. Pour se venger, Gênes fera raser le château familial. Les gens du pays appellent encore ce château Castellaccio, *ou mauvais château.*

- À côté, une haute tour carrée avec mâchicoulis, dite **tour de Barbara da Mare**, du nom de la fille de Jacques da Mare. C'est ici que périt, de la main des Corses, l'autoritaire gouverneur génois.

■ Ersa

Poursuivre la D 80.

Autrefois surnommé le « Finistère du cap Corse ».

- À **Botticella**, **vue** sur la vallée de Granaggiolo qui descend au nord vers la marine de Tollare. Dans l'**église Sainte-Marie**, on remarquera le beau **tabernacle** en bois sculpté importé d'Italie au XVIIe s. ou au XVIIIe s.

■ Barcaggio

Prendre à droite la D 153 et encore à droite la D 253. À 7 km au nord d'Ersa. Lieu accessible également à pied en 3 h par le sentier des douaniers depuis Macinaggio.

Cette marine de la commune d'Ersa est construite dans une petite baie ouverte sur le grand large. En face, l'**îlot de la Giraglia**, un gros rocher de serpentine verte surmonté d'un phare d'une portée de 22 miles.

■ Le moulin Mattei

Poursuivre la D 80 jusqu'au col de Serra. 10 mn de marche.

On bénéficie d'un **panorama** exceptionnel sur les deux versants de la pointe du cap Corse. À l'est, au-delà d'Ersa et de Rogliano, sur la mer de Toscane, l'île de Capraja et l'île d'Elbe, au sud sur l'extrémité du cap Corse, du capo Bianco aux îles Finocchiarola et à l'îlot de la Giraglia; au sud-ouest sur la baie de Centuri et le golfe de Saint-Florent, dominé par les sommets neigeux du Monte Cinto.

■ Canelle

Poursuivre la D 80 et tourner à droite à Camera.

À l'écart des routes touristiques, accroché à la colline noyée dans le maquis, ce village aux passages sous voûtes et aux venelles fleuries dallées de schiste domine la mer. Son origine date de l'époque romaine.

■ Le port de Centuri

Revenir à l'embranchement et prendre la D 35 vers l'ouest.

En contrebas du col de Serra, c'est la plus jolie marine du cap, bâtie sur l'antique bourgade de *Centurium* (VIe s). À l'ouest du port, on aperçoit l'îlot de Centuri, dit îlot de Capuse, détaché de la terre ferme par l'érosion. Aujourd'hui, Centuri est le port de pêche le plus important de cette partie de l'île. On y pêche la langouste. Situées au fond d'une anse profonde, les maisons blanches aux toits de serpentine verte conservent le pittoresque des habitations du cap. La marine de Centuri possède une **tour ronde** et une **chapelle Santa Maria Maddalena**. En novembre, on y déguste les *panzarotti*, sortes de beignets avec jus d'arbuste fourrés de bettes et de raisins secs.

▲ *Aujourd'hui port de plaisance largement ouvert sur le tourisme, Centuri était au XVIIIe s. le port de commerce le plus important du cap. On y exportait du vin, du bois, des céréales.*

▲ *Le vieux moulin à vent Mattei, au sommet du col de Serra (362 m), a été restauré par la famille dont il porte le nom.*

La famille Mattei

En 1872, Louis Napoléon Mattei, originaire du cap Corse, fondait à Bastia une entreprise vendant du pétrole, du liège, du tabac, des parfums et du cédrat. L'entreprise fut la première à fabriquer des cigarettes avec une machine que l'on appelait ici la « mitrailleuse ». Prospère, l'entreprise Mattei inventa un apéritif qui devait faire sa fortune dès 1872, le « vin du cap Corse au quinquina », un mélange original de muscat du cap, de décoctions de plantes diverses, de macérations d'oranges et de quinquina. L'apéritif obtint plus de 50 médailles d'or et d'argent et fut exporté dans le monde entier.

La côte ouest

CARTE P. 89

La côte occidentale est dominée par la haute chaîne montagneuse couverte de maquis dont les pentes abruptes plongent dans la mer. La route qui longe le pourtour du cap est impressionnante : serrée entre la montagne et le précipice de la mer, étroite et sinueuse, elle permet de découvrir de superbes points de vue.

▲ *Le village de Tomino, perché au-dessus du port de Macinaggio, offre un superbe panorama sur la baie et les îles de Finocchiarola et de Capraja.*

▲ *Le triptyque en bois de l'église de Pino est attribué au peintre florentin Fra Bartolomeo (1472-1517).*

bonnes adresses

Vin Antoine Aréna, lieu-dit Morta Majo. ☏ 04 95 37 08 27. Des rouges et des blancs d'excellente qualité. Vente directe sur rendez-vous.
Domaine Pierre et Henri Orenga de Gaffory, lieu-dit Morta Majo. ☏ 04 95 37 45 00. Un coup de cœur pour le muscat, issu d'une tradition séculaire.
Hôtel *Li Fundali*, lieu-dit Spergane, près de Luri. ☏ 04 95 35 06 15. Une pension accueillante dans une ancienne demeure, avec 5 chambres.

■ Morsiglia

Sur la D 80, à 5 km du port de Centuri.

Cette commune s'étage sur les flancs des hautes collines couvertes de maquis et dominant la mer. L'ensemble du village présente un bel exemple d'architecture défensive, avec ses **maisons** aux tours intégrées.
- L'**église Saint-Cyprien** (XIVe s.-XVIIIe s.) possède une façade à double colonnade. À l'intérieur, chaire et baptistère en bois sculpté, tribune et buffet d'orgue, dalles funéraires armoriées de 1589 à 1781.
- On verra la **tour de Pianasca**, au hameau de Pecorile, et la **tour de Camorsiglia**.
- Le **couvent de Morsiglia** (XVe s.) domine la Méditerranée. Il est édifié sur le site d'une chapelle construite par les habitants de Morsiglia et de Centuri.

■ Pino

À 9,5 km au sud de Morsiglia sur la D 80.

Ce beau village est accroché à flanc de montagne au-dessus de la mer, au milieu d'une végétation luxuriante.
- L'**église Santa Maria Assunta** (XVIIIe s.) possède une belle façade baroque. À l'intérieur, un bénitier du XVIIIe s. et un baptistère de 1554, tous deux armoriés; peintures de Profizzi (XIXe s.). Tribune et buffet d'orgue du XIXe s.
- Le **couvent Saint-François**, fondé en 1486, est aujourd'hui abandonné. À ses côtés, les tours carrées de Casucciu, de Ciocce (XVIe s.) et de Metimu (XVe s.).

■ La tour de Sénèque

Prendre vers l'est la D 180 en direction de Luri et tourner à droite au col de Santa Lucia. Un sentier mène en 30 mn à la tour.

Elle réserve dans un site sauvage une **vue** remarquable sur les deux versants du cap Corse. La tradition en fait la résidence de Sénèque lors de son exil de sept ans en Corse (41 à 48 après J.-C.).

■ Canari

À 15 km au sud de Pino. Revenir à Pino et prendre la D 33.

Le village est accroché à flanc de montagne. **Vue** splendide à partir de la place du Clocher. Au-delà de la place à gauche, l'**église Santa Maria Assunta** (XIIe s.), un édifice roman de l'époque pisane, partiellement transformé

au XVIIIᵉ s. Masques, figures humaines, têtes d'animaux garnissent certains arcs de la corniche. On remarquera quelques sculptures d'époque préromane remployées.
- L'**église Saint-François** (XVIᵉ s.), édifice à nef unique au décor baroque, possède plusieurs œuvres d'art : *Saint Michel terrassant le dragon et pesant les âmes* (XVᵉ s.).
- À 6 km, sur la route côtière, **mine d'amiante d'Algo**, dont l'exploitation a été abandonnée en 1966.

■ Nonza

À 11,5 km au sud de Canari par la D 80.

Construit sur un éperon rocheux, le village domine la mer. La **Torre di Nonza**, tour édifiée à 167 m d'altitude, domine l'ensemble. Cette tour assez bien conservée qui possède trois échauguettes a été construite en 1760 sur l'emplacement du château des Avogari de Gentile (XIIᵉ s.), détruit par les Génois en 1487.
- Dans l'**église Sainte-Julie** (XVIᵉ s.), on verra le **maître-autel baroque** fait à Florence en 1693 en marqueterie de marbre polychrome.
- Au nord du quartier de Cavalareccia, sous la route, un chemin en escalier descend à la **chapelle** et à la **funtana di Santa-Giulia**, aux eaux dites miraculeuses. Par un escalier, on atteint la **Marina di Nonza**, aujourd'hui comblée par les rejets de l'ancienne mine d'amiante.
- À 1,5 km à l'est de Nonza, dans le vallon de Bolano, se niche la **chapelle Santa Maria,** à proximité des ruines du petit hameau de Cavicchioni.

■ Patrimonio

À 18 km à l'ouest de Bastia par la D 81.

L'enclave de terrains calcaires présente les caractères d'un cru d'excellente qualité. Le Niellucio en est le cépage roi.
- L'**église Saint-Martin** du XVIᵉ s., fortement remaniée au XIXᵉ s., se dresse au milieu du village. À l'intérieur, la voûte est peinte, le tabernacle et le maître-autel sont décorés d'une belle marqueterie de marbre.
- Près de l'église, **statue-menhir *U Nativu***, datée des IXᵉ-VIIIᵉ s. avant J.-C. Un motif énigmatique, en forme de T, est gravé à l'emplacement du sternum. Cette statue taillée dans le calcaire, haute de 2,70 m, fait partie de l'ensemble septentrional des statues-menhirs de Corse.

■ Le col de Teghime

À mi-chemin entre Saint-Florent et Bastia, le col offre une **vue** saisissante. Au sommet, un monument rappelle les combats de la Libération des 1ᵉʳ et 2 octobre 1943.
- À 500 m sur la gauche, la D 338 conduit au sommet de la **Serra di Pigno**, beau **panorama** sur le cap Corse.
- Avant Bastia, sur la droite, au hameau de Suerta, on verra la **chapelle San Sarsorio**, une église romane en dalles de schiste vert.

▲ *Construite en dalles de schiste vert, l'église Santa Maria Assunta de Canari présente au-dessus de la porte centrale un linteau décoré d'une frise en cordelière.*

On verra la marine d'Albo pour sa tour génoise qui garde la petite baie bordée d'une plage de galets vert clair.

▲ *Les maisons du village de Nonza sont serrées autour de l'église Sainte-Julie.*

Julie sainte et martyre

L'histoire raconte qu'une jeune fille native de Nonza, refusant d'abjurer sa foi, fut martyrisée sous Dioclétien en 303. Torturée, on lui arracha les seins que l'on jeta contre un rocher d'où jaillirent deux sources. Cette eau fut longtemps considérée comme miraculeuse.

La vallée du Golo

CARTE P. 89

Puissant, impétueux, le Golo, long de 84 km, a creusé sur toute sa longueur une vallée profonde à laquelle il a donné son nom. Né sur la côte ouest près du golfe de Porto, il se jette dans la mer Tyrrhénienne, laissant derrière lui quelques profonds escarpements pour aboutir dans des plaines fertiles. Son embouchure fut choisie par les Romains pour implanter leur colonie et fonder la cité de Mariana. Fertile, stratégique, la vallée du Golo a longtemps représenté un accès pour l'intérieur de l'île. Aujourd'hui, elle offre aux touristes les plages de son littoral et des possibilités de randonnées dans son arrière-pays.

■ Borgo

À 19 km au sud de Bastia par la N 193 et à droite la D 7.

Accroché à un promontoire rocheux d'où il domine la partie la plus industrielle de la plaine orientale, Borgo a été le théâtre de deux violentes batailles entre les Corses et les Français. Une plaque dans l'église rappelle ces événements : « Ici les Français essuyèrent à deux reprises des revers lors de la guerre d'Indépendance corse. » Le premier, en décembre 1738, où les troupes françaises du comte de Boissieux furent mises en échec par les nationaux. Le second lors du siège des 8 et 9 octobre, qui signa la dernière grande victoire de Pasquale Paoli.

- L'**église Saint-Appien** a longtemps été un lieu de dévotion pour la population environnante. Selon la légende, les clefs du patron des maréchaux-ferrants ont des vertus miraculeuses pour les animaux.
- Au lieu-dit **Nepticcia**, on trouve la **grotte de Sainte-Dévote**, qui était, jadis, le théâtre d'un grand pèlerinage le matin du 27 janvier. On y trouvait des perles de verre que les jeunes filles assemblaient en colliers. La tradition veut que ces perles aient été la propriété des premiers chrétiens qui se cachaient dans cette grotte pour y célébrer le culte interdit.

▼ *L'église baroque Saint-Appien de Borgo s'élève près de l'ancienne église du même nom, dont on peut voir encore les ruines et le clocher perché.*

■ Lucciana

Poursuivre vers le sud par la D 107.

Le village a été construit sur une colline couverte d'oliviers, au-dessus des ruines de l'antique ville romaine de Mariana. Proche de l'aéroport de Bastia-Poretta, le lieu vaut le détour pour les **vestiges** qu'il possède et pour son littoral bordé de plages de sable fin. Entre Lucciana et Mariana aurait existé autrefois un village du nom de U Querciu, où sainte Dévote serait née.

C'est de l'aéroport de Bastia-Poretta que Saint-Exupéry a décollé en septembre 1944, pour son dernier vol.

■ L'antique Mariana

Continuer la D 107 vers la mer.

La fondation de Mariana par Marius, en 93 avant J.-C., fait partie d'une série de mesures qui marquent, de la part de Rome, la ferme intention de s'implanter d'une façon durable en Corse. Les ruines romaines de Mariana ont été découvertes progressivement ; une première partie en 1860, à l'occasion du creusement d'un canal destiné à mener les eaux du Golo jusqu'à l'étang de Biguglia ; puis les fouilles ont été nombreuses dans les années 1960. Le visiteur peut deviner la splendeur de l'ancienne cité romaine à travers les ruines. Nombreuses mosaïques en bon état. On estime la population de la ville romaine à 20 000 habitants.

- La **basilique primitive** (IVe s.) fut dégagée en totalité au début des années 1960. L'édifice à trois nefs séparées par deux rangées de huit colonnes garde les traces de plusieurs campagnes de restauration et de reconstruction. L'**autel**, au fond de la nef centrale, était supporté par un podium en forme de trapèze. À l'est de son socle, mosaïque dite « le Bœuf et la Paille » (3,20 m sur 0,90 m) ; on peut y lire l'inscription : « Aleas Manduc. » Ce thème de la montagne sainte et de la paix de Dieu, où, « selon Isaïe, le lion et le bœuf mangeraient la paille ensemble », est pour les historiens un thème rarissime en Occident.
- Le **baptistère** a fait, lui aussi, l'objet de plusieurs reconstructions et transformations. On peut y voir deux cuves baptismales à gradins et un très beau pavement en mosaïque représentant un cerf auprès d'une source, des dauphins, des poissons et quatre visages barbus, symboles respectifs du nouveau baptisé, de l'immortalité, du Christ et des quatre fleurs du paradis.
- Il reste quelques murs du **palais épiscopal médiéval**, constitué de deux bâtiments et sans doute consacré en même temps que la cathédrale à laquelle il s'appuyait.

▼ *L'église Santa Maria Assunta, dite la Canonica, est construite dans un calschiste extrait des carrières de Brando et de Sisco, sorte de marbre gris jaune doré, teinté d'orange, de vert pâle et de bleu, qui forme une polychromie naturelle.*

■ L'église Santa Maria Assunta, dite la Canonica

L'ancienne cathédrale de l'évêché de Mariana fut consacrée par l'archevêque de Pise en 1119. Ses dimensions modestes (35 m de long sur 12 m de large et 13 m de haut), la pureté de ses lignes et l'équilibre de ses proportions en font sans conteste un chef-d'œuvre de l'art pisan. L'édifice séduit par la sobriété de son architecture, renforcée par la qualité du matériau utilisé. Les trous de boulin laissés apparents rythment l'ensemble

▲ *La porte de la Canonica s'ouvre au milieu de la façade occidentale, sous un linteau avec un décor d'entrelacs et de feuilles stylisées, claveaux sculptés en haut-relief.*

▲ *Les portes occidentales de l'église San Parteo sont surmontées de linteaux aux décors sculptés montrant deux lions couchés de part et d'autre de l'arbre de Chaldée, un vieux motif oriental.*

► *Un chapiteau de la chapelle romane Saint-Augustin, à l'intérieur de Sainte-Marie-l'Assomption de Bigorno.*

San Parteo

La tradition rapporte qu'un jour de 285, San Parteo, premier évêque de Mariana, se rendit à la pieve *de Giunssani pour donner la confirmation. Il gravit la cime d'un mont dominant la Balagne. Arrivés au sommet, les pèlerins se mirent à genoux et San Parteo donna sa bénédiction épiscopale. Cette année-là et les suivantes apportèrent aux paysans des lieux des récoltes abondantes. Ainsi naquit une formule longtemps utilisée : Zampa di boie, zampa di vacca, che san Parteu ci mandi l'acqua. Acqua è micca ragnola ! (Patte de bœuf, patte de vache ; que saint Parthée nous envoie de l'eau. De l'eau et non de la rosée !)*

d'un jeu d'ombre et de lumière. Les ouvertures sont disposées de façon irrégulière.

- La **porte principale** est décorée de claveaux. Ceux de gauche représentent un lion, deux griffons ailés et un agneau ; porteur d'une croix, ce dernier est opposé à un animal, gueule ouverte, situé à droite. Le cinquième claveau représente un cerf poursuivi par un chien, le sixième semble orné de griffons, tête et pattes de devant opposées. Les trois autres portes ont été condamnées.
- À l'**intérieur**, trois nefs séparées par des piliers. La nef centrale, plus haute que les deux autres, se termine par une abside semi-circulaire voûtée en cul-de-four. Le chœur est voûté, le reste de l'édifice est coiffé d'une charpente.

■ L'église San Parteo

Construite à quelques centaines de mètres de l'église Santa Maria Assunta, à l'emplacement d'un cimetière antique (XIe et XIIe s.), elle porte le nom de l'un des premiers évêques de Mariana. Comme sa proche voisine, c'est une basilique pisane aux proportions encore plus modestes (20 m de long sur 8,5 m). La très belle **abside** est du XIe s., les colonnes sont en marbre poli et en granit. Chapiteaux corinthiens et ioniens. L'église a subi plusieurs campagnes de restauration qui ont considérablement porté atteinte à son équilibre architectural. Ainsi, l'ancienne couverture de *teghje* (lauzes de schiste) mauves a été remplacée par des tuiles rouges.

■ L'église paléochrétienne San Parteo

À 50 m de la Canonica.

Construite au Ve s., elle fut dégagée à la fin des années 1950. Église cimétériale à trois nefs, elle possédait une abside semi-circulaire. On y a découvert des sépultures en brique (IVe et XIIe s.) ainsi que des jarres d'inhumation et des fragments de céramiques des IIe et IIIe s.

- Revenir à **Lucciana**, puis suivre la D 7 vers l'ouest. Les villages situés à flanc de coteau se détachent dans un paysage d'oliviers et de chênes.
- **Vignale** fut le théâtre au XIXe s. d'une vendetta qui dura plusieurs années.

- À **Scolca**, voir l'église paroissiale San Mamiliano et la chapelle San Simone. Prendre à gauche la D 15.

Volpajola

Sur la D 15.

La Renardière, de *volpa* : renard. Ce village est bâti sur une pente rocheuse où sont creusées certaines de ses ruelles. C'est la patrie de Mgr Mariotti, évêque de Sagone, qui périt dans les geôles génoises. On peut voir ses armes sur les murs de sa maison natale.
- À l'intérieur de l'**église de l'Annonciation** : triptyque de Saint-Pierre (1511).

Barchetta

Sur la D 15.

C'est le point de départ d'un long **sentier de randonnée** balisé à partir des berges du Golo en direction de San Petrone, point culminant de la Castagniccia. Ce sentier ouvert et démaquisé par des personnes originaires du village de Campile, court dans le maquis, passe à proximité de châtaigniers et de cerisiers, traverse quelques hameaux. Des **fontaines** aménagées balisent ce sentier peu fréquenté.

Campitello

À 6 km à l'ouest de Volpajola, sur la D 7.

Clocher à trois étages de Saint-Pierre. Vue sur la vallée du Golo.

Lento

À 4,5 km de Campitello sur la D 7.

Ce village de montagne est surplombé par deux hauts sommets : le Monte Maggiore (1 102 m) et le Monte Regghia di Pozzo (1 469 m). Église Sainte-Marie-Madeleine et chapelle romane Saint-Cyprien.

Canavaggia

Au début du siècle, on y fabriquait des poteries en amiante. Église Santa Maria Assunta et vestiges de l'église romane Saint-Pierre.

Honneur et vendetta

Le 1er janvier 1881, à Vignale, deux jeunes hommes, Mariotti et Orsini, s'amusent à lutter sous l'arbitrage d'un certain Olanda. Trouvant le résultat incertain, l'arbitre demande une seconde partie. Orsini refuse. C'est le point de départ d'une vendetta en règle. La cause ? L'arbitre fut poignardé par l'arme d'un spectateur, le spectateur tué par le père de la victime. Dès lors, les vengeances se succéderont et ne prendront fin, quelques morts plus tard, qu'avec l'intervention des gendarmes.

▼ *L'église Sainte-Marie-l'Assomption de Bigorno (XVIIIe s.) possède un beau clocher à deux étages.*

▲ *L'église baroque de Volpajola possède une façade à colonnes et un clocher latéral au sommet duquel pousse un olivier nain.*

SPECIALITES POISSONS-LANGOUSTES
RESTAURANT
LA GAFFE
SPECIALITES DE LA MER
VIVA
MARIA
BOUTIQUE

Le Nebbio

◀ *Le port de Saint-Florent.*

Contenu par un hémicycle de montagnes s'élevant jusqu'à 1 500 m, le Nebbio forme un large éventail autour du golfe de Saint-Florent. Cette région, plantée de vignobles, de vergers, de châtaigneraies et d'oliveraies, conjugue la fertilité d'un sol nourri par le bassin sédimentaire de l'Aliso à la douceur de son climat. Un pays fertile et si riche que Paoli l'appelait *A conca d'oro*. Aujourd'hui, le Nebbio vit de son agriculture et de sa viticulture, mais aussi de son tourisme.

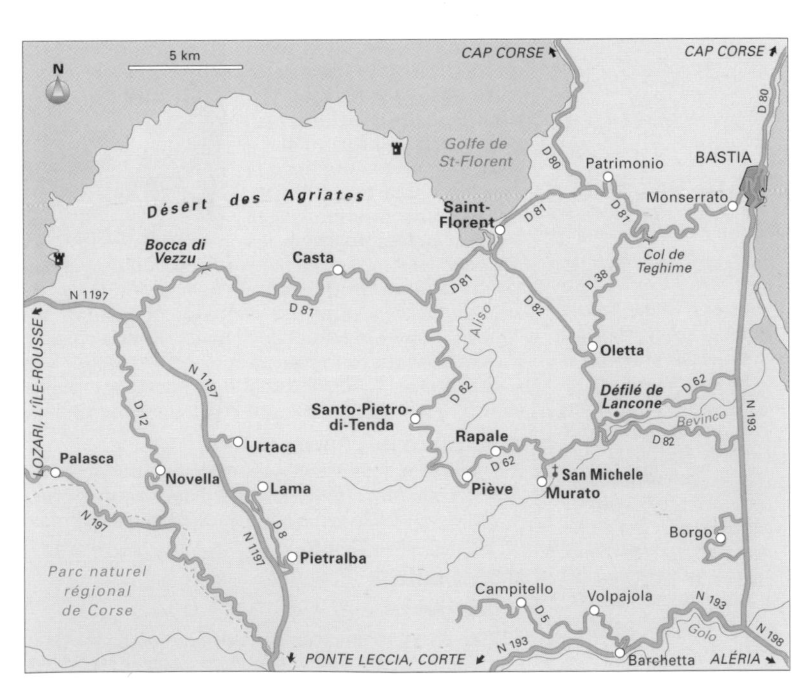

Saint-Florent

CARTE P. 117

Office du tourisme : ☏ 04 95 37 06 04. Promenades en mer de juin à septembre : vedettes U Saleccia. ☏ 04 95 36 90 78. Vedettes Popeye. ☏ 04 95 37 19 07.

Au fond de l'un des plus beaux golfes de la Méditerranée, l'ancienne cité génoise, dominée par sa citadelle, offre aux visiteurs l'harmonie d'un paysage où se conjuguent la mer et la montagne. Dans le port, les barques de pêcheurs voisinent avec les bateaux de plaisance.

Pendant la 1re quinzaine d'août a lieu le Festival de Musiques sud-américaines.

Un site antique

Les études archéologiques font remonter l'occupation de ce territoire dès la période du néolithique ancien (VIe millénaire avant J.-C.). À l'époque romaine, la ville de Cersunum aurait été fondée à 1 km de la cité actuelle. Les invasions des Vandales, les ravages des Goths puis les razzias sarrasines vont définitivement mettre un terme à l'existence de cette cité, laissée à l'abandon et atteinte par la malaria.

La cité génoise

► *Saint-Florent est une ville charmante où l'on aime flâner le long des quais ou à une terrasse de café.*

Au fond d'un golfe abrité et au centre de terres alluviales, le site fut choisi par Gênes pour y implanter une citadelle et assurer le contrôle du commerce maritime dans cette partie de la Méditerranée. Victime de sa position stratégique, Saint-Florent fut à maintes reprises soumise à la pression militaire de l'Aragon, de la France et même de la Turquie. La suppression de ses remparts au XVIIe s., rasés par souci d'économie, va porter un coup définitif à son rayonnement. Il faudra attendre le XIXe s. pour que Saint-Florent renaisse, que l'on assèche ses marais et que l'on envisage la création d'un réseau routier. Depuis les années 1970, la ville s'est tournée vers le tourisme, un port de plaisance s'est créé et, le long des quais, les terrasses de café se multiplient.

Une odeur de violettes

Prosper Mérimée rapporte, dans ses Notes d'un voyage en Corse, *« qu'au nord de l'église près d'une porte latérale existent trois trous. Tous les ans, le jour de la Saint-Flor, ils exhalent une odeur de violettes. Le fait rapporté par Ughelli (*Italia christiana, *tome IV) me fut attesté par le maire et le curé qui m'engagèrent à bien flairer les trous, m'avertissant que je ne sentirais rien du tout, ce qui se trouva parfaitement vrai ».*

■ La place des Portes

À la jonction de la vieille ville et du Saint-Florent balnéaire, cette place est le centre de l'animation. Bordée de terrasses, c'est le lieu où l'on aime flâner en regardant les joueurs de pétanque.

■ La citadelle

Ne se visite pas.

Édifiée en 1430 par Tomasino de Campo Fregoso, au nord, dominant la ville et le port, la citadelle rappelle la

◄ *Bâtie selon un plan circulaire, la citadelle de Saint-Florent constitue un parfait exemple d'architecture militaire génoise.*

présence génoise, au temps où la Corse était affermée à la Banque de Saint-Georges (fin XVe s.). Des tours à mâchicoulis et un donjon circulaire rendent compte de sa puissance défensive. Elle était la résidence du gouverneur du Nebbio.

■ La cathédrale de Nebbio ou Santa Maria Assunta

Pour visiter l'intérieur, demander les clefs à l'office du tourisme.

◄ *Une sculpture d'animal ornant le chapiteau d'une colonne cylindrique de la cathédrale.*

Seul reste de l'antique ville de Nebbio, créée par les Romains, la cathédrale se dresse aujourd'hui au milieu des vignes à l'écart de la cité génoise. Elle constitue avec la Canonica un bel exemple de l'architecture romane pisane (XIIe s.). Elle présente une **façade** élégante et sobre : deux étages d'arcades aveugles, de tracé identique, trois à l'étage supérieur et cinq à l'étage inférieur. La décoration est simple et légère, des crochets et des animaux stylisés ornent les chapiteaux, un motif géométrique décore le linteau de la porte. Le clocher carré qui se dressait au chevet a disparu au XIXe s.

- **À l'intérieur**, trois **nefs** longues de sept travées, séparées par deux rangées de piliers carrés alternant avec des colonnes cylindriques comportant des **chapiteaux** ornés de sculptures à motifs géométriques. Dans l'abside voûtée en cul-de-four, dans une châsse, une **statue de saint Flor** en bois doré honore la mémoire de ce soldat romain martyrisé au IIIe s., dont les reliques se trouvent dans la nef. Il est le saint patron de la ville. La **statue** de la Vierge à l'Enfant en ivoire blanc est un don de Giovanni Girolamo Doria (1691). Beau **Christ** noir.
- Les **vestiges du palais épiscopal**, construit en 1615 par l'évêque Rusconi, sont visibles près de l'église.
- Parmi les évêques de Nebbio, Mgr Giustiniani, professeur de langue hébraïque au Collège de France sous François Ier, est connu pour sa description de la Corse en 1531, contribution intéressante à la connaissance de l'histoire de l'île.

▼ *La cathédrale de Nebbio a été édifiée en calcaire blanc à grain serré, dont la douceur d'aspect contribue à donner à l'édifice une apparence moins sévère.*

▲ *À la base du toit de la cathédrale de Nebbio courent deux séries d'arcatures s'appuyant sur des modillons sculptés de motifs simples.*

Le Nebbio

CARTE P. 117

Les montagnes, qui dominent la mer, cachent une multitude de petits villages et de hameaux environnés de vignobles, de vergers ou d'oliveraies.

▲ *La grande église Saint-Jean-l'Évangéliste de Santo-Pietro-di-Tenda, en pierres rougeâtres, compose un tableau plein d'allure avec son haut campanile que jouxte la chapelle de la confrérie Sainte-Croix (XVIIe s.).*

■ Santo-Pietro-di-Tenda

À 16 km au sud de Saint-Florent, par la D 81 en direction de Casta, puis à gauche la D 62.

800 m avant le village, à gauche en contrebas, on voit les **ruines** de l'**église romane** de San Pietro (XIIIe s.), aux dimensions assez vastes (nef de 18 m sur 6,60 m). Défigurée par les différents aménagements qui ont été réalisés, elle reste intéressante pour la qualité de ses **sculptures** caricaturales ou stylisées qui ornent les tympans des arcatures des frontons : masques humains aux oreilles décollées, têtes de béliers, oiseaux, rosaces.

- Étagé sur les pentes du massif du Tenda, le village est dominé par l'**église Saint-Jean-l'Évangéliste** (XVIIe s.). À l'intérieur, Descente de Croix, peinture du XVIIe s.
- À l'ouest du village, un **sentier** muletier franchit la chaîne de Tenda à la Bocca di San Pancrazio et redescend sur Urtaca, dans la vallée de l'Ostriconi.
- **Sorio** est un village éparpillé dans la vallée au milieu d'oliviers et de châtaigniers. Église Sainte-Marguerite (XIIIe s.).

■ Pieve

À 2 km de Sorio, sur la D 62.

Deux **statues-menhirs**, en schiste cristallin, Murello et Bucentone (IIe millénaire avant J.-C.), se trouvent devant l'église.

- En 20 mn de marche, on rejoint la **chapelle San Nicolao**, bâtie en dalles de schiste vert sombre (XIIIe s.). Remarquer les tympans avec ses motifs sculptés, ses fleurs stylisées et les damiers en creux remplis d'une pâte blanche, suivant la technique médiévale de l'*intarsiata* que l'on retrouve en Toscane et en Sardaigne. Elle fait partie de cette série de chapelles édifiées au sommet des cols (Bigorno, Rapale), dont les ressemblances les font attribuer aux mêmes maîtres maçons.
- De Pieve, on peut rejoindre Pietralba à pied par un sentier.

▲ *Des menhirs devant le campanile de Pieve.*

■ Rapale

À 2,5 km de Pieve par la D 62.

Au sud, par le chemin du cimetière, en montant à travers les châtaigniers (en 30 mn), on atteint les ruines de la **chapelle San Cesario** (XIIIe s.). Elle rappelle, avec ses pierres de schiste vertes et blanches, l'église San Michele de Murato. Les éléments sculptés les plus intéressants sont actuellement conservés au musée de Bastia dans l'attente d'une prochaine restauration.

■ Murato

2 km après Rapale, tourner à droite dans la D 162.

Le village est entouré de châtaigniers et de pâturages. C'est ici que l'on fabriqua entre 1762 et 1767 la monnaie de l'éphémère royaume instauré par Théodore de Neuhoff. Dans l'**église de l'Annonciation**, des **stalles** en bois sculpté et un **tableau** de sainte Marie Madeleine ; aux pieds de la sainte, le donateur que la tradition fait passer pour être Romano Murato, condottiere au service de Venise. Cette peinture du XVIe s. est attribuée à l'un des ateliers sur lesquels régnait Titien.

■ Le défilé de Lancone

Prendre la D 5 en direction du col de Santo Stephano et à droite la D 82.

Au **col de Santo Stephano**, très beau **panorama** sur le Nebbio.
- Le **défilé**, sauvage, est taillé dans la muraille du Monte Pinzali par le Bevinco, un petit fleuve se transformant en torrent au fond des gorges, avant de se jeter dans l'étang de Biguglia. La route conduisant à la plaine orientale s'accroche au roc au-dessus de l'abîme et offre un spectacle éblouissant.

■ Olmeta di Tuda

Revenir au col de Santo Stephano par la D 82 et poursuivre la route vers le nord.

À l'abri des ormes magnifiques dont il tire son nom (*olmeto* en italien), ce village abrite le **château** construit par le maréchal d'Empire Horace Sebastiani. Dans l'**église**, *Le Sacrifice d'Abraham*, un tableau du XVIIe s.

■ Oletta

Continuer la D 82, puis prendre la D 38.

Le village offre une belle **vue** sur le Nebbio et le golfe de Saint-Florent.
- L'**église Saint-André** (XVIIIe s.) a succédé à un édifice plus ancien dont un bas-relief de sculpture archaïque a été remployé en façade. À l'intérieur, un **triptyque** peint sur bois (1534), la Vierge allaitant l'Enfant entre sainte Reparate et saint André.
- Revenir sur la D 82 ; 2 km après Oletta, on aperçoit l'ancien **couvent Saint-François** et son beau clocher ; à gauche, un très beau monument funéraire du comte Rivarola.

Dans le cœur des Corses, le Nebbio occupe une place particulière : au cours de sa lutte pour l'indépendance, c'est en effet à Murato que Pasquale Paoli établit son quartier général et qu'il fit frapper les pièces de la monnaie nationale.

Le géant du Monte Revincu

La légende rapporte qu'il y a fort longtemps, un géant insaisissable, « U Lurcu », mi-animal, mi-homme, terrorisait le pays, attaquant les troupeaux. Rusant, les habitants des villages parvinrent à le capturer et le tuèrent, l'enterrant à la Casa di U Lurcu. C'est la légende du dolmen du Monte Revincu.

▼ *Les hautes maisons du village d'Oletta s'étagent sur une colline au-dessus de la vallée du Guadello, formant un paysage harmonieux.*

L'église San Michele

CARTE P. 117
À 1 km au nord-est de Murato.

Isolé sur un promontoire, ce bel édifice roman (XIIe s.) est célèbre pour la bichromie de ses murs traitée avec beaucoup de fantaisie, et par le clocher-porche qui flanque la façade occidentale.

Un appareillage intéressant

San Michele est ornée d'un campanile carré sur sa façade ouest ; le clocher surélevé au XIXe s. nuit à l'équilibre des proportions d'ensemble de l'édifice. La pierre vert sombre, utilisée soit en damier, soit en bande, alternée avec des dalles blanches, provient du lit de la rivière voisine du Bevinco. Sorte de serpentine, c'est un matériau facile à travailler, avec lequel on fabriquait autrefois des bols avec l'aide d'un simple couteau, laissant donc beaucoup de possibilités aux sculpteurs, qui ont pu, eux aussi, donner libre cours à leur inspiration, d'où la relative abondance du décor sculpté.

► *Petit édifice roman à nef unique, San Michele semble remonter au milieu du XIIe s.*

Des décorations originales

Au milieu de la **façade**, triple arcature aveugle, dont les consoles sont occupées par des quadrupèdes en marche et par deux personnages. Ces statuettes, très fréquentes sur les façades des églises romanes corses, représenteraient soit des seigneurs locaux (généralement un homme et une femme), qui auraient contribué à l'édification de l'église, soit une allégorie du pouvoir judiciaire, que détenait l'autorité ecclésiastique.

- À l'abside comme sur la façade et sur les côtés, la **frise d'arcature** courant sous la corniche et les rampants du toit repose sur des modillons sculptés. Les façades latérales s'ornent de deux étroites fenêtres dont la base est sculptée de raisins, d'étoiles, de deux serpents entrelacés fascinant des oiseaux. Sur le mur nord, *La Tentation d'Eve par le serpent.*
- Des fresques ont, au XVe s., décoré l'intérieur de l'abside ; on devine encore l'Annonciation sur l'arc triomphal.

▲ *Un personnage occupant les consoles des arcatures.*

Le désert des Agriates

Le paysage est grandiose et désertique. Aucune route ne le traverse, seuls quelques chemins serpentent dans les roches et le maquis, conduisant à des bergeries en ruine. Des dolmens et des statues-menhirs témoignent d'une occupation ancienne.

■ Une terre d'élevage et de culture

Il est difficile d'imaginer que ces terres irrémédiablement conquises par le maquis aient constitué pendant des siècles le « grenier à blé » de la république de Gênes. On y faisait pousser, outre le blé, de la vigne, des vergers et des oliviers. La France, au XVIIIe s., concédera de vastes domaines littoraux à de grandes familles pour qu'elles pacifient le pays et développent de nouvelles cultures. Les bergers trop récalcitrants à ce nouveau pouvoir seront refoulés vers les montagnes. Jusqu'au XIXe s., les populations du cap Corse ou du Nebbio venaient y cultiver les terres et y faire paître leur bétail. Les guerres et la forte émigration du début du siècle vont peu à peu transformer les Agriates en désert.

■ Une région préservée

Avec le développement du tourisme, de nombreux projets immobiliers furent envisagés, mais aucun heureusement ne vit le jour. Depuis, les Agriates sont retournés à l'état de nature, un espace de 17 000 ha de maquis, de pinèdes, d'étangs et de rivières abritant une faune et une flore exceptionnelles. Peu à peu, le Conservatoire du littoral s'est porté acquéreur d'une grande partie de cet espace désormais protégé. Un syndicat de gestion des Agriates assure l'exploitation touristique et veille à la préservation de l'environnement.

■ Des chemins de découverte

Quelques sentiers et pistes en permettent l'accès. Ils ne présentent pas de difficultés particulières en saison.

- Depuis **Saint-Florent**, par le **sentier du littoral** : suivre la piste à partir de la plage de la Roia jusqu'à l'anse de Fornali et prendre le sentier ; jusqu'à la plage de Saleccia, 5 h 30 de marche ; de la plage de Saleccia à la plage de Ghignu, 2 h 45 ; de Ghignu à l'Ostriconi, 6 h 30.
- Depuis le col, en 25 mn, on atteint la **Cima di Vezzo** (421 m), qui offre un **panorama** très vaste.
- **Par la mer** : en saison, des vedettes au départ de Saint-Florent conduisent à la **plage du Lodo**.

▲ *Les bergers s'abritaient le soir dans leur bergerie ou* pagliaghju, *comme celui-ci, dans le défilé de Lancone.*

▲ *Le col de la Bocca di Vezzo (312 m) est ouvert entre les vallées du Zente et de l'Ostriconi. La vue s'étend sur le golfe de Saint-Florent et le cap Corse.*

Une niche écologique

Le maquis représente en apparence la seule couverture végétale des Agriates. Il renferme une grande richesse de végétaux et constitue une niche écologique pour les animaux, comme les fauvettes pitchou et mélanocéphale ou le jason, un grand papillon brun et orangé qui se nourrit des vestiges des anciens vergers laissés par les hommes.

La vallée de l'Ostriconi

CARTE P. 117

Entre la Balagne, le Nebbio et les Agriates, l'Ostriconi est une petite vallée fertile de 18 km de long et 7 km de large, où l'implantation humaine s'est faite sur les vastes pentes tournées vers l'ouest. L'élevage, la vigne, l'olivier et le châtaignier ont pendant des années assuré la richesse de cette région, qui fut la première productrice d'huile de Corse. Héritage directe de la longue présence génoise, elle imposa la plantation chaque année d'une espèce d'arbre que l'on dit « noble » : châtaignier, olivier, vigne, figuier ou mûrier. Rapidement, les oliveraies se développèrent au fond des vallées.

► *La Bocca di Tenda a malheureusement été ravagée par les incendies et offre un triste spectacle.*

■ Urtaca

Sortir de Saint-Florent par la D 81 et prendre à gauche la N 1197. À U Cherchiu, tourner à gauche dans la D 8. À environ 37 km au sud-ouest de Saint-Florent.

Le village domine la vallée de l'Ostriconi et offre un **panorama** intéressant. Chapelle romane Saint-Nicolas. Un **chemin** muletier relie le village à Santo-Pietro-di-Tenda par la Bocca di San Pancrazio (969 m), ouverte dans la chaîne de Tenda.

■ Lama

Poursuivre la D 8 et tourner à gauche dans la D 108.

Ce village médiéval, construit sur un piton rocheux, domine toute la vallée. À l'entrée du village, les **ruines** de la chapelle San Lorenzu (XIIIe s.), qui fut par la suite transformée en moulin. On peut encore apercevoir une partie de l'arc triomphal avec un décor de fresque.

- L'exploitation oléicole a créé pendant des décennies la richesse principale de cette région. Le paysage, avec ses multiples moulins, garde le témoignage de cette activité. La région vit aujourd'hui de l'élevage et du tourisme.

Les anciennes écuries de Lama ont été transformées en musée consacré aux vieux métiers de Corse et à l'histoire du village. Renseignements à la Maison du pays. ☏ 04 95 48 23 90.

■ Pietralba

Poursuivre la D 8.

Le village est situé au milieu des collines et au pied de la Bocca di Tenda et du Monte Reghia di Pozzo (1 469 m).
- L'**église Santa-Maria-Assunta** est surmontée d'un petit clocher à arcades, avec des pierres de remploi sculptées d'hommes et d'oiseaux.
- De Pietralba, on peut gagner à pied en 2 h 30 la Bocca di Tenda, puis atteindre en 2 h 30 le Nebbio à Pieve par un vieux **sentier dallé**, ancien chemin de la Balagne à la plaine orientale.

▲ *L'église de Pietralba s'inscrit au milieu des collines.*

■ Novella

Poursuivre la D 8 puis tourner à droite dans la N 197, puis à droite dans la D 12.

Une route en corniche mène à ce village de caractère, situé à 400 m d'altitude ; **vue** impressionnante sur la mer et la montagne.
- L'**église** baroque **Santa-Croce**, à clocher-campanile, renferme un tableau à la Vierge, dit « miraculeux ».

■ Palasca

Poursuivre la N 197. À 14 km à l'ouest de Novella.

L'**église Notre-Dame-de-l'Assomption** est surmontée d'un beau clocher baroque. À l'intérieur, une Crucifixion du XVIe s. Banc d'exposition des défunts du XVIIe s.
- Au-dessus du village, à 30 mn de marche, les **ruines** de l'église San Giusto di e Speloncheche.

■ Lozari

Revenir sur la N 197 et prendre à gauche la N 1197. À environ 40 km à l'ouest de Saint-Florent.

Lozari abrite un village de vacances et une tour génoise ruinée.
- Avant d'atteindre L'Île-Rousse, on aperçoit les ruines de la **tour de Saleccia**.

◄ *Des vergers occupent toujours les alentours du village de Lozari.*

La Balagne

◄ *Le village de Cateri.*

Entre Calvi et l'embouchure de l'Ostriconi, séparée par une haute barrière rocheuse du reste de la Corse, la Balagne est un pays de plaines et de collines au charme indéfinissable. On dit d'elle que c'est l'une des régions les plus attachantes de l'île. Au-delà du littoral et des vastes plages conquises par quelques stations balnéaires, l'arrière-pays, avec ses villages accrochés au flanc des montagnes, a conservé toute son authenticité.

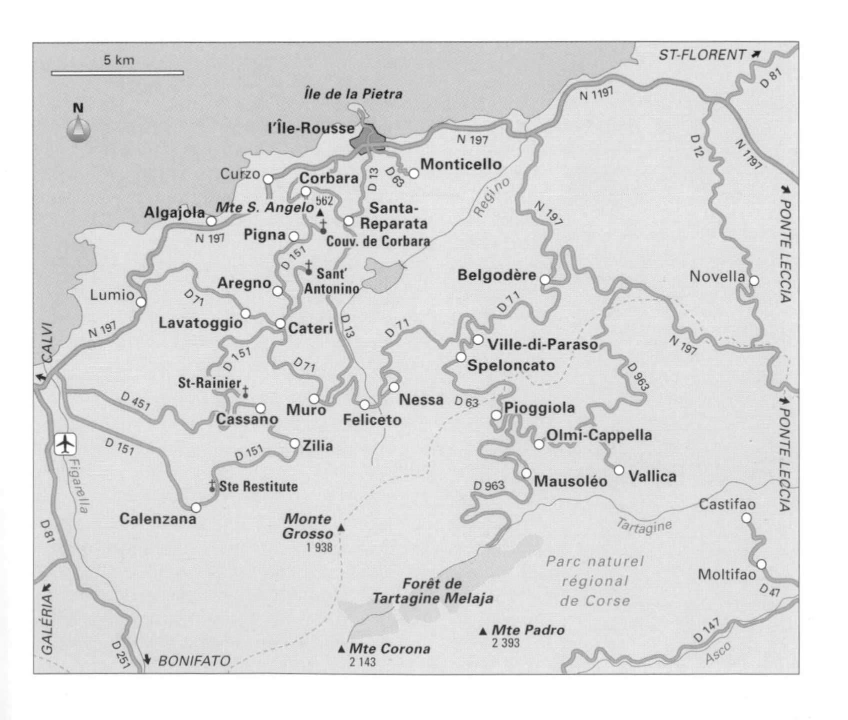

La Balagne
le pays de l'huile et du froment

Quelques-uns des plus beaux villages de Corse se fondent harmonieusement dans le site, avec pour toile de fond les hautes silhouettes du Monte Padro, du Monte Grosso, et, plus lointaine, celle du Monte Cinto, qui se découpent par-delà les forêts de Tartagine et de Bonifato. Les cultures qui, jadis, couvraient entièrement la Balagne en avaient fait le jardin de la Corse. Aujourd'hui, les incendies ont achevé de faire disparaître les vergers centenaires.

▲ *Vue du fort de Corbara sur la vallée.*

▲ *En nid d'aigle au sommet d'un pic rocheux, le village de Montemaggiore (400 m) offre un panorama immense sur Calenzana, le golfe et la ville de Calvi, la presqu'île de la Revellata.*

Les canistrelli

Un gâteau en forme de losange à base d'huile et de vin blanc, servi à l'origine lors de mariages ou de baptêmes. Désormais, il accompagne le petit-déjeuner ou le goûter.

Une terre de conquête

Les nombreux vestiges retrouvés sur place, pierres à cupules, éclats d'obsidienne, pointes à flèche et haches, confirment que la Balagne était habitée depuis des temps fort anciens (6000 ans avant J.-C.). Plus tard, les Romains s'y installèrent. Les vallées du Regino (Speloncato) et du Fiume Secco, sur le territoire de Calenzana, conservent de nombreux témoignages de leur présence. La période pisane (XIe s.-XIIIe s.) voit une véritable floraison d'églises : Calenzana, Cassano, Montemaggiore, Aregno et Santa Reparata. Puis ce sont les Génois qui construisent un grand nombre d'églises baroques, dont la plus remarquable est celle de Corbara.

Terre des seigneurs

Riche et prospère, ce site stratégique a été le siège d'une féodalité puissante. Les seigneurs de Balagne auraient été les descendants de croisés envoyés par le pape pour lutter contre les Maures. Leurs *castelli*, aujourd'hui disparus, ont joué un rôle politique majeur, tenant en leur pouvoir de grandes étendues dans la moitié nord de l'île. Les villages perchés de Balagne conservent dans leur architecture les témoignages de cette époque médiévale. Les ruelles courbes aux passages voûtés, les hautes maisons serrées autour d'une église ou d'une tour sont caractéristiques de l'urbanisation de la fin du Moyen Âge.

Terre de cultures et de vergers

Les plaines et les coteaux de Balagne, terre fertile, étaient autrefois plantés de vignes, d'oliveraies et de vergers. Les moulins hérissaient le paysage. Depuis, les incendies associés à l'exode rural ont porté un coup fatal à son économie. Toutefois, la culture de la vigne et les oliveraies subsistent encore et concourent à la renommée de la région. La Balagne a trouvé dans le tourisme une nouvelle économie. Son littoral et ses plages de sable fin ont vu se développer des stations balnéaires telles L'Île-Rousse et Calvi. Les villages de la haute Balagne valorisent leur patrimoine et cultivent la tradition.

L'Île-Rousse

La cité créée par Pasquale Paoli au XVIIIe s. était à l'origine un simple hameau avec quelques cabanes de pêcheurs, dépendant du village de Santa Reparata situé sur les hauteurs. Des traces d'occupation préhistorique et des vases étrusques ont été retrouvés sur l'îlot de la Pietra, au pied du phare. Devenue cité balnéaire, L'Île-Rousse est aussi le point de départ de nombreuses excursions.

CARTE P. 127

Office du tourisme : place Paoli. ☏ 04 95 60 04 35.
SNCF, le petit train de la Corse : ☏ 04 95 60 00 50.
SNCM, ferries pour Nice et Marseille : avenue Joseph-Caleizi. ☏ 04 95 60 09 56.
Corsica Ferries, pour Nice, Toulon et l'Italie : gare maritime. ☏ 04 95 60 44 11.
Port de commerce : ☏ 04 95 60 45 54.

La cité paolienne

Soucieux de s'assurer un débouché maritime face au blocus imposé par les Génois et les Français présents à Calvi, Paoli fonde en 1758 un port pour rétablir les échanges avec les ports de Toscane, du Latium et du royaume de Naples. Il reste aujourd'hui peu de traces de ce port initial. Seule la caserne construite à cette époque est aujourd'hui le siège de l'hôtel de ville. Simple site portuaire, L'Île-Rousse va devoir attendre 1805 pour accéder au rang de commune. Monticello, Santa Reparata et Corbara rétrocéderont à la cité paolienne quelques hectares de leur territoire pour lui permettre d'exister.

Festimare est une manifestation sur le thème de la mer, qui a lieu en mai. La Foire du livre corse se tient fin juillet.

▲ *La marinella est qualifiée par les Îles-Roussiens de « petite croisette ».*

La cité balnéaire

Abritée des vents dominants par les hautes montagnes qui l'enferment dans une sorte d'amphithéâtre et dominée par quatre pitons plus élevés, L'Île-Rousse détient le record des **températures** les plus chaudes de Corse. Sa température moyenne sur l'année est de 17,9 °C. Avec ses **trois plages** de sable fin, L'Île-Rousse a pris place parmi les cités balnéaires les plus prisées de Corse. C'est d'ailleurs ici que fut bâti le premier palace de l'île dans les années 1930, le *Napoléon Bonaparte*. Son **port**, construit en 1880, à 180 km de la Côte d'Azur, est devenu le troisième de l'île en nombre de passagers.

■ La tour de l'hôtel de ville

C'était l'ancienne caserne construite par Pasquale Paoli pour défendre la ville.

■ La place Paoli

Bordée d'un côté par la mer et de l'autre par une monumentale église restaurée au début du siècle, cette vaste esplanade est le cœur de la ville, où s'étalent les terrasses de café à l'ombre des platanes. Rappelant les origines de L'Île-Rousse, un buste de Paoli trône en son centre. On y trouve les traditionnels joueurs de pétanque. Un endroit à ne pas manquer qui s'ouvre sur des ruelles pavées menant vers la vieille ville.

▲ *Au cœur de la vieille ville, le marché couvert, avec ses colonnes antiques, est un site classé.*

Les vieux villages balanins

CARTE P. 127

L'association Saladini propose des visites guidées des villages de Balagne. ☏ 04 95 61 34 85.

À l'inverse du cap Corse où le village se disperse en de multiples hameaux, le village de Balagne se caractérise par son apparence homogène. Dominées souvent par un mince campanile baroque, les hautes maisons sont regroupées, laissant place à la terre agricole et aux pâturages. Villages-belvédères dominant la plaine et la mer, ils offrent un témoignage de l'habitat rural de cette partie de la Corse.

▲ *La citadelle d'Algajola, reconstruite probablement au XVIIe s. autour d'un château plus ancien, dresse sa puissante silhouette face à la mer.*

Le monolithe d'Algajola

Extrait en 1828 des carrières de jaspe de la région, aujourd'hui abandonnées, cet immense bloc de pierre, que l'on appelle ici le « presse-papier », était à l'origine destiné à orner un monument érigé à Ajaccio à la mémoire de Napoléon. Mais, intransportable à cause de son poids (301 620 kg), il fut laissé sur place, attendant une occasion de servir.

■ Algajola

À 7,5 km au sud-ouest de L'Île-Rousse, par la N 197.

Bâtie au bord de la mer, Algajola remonterait à l'époque des Phéniciens. C'est ici qu'aurait débarqué saint Paul à son retour d'Espagne. À la suite du sac turc du 26 juin 1643, les Génois l'entourèrent de remparts, aujourd'hui en ruine. Au XVIIIe s., elle fut pour Pasquale Paoli une base stratégique importante face aux forces génoises et françaises. Aujourd'hui, c'est une station balnéaire dotée d'une **plage** de 1,5 km.

- L'**église** (XIXe s.), à demi fortifiée, abrite une Descente de croix du XVIIe s.
- À 3 km du village, carrière de granit porphyrique (roche colorée de cristaux roses et jaunes), d'où fut extrait le socle de la colonne Vendôme à Paris.
- La **marine de Sant'Ambroggio** (3 km à l'ouest d'Algajola) a attiré des installations balnéaires : port de plaisance, hôtels, village de vacances. Malgré cela, le site a su garder un aspect sauvage. À partir de la marine, départ de plusieurs **sentiers** de randonnée.

■ Lavatoggio

Avant d'arriver à Lumio, prendre à gauche la D 71.

Ce village-belvédère domine le bassin et la baie d'Algajola. **Chapelles** de San Cerbone à l'emplacement de l'ancien village, San Lorenzo au hameau de Croce, San Giovanni a i Venti, Madonna de la Stella.

- Les **ruines du château de Barcaggio** sont accessibles par des sentiers traversant le maquis.
- La **grotte** du Prêtre Lollu fut l'abri d'un ermite au temps des bandits corses.

■ Cateri

Continuer la D 71.

Le village a beaucoup de caractère avec ses **ruelles** pavées à arcades et passages voûtés.

- Le **couvent de Marcasso**, construit en 1608 par les franciscains, est le plus vieux couvent corse en activité.

■ Sant'Antonino

À 2,5 km au nord de Cateri par la D 413.

Fondé au IXe s. sur la crête (497 m) séparant le bassin du Regino de celui d'Algajola, il est réputé être le plus vieux village de Corse. La beauté de son architecture, ses passages voûtés, son entrelacs de ruelles, ses hautes façades font sa renommée. Diverses activités sont proposées : randonnées pédestres, balades à dos d'âne ou à cheval.

■ Aregno

Redescendre de Sant'Antonino et prendre la D 151 vers le nord.

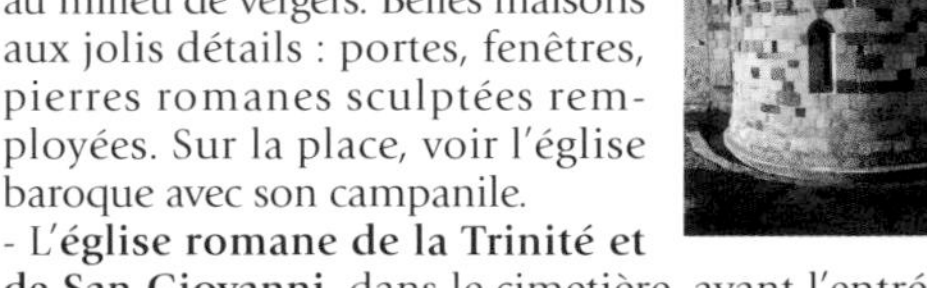

Le village est bâti à flanc de coteau au milieu de vergers. Belles maisons aux jolis détails : portes, fenêtres, pierres romanes sculptées remployées. Sur la place, voir l'église baroque avec son campanile.

- L'**église romane de la Trinité et de San Giovanni**, dans le cimetière, avant l'entrée du village, fait son renom. Elle est classée monument historique. La façade, d'un équilibre parfait, s'inscrit dans un carré surmonté d'un triangle. Le **décor sculpté** est varié. Fin et géométrique à la corniche du toit et sur les grandes arcatures, il est fait de motifs symboliques aux modillons. Deux **statuettes** évoquant celles de Murato flanquent l'arc de la porte. Deux **fresques** remarquables subsistent au mur nord de la nef unique.

■ Pigna

Continuer la D 151.

Village édifié sur une crête montagneuse dominant la baie d'Algajola, il est devenu l'un des centres culturels de la Corse. Il regroupe, dans des bâtiments restaurés (terre glaise et tuf), un certain nombre d'associations qui perpétuent la culture corse, en particulier les métiers d'autrefois, avec l'association coopérative « La Corsicada », créée en 1964, qui a été la première à proposer une formation alternée associant cours théoriques et apprentissage technique auprès de maîtres-artisans. Dans le même esprit, « La Voce di u Commune » a fait revivre la musique traditionnelle et redécouvert la *cetera*, un ancien instrument, dont il n'existait plus qu'un seul exemplaire en état d'être utilisé.

- À 1 km à gauche, la **chapelle Notre-Dame-de-Lazio** à la gracieuse façade baroque.

■ Le couvent de Corbara

À 2 km au sud de Corbara, par un chemin à droite.

Ouvert à la visite de 16 h à 18 h, sauf le lundi. ☏ 04 95 60 06 73.

Bâti au milieu des oliviers sous le Monte Sant'Angelo, il impose la majesté de ses solides bâtiments blancs. Il fut

En balcon sur L'Île-Rousse, le village de Monticello (sur la D 263) comporte une dizaine de fontaines. Le 15 août, festival d'orgue à Monticello.

◀ *L'église de la Trinité d'Aregno date du milieu du XIIe s. L'abside a conservé sa couverture de* teghje.

▲ *Le décor de la Trinité comporte des figures humaines ou d'animaux fantastiques à la retombée des arcs. On remarquera, en haut du fronton, un homme tenant son pied.*

▲ *La fresque remarquable de la Trinité représentant les Quatre Docteurs de l'Église latine (1458), saint Augustin, saint Grégoire, saint Ambroise et saint Jérôme, rappelle les maîtres siennois.*

1re quinzaine de juillet, Festivoce à Pigna et dans tous les villages de la Balagne. ☏ 04 95 61 77 81.

bonne adresse

Hôtel *Casa Musicale*, à Pigna. ☏ 04 95 61 70 56. 6 chambres.

▲ *L'église de l'Annonciation de Corbara est ornée d'un autel et d'une balustrade en marbre polychrome (1750).*

▲ *Les hautes maisons de granit qui forment le village de Cateri se serrent autour de son église baroque.*

▲ *La chapelle romane de Cateri (XIIe s.), au hameau de San Cesario, est entièrement polychrome.*

fondé en 1456 par les franciscains. Anéanti, ruiné à la Révolution, le couvent fut reconstruit par les dominicains au XIXe s. En 1884, ils y installèrent leur Studium provinciale (collège de philosophie et de théologie). De grands théologiens y vinrent en retraite. Aujourd'hui, il sert encore de lieu de retraite spirituelle.
- L'**église** conventuelle conserve cinq dalles funéraires aux armes de la famille Savelli, une chaire du XVIIIe s., un autel de marbre polychrome.

■ Le Monte Sant'Angelo (562 m)

À pied à partir du couvent 45 mn.

Du sommet, **vue** très étendue sur une grande partie de la Balagne, sur le désert des Agriates et la côte ouest du cap Corse. On peut descendre soit sur Santa Reparata, soit sur Sant'Antonino.

■ Corbara

À 7 km de Cateri. Prendre à droite la D 263.

Ce fut autrefois la capitale de la Balagne, berceau de la famille des Savelli de Guido, descendants des seigneurs de Balagne. Le village s'étale en éventail sur la petite colline du Monte Guido (400 m). Deux châteaux entourent le village. Le **château de Guido**, construit en 1375, sur les vestiges d'un précédent château édifié en 876 par un prince romain. C'est de la terrasse de ce château que Pasquale Paoli fit part aux Génois de sa volonté de créer L'Île-Rousse, en 1758. Le château fut incendié en 1801 par Bartolomeo Arena.
- Le **château de Corbara** (XIIIe s.) domine le village. Il fut démantelé par les Génois au XVIe s. La chapelle castrale a été restaurée au XVIIIe s.
- L'**église de l'Annonciation** (XVIIIe s.) abrite dans la sacristie trois fragments de deux retables encastrés dans un meuble. Selon les spécialistes, ils semblent appartenir, comme *La Vierge à la cerise* de Valle-d'Alesani, à l'art siennois du XVe s. et viennent du couvent de Corbara.
- La **plage de Bodri** est un site classé depuis 1988.

■ Santa Reparata de Balagna

Par la D 263.

Santa Reparata est constituée de plusieurs hameaux, celui d'**Occiglione**, érigé en paroisse au XIXe s., et celui de **Palmento**, entouré d'oliviers centenaires, avec sa chapelle de l'Annunziata. **Vestiges** de tours fortifiées.
- À Santa Reparata, dans l'église du XIIe s., seule l'abside est de style roman, la nef et la façade ayant été reconstruites en 1538.
- L'oratoire Saint-Antoine et la chapelle Saint-Bernardin datent du XVIIe s.
- Sur le Regino, quatre anciens **moulins** à huile ont fait pendant longtemps la richesse du village.

La haute Balagne

CARTE P. 127

3e semaine de juillet :
Foire de l'olivier à Calenzana.

De Calvi à L'Île-Rousse, une grande boucle permet de découvrir ces villages de l'intérieur au charme pittoresque.

■ Calenzana

À 13 km au sud-ouest de Calvi. Prendre la N 197 direction L'Île-Rousse, avant le camp Raffali tourner à droite dans la D 151.

Adossé au Monte Grosso, le village domine le golfe de Calvi à 250 m d'altitude. Avec ses 18 063 ha et ses 15 km de côtes, c'est l'une des plus grandes communes de France. Elle produit du vin, du miel et des plantes aromatiques récoltées dans les collines. Sa charcuterie, ses fromages et ses *canistrelli* sont appréciés dans toute la Corse.
- L'**église baroque Saint-Blaise** (XVIIe s.-XVIIIe s.) fut construite par l'architecte milanais Domenico Baina à l'emplacement d'une église romane. L'imposante façade comporte un immense portail encadré par deux portes latérales séparées par des pilastres à chapiteaux corinthiens. Quatre niches et une fenêtre ovale sont les seuls ornements. Plus récent et séparé de l'église, un clocher de style baroque (XIXe s.) s'élève sur le *Camposanto di Tedeschi* (cimetière des Allemands).
- Calenzana est le point de départ du **GR 20**, qui traverse le Parc naturel régional pour aboutir à Conca, et du sentier de moyenne montagne, qui rejoint Cargèse par le littoral. On peut faire l'ascension du Monte Grosso, à l'est.

■ Le Monte Grosso (1 938 m)

4 h à la montée, 3 h à la descente.

De Calenzana, prendre le sentier qui remonte la **vallée du Secco** au sud-est, jusqu'au pied de la **Punta Radiche**.
- Le Monte Grosso domine d'un côté toute la Balagne, de l'autre le cirque de la **forêt de Tartagine** ; au sud se dresse le Monte Cinto. Du Monte Grosso, on peut redescendre à l'est par la vallée de Melaja sur Olmi-Cappella.

■ L'église Sainte-Restitute

À 1 km à l'est de Calenzana sur la D 151.

L'église porte le nom d'une vierge décapitée à Calvi en 303. Elle se dresse sur l'emplacement d'une nécropole romaine et sur le tombeau de la sainte. Reconstruite en partie au XIVe s., la nef a été prolongée, au XVIIe s., par un chœur baroque coiffé d'une coupole sur trompes.
- L'**autel** (préroman) était recouvert d'un autel baroque du XVIIIe s. jusqu'en 1951. Derrière, le cénotaphe est décoré de deux fresques du XIIIe s. racontant le martyre de Restitute. Dans la **crypte**, le sarcophage de sainte Restitute (Ve s.), en marbre blanc de Carrare.
- La D 151 contourne le bassin du Secco en laissant à droite l'ancien **couvent d'Alziprato**, fondé en 1509.

bonnes adresses

Miel GAEC de Lozari. ☎ 04 95 60 18 13. Le plus beau miel de Corse, produit dans le désert des Agriates.
La biscuiterie *E Fritelle*, au lieu-dit Tiassu Longu, à Calenzana, fabrique les meilleurs *canistrelli* de l'île. ☎ 04 95 62 78 17.

▲ *Au temps du baroque corse, les autels en marbre polychrome, comme celui de l'église Saint-Blaise de Calenzana, se multiplient. Sculptés dans le style de la plus pure Renaissance ligure, ils sont surmontés d'une croix de grande dimension et s'épanouissent en corbeille.*

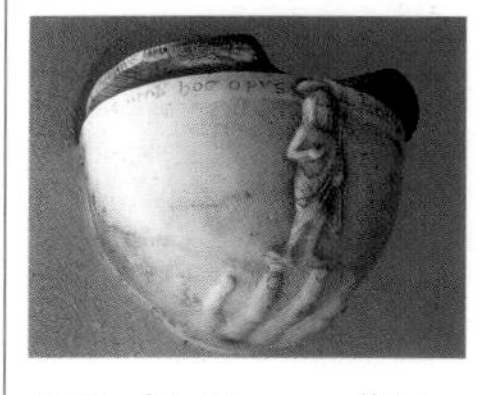

▲ *Un bénitier en albâtre de 1514 soutenu par la main du Christ et orné d'une figurine de saint Jean Baptiste, dans l'église Sainte-Restitute.*

▲ *Perché sur un piton rocheux, l'ancien village montagnard de Novella offre un panorama sur le massif des Agriates.*

▲ *Le village de Speloncato, autrefois fortifié, avec ses entrelacs de ruelles étroites et pavées, avec ses passages voûtés sous de hautes demeures de granit, a beaucoup de caractère.*

▲ *La balustrade de chœur en marbre polychrome de l'église de Muro.*

Le crucifix des miracles de Muro

On raconte qu'en 1730, le jour de la fête des Cinq Plaies, une vive lumière jaillit du Christ lors du Te Deum, une voix s'écria : « Venez, et voyez mon martyre. » Le visage du Christ s'inonda alors de sang. Depuis, le crucifix a la réputation de dispenser guérisons et grâces.

■ Zilia

À 7 km au nord-ouest de Calenzana sur la D 151.

Bâti sur un promontoire rocheux, le village offre une jolie vue sur la vallée de Montemaggiore. Église baroque Saint-Roch. La source thermale qui avait cessé son exploitation depuis 1914 est aujourd'hui réactivée et son eau minérale est commercialisée.

■ Cassano

À 2 km de Zilia.

Ce village ancien et très homogène constitue, avec les hameaux de Lunghignano et Montemaggiore, la commune de Monte-Grosso. L'**église Saint-Alban**, du XVIe s., dans le cimetière en dehors du village, renfermait un précieux triptyque signé Simonis de Calvi, daté de 1505, attestant de l'existence d'ateliers de fresquistes et de peintres sur bois à Calvi. L'œuvre est aujourd'hui conservée à l'église de l'Annonciade.

- **Lunghignano** possède une église baroque, un lavoir, un moulin à huile et des traces de chapelle romane.
- À voir également, le village en nid d'aigle de **Montemaggiore** et sa grande église baroque.

■ L'église Saint-Rainier

À 1 km de Montemaggiore, par la D 151 et un chemin à droite.

Cette église, de style roman pisan (XIIe s.), présente une façade polychrome, alternant les pierres de granit blanc doré et noir. Un motif en croix gravée orne le tympan qui surmonte la porte. Deux figures humaines en relief encadrent une petite croix ajourée. L'abside est voûtée en cul-de-four. Le bénitier est une pierre cylindrique ornée de trois visages.

- **Bocca de San Cesario** (367 m), à l'entrée de Cateri ; à proximité, la chapelle Saint-Césaire, de style roman, avec appareillage polychrome. La D 151 rejoint la D 71.

■ Muro

Prendre à droite la D 71. L'itinéraire emprunte la vallée du Regino.

Entre le Capo Avazeri et le mamelon de San Rocco, le village étagé en gradins a conservé ses maisons à arcades. Au centre de la place, l'**église** de l'Annunziata (XVIIe s.) à l'imposante façade blanche. Belle tribune d'orgue des XVIIIe et XIXe s., restaurée en 1982. Crucifix des miracles (1659).

■ Feliceto

Le village domine le bassin de Regino. **Moulin à huile** et **église** baroque des XVIIe-XVIIIe s.

- Sur la D 113, on peut voir le lac artificiel du **barrage de Codole**.
- La **verrerie corse** expose les pièces du souffleur Ange-Campana.

Ouvert tous les jours sauf dimanche et mardi de 10 h à 12 h et de 15 h à 18 h 30. ☏ 04 95 61 73 05.

Nessa

Prendre une petite route à droite de la D 113.

Le village est entouré de châtaigniers et dispersé en gradins. Sur la place, une église baroque avec un joli clocher carré. Dans le cimetière, les **ruines** d'une chapelle romane. À proximité, promenade dans le **cirque dit de Caro-Infolza**.

Speloncato

Rejoindre la D 113 et un peu plus loin tourner à droite dans la D 663.

Speloncato tire son nom des nombreuses grottes *(spilunca)* présentes sur le site. Sous le village, les **grottes Dei Frati** peuvent abriter une centaine de moutons.
- L'**église Saint-Michel**, d'origine romane, a été remaniée. C'est l'une des trois collégiales, avec Calenzana et Corbara, créées en Balagne au XVIIIe s. L'intérieur, de style baroque, abrite un tympan monolithe du XIIe s., provenant de l'ancienne église de Guistiniano, des **tabernacles** en bois sculpté, appartenant à l'école florentine du XVIIe s. La **crypte** du Xe s. possède un tympan hémisphérique.
- Au sommet de la **Cima di Tornabue** (1 285 m), ruines du **château du cardinal Savelli**.
- De Speloncato, la petite route D 63 franchit au sud-est la **Bocca di a Battaglia** (1 099 m) et permet de gagner Pioggiola, dans le Giunssani.
- La plus célèbre des grottes, la **Pietra Tafonata** ou « Pierre percée », est située à 2 km de Speloncato.

La Pietra Tafonata

Sa double ouverture la fait ressembler à un long tunnel de 8 m de long sur 6 à 7 m de diamètre. Deux fois par an, les 6 avril et 8 septembre, Speloncato est témoin d'un phénomène d'éclipse très particulier. Vers 18 h, le soleil se cache derrière la montagne, puis ses rayons réapparaissent dans l'ouverture de la Pietra Tafonata en éclairant la place centrale du village.

▲ *L'église Saint-Michel de Speloncato abrite un superbe buffet d'orgue peint du XIXe s.*

bonnes adresses
à Speloncato

Auberge de Domalto. ☏ 04 95 61 50 97. Une cuisine simple avec des produits frais, dans une demeure de charme, chez Josyane.
Hôtel *A Spelunca*. ☏ 04 95 61 50 38. 18 chambres dans l'ancien palais d'été du cardinal Savelli.

Ville-di-Paraso

Au nord-est de Speloncato par la D 63.

Le lieu renferme à lui seul un nombre considérable de lieux de culte : l'église Saint-Simon, la chapelle Saint-Roch et trois chapelles privées. Le village aux ruelles étroites conserve un **lavoir**, d'anciens **fours à pain** et les **fontaines** sous voûtes du Canalellu et de Funtanaccia.
- À 2 km du village, au **site archéologique** de Mutola, on peut voir les ruines d'un oppidum.

▲ *Lavoir et fontaine sous voûte de Ville-di-Paraso.*

Belgodère

Rejoindre la D 71 et continuer vers l'est.

Le lieu signifie « beau séjour ». Bâti sur un éperon planté d'oliviers et de vergers, le village, dominé par un vieux fort (XVIe s.), contemple la vallée du Prato.
- L'**église Saint-Thomas** fut fondée en 1296 par Andréa Malaspina. On remarquera le **panneau sur bois**, la Vierge à l'Enfant (XVIe s.).
- On accède au **fort** en ruine par une ruelle en escalier. Il date de la fondation de Belgodère. En 1630, le seigneur Malaspina, jugé trop autoritaire, y fut assassiné par la population du village.
- Le **château de la Costa**, construit en 1892, possède une chapelle en marbre blanc de Carrare.

CARTE P. 127
Route des artisans de Balagne : ☏ 04 95 32 83 00.

L'artisanat

Le travail du bois, de la peau, de la laine et la fabrication d'objets du quotidien ont longtemps été au centre de cette société agro-pastorale où l'on fabriquait *U bellu è utile*, « le beau et l'utile ».

▲ *Vente de produits artisanaux dans une boutique de Porto-Vecchio.*

■ Un peuple d'artisans

Chaque berger avait son *rascatagh* (évidoir) et son *ascione* (herminette), avec lesquels il savait confectionner tous les objets nécessaires à la vie quotidienne, notamment la *cocchja*, grosse cuillère en bois servant à « cueillir » le fromage. Avec le jonc tressé, il fabriquait des formes à fromage : *casgiaghje* ou *fattoghje*; avec le saule, l'osier et les rejets de châtaigniers, il confectionnait des paniers, ou *sporte*. Les femmes travaillaient la laine de brebis, ou *pelone*. De la pointe de son couteau, le fiancé enjolivait la quenouille, ou *rocca*, destinée à sa future épouse. Tous étaient capables d'appareiller un mur de pierres sèches ou de faire des *pignule*, ces poteries en terre amiantées si résistantes au feu. À côté de ces paysans artisans, les *maestri* exerçaient leur art dans les villes et villages comme forgerons, menuisiers, tonneliers, vanniers, selliers, chaudronniers, cordonniers ou maîtres maçons. La désertification et la profonde transformation de cette société traditionnelle ont bien failli porter un coup fatal à cet artisanat hérité des temps anciens.

Mireille Gurfinkel fait de très belles céramiques. Lieu-dit Paradella, route de l'aéroport, à Calenzana. ☏ 04 95 65 13 61.

La lutherie Casalonga, à Pigna, pratique un savoir-faire ancestral. ☏ 04 95 61 77 15.

► *Céramique de l'atelier Raku, à Calenzana.*

■ Un patrimoine redécouvert

Mais la tradition ne devait pas mourir et, depuis quelques décennies, ce qui constitue le patrimoine et le reflet de l'histoire de la Corse, renaît dans ces villages de l'arrière-pays où l'on aime au-delà du folklore redécouvrir ces gestes ancestraux. Les villages de la Balagne sont riches de cette tradition, c'est pourquoi ils ont créé une route des artisans. Une diversité de gestes et de savoir-faire mène à la rencontre d'une Balagne authentique qui a su préserver ses traditions à travers notamment l'association « Strada di l'Artigliani ». Couteliers, apiculteurs, luthiers, ébénistes et céramistes ouvrent leurs ateliers pour que ce patrimoine, témoin du passé culturel de la Corse, puisse être perpétué.

▲ *Les artisans sont nombreux dans le village en nid d'aigle de Sant'Antonino.*

Le Giunssani

CARTE P. 127

C'est la Balagne montagneuse, coincée entre la haute Balagne et la vallée de l'Asco. Le paysage magnifique, longtemps épargné par les flux touristiques, fait partie du Parc naturel régional. La végétation est grandiose. Chênes et châtaigniers laissent place, dès que l'on s'élève, aux pins laricio et, plus haut, à un monde minéral aux colorations multiples. Belgodère est un bon point de départ pour accéder au Giunssani. Un réseau de chemins balisés permet de découvrir les quatre principaux villages bâtis en terrasses, à l'aplomb des vallées, et d'atteindre la forêt de Tartagine.

■ Vallica

À 21,5 km au sud-est de Belgodère. De Belgodère, prendre la N 197 vers Ponte-Leccia, et, après 6 km, prendre à droite la D 963 ; à la Bocca alla Croce, avant Olmi-Cappella, prendre à gauche la D 463.

Le village médiéval, exposé au sud à 800 m d'altitude, fait face à la cascade du Monte Padro.

- À l'est du village, le **fort** de la Cima, un ancien poste de guet qui servait à communiquer par des feux avec les autres postes. Il présente un beau **point de vue** sur la vallée.

◄ *Le bénitier en porphyre du Prado, soutenu par une femme en pierre noire de Murato, dans l'église de Vallica, est l'œuvre de Damasio Luigi de Vallica.*

■ Olmi-Cappella (880 m)

Rejoindre la D 963 et tourner à gauche.

Office du tourisme : ☏ 04 95 61 03 02.

L'été, théâtre en plein air à Olmi-Cappella.

Au pied du Monte Padro et du San Parteo, dominant la haute vallée de la Tartagine, c'est le village principal du Giunssani. L'**église San Nicolas** date du XVIIe s. On a dénombré quatre dolmens sur la commune.

- D'Olmi-Cappella, on peut gagner Asco à pied, par un chemin de muletier, en passant par la Bocca di Laggiarello.

◄ *Le pont sur la Tartagine de Vallica serait l'un des quatre ponts romains de la Corse.*

▼ *Une aire de battage du blé, à Vallica.*

■ Pioggiola (1 000 m)

Poursuivre la D 963 et tourner à droite dans la D 63. À 4 km d'Olmi-Cappella.

Le village est entouré de châtaigniers centenaires. Sur la droite, une petite route mène à Speloncato par la Bocca di Croce d'Ovo.

■ Mausoléo

Par la D 563.

► *Dans l'église du* XVI*e s. de Mausoléo, cette statue de saint Jean Baptiste, sculptée dans un tronc d'olivier, serait la plus ancienne de la région.*

L'un des plus vieux villages de la Balagne. En son centre, sur un petit mont appelé « Cima », se trouve un monolithe de plusieurs tonnes placé en équilibre. On dit qu'un seul homme peut le faire bouger, mais qu'il est impossible de le faire basculer. Le site domine la très sauvage et très pittoresque **vallée du Francioni**. Au fond passe un étroit sentier qui conduit à la **maison forestière** de Tartagine et à Asco. Il traverse le torrent sur deux magnifiques ponts génois.
- La route (D 963) franchit la rivière Melaja, qui prend sa source au pied du Monte Grosso et ouvre une voie d'accès vers le sommet d'où l'on peut redescendre sur Calenzana.

La « route des orgues », renseignements à l'Office du tourisme.

■ La forêt de Tartagine

Entourée par les crêtes du **Capo al Dente** (2 032 m), le **Monte Corona** (2 143 m) et le **Monte Padro** (2 393 m), qui forment un cirque, elle est couverte sur près de 2 900 ha de pins laricio, de pins maritimes et de quelques chênes verts. La **maison forestière** est située à l'entrée de la forêt.
- **Randonnées** (à pied ou à vélo) : la **piste de Tartagine** mène au pied du Monte Corona et du Capo al Dente. La **piste de la Melaja** est une autre voie d'accès plus courte, et la plus facile. Une troisième piste part de la maison forestière en direction de la vallée de l'Asco.

▼ *La forêt de Tartagine est l'une des plus sauvages de Corse.*

L'onction des Balanins

Un dicton répandu dans toute la Corse crédite les habitants de la Balagne « d'onction et de finesse », Balanini unti e fini. *La Balagne étant une région productrice d'huile d'olive, des marchands partaient dans tout le pays vendre leur huile. Ces gens, pleins d'onction dans leurs manières, aux yeux de populations plus pauvres, étaient aussi oints de l'huile qu'ils transportaient et dont ils manipulaient les récipients à longueur de journée. Ils étaient réputés* fini *(fins) pour leur habileté à persuader et à convaincre d'acheter.*

Les sentiers de Balagne

CARTE P. 127

Les villages perchés, bâtis à flanc de coteau, entourés de champs d'oliviers, d'amandiers, d'orangers et de vignobles, ont fait pendant des siècles la réputation et la richesse de la Balagne.

Les Offices du tourisme de Calvi, de L'Île-Rousse et d'Olma-Cappella fournissent des itinéraires de découverte des sentiers de Balagne.

Le « jardin de la Corse »

Au fil des années, la désertification s'est peu à peu installée, laissant un grand nombre de terres en friche devenues la proie des incendies. Malgré cela, la Balagne conserve un grand nombre des vergers d'oliviers qui ont longtemps fait son renom. Autrefois « jardin de la Corse », la Balagne se tourne peu à peu vers l'économie du tourisme. Si ses plages accueillent des activités balnéaires, l'arrière-pays, avec le charme secret de ses villages, réserve la découverte de ces chemins qui les reliaient autrefois. Les sentiers parfois pavés sont ponctués de sources captées dans des bassins de pierre. Des haltes, aménagées sur les places des villages ou près de petites chapelles romanes, agrémentent la découverte d'un paysage authentique, invisible de la route.

▼ *Les sentiers du Giunssani sont parmi les plus beaux de Corse.*

Vers Aregno et Sant'Antonino

Longeant le cimetière d'Algajola, le sentier s'élève doucement entre le tennis et le camping. Après la chapelle de l'Annunziata, un chemin mène vers Pigna, avec une bretelle vers le hameau de Praoli ou celui de Torre.

Le chemin des trois Funtane

À partir de **Regino**, il conduit sur une crête qui domine Monticello à la hauteur de la chapelle de San Francesco. De là, on peut descendre à gauche vers Santa Reparata ou vers Monticello et L'Île-Rousse.

À partir de L'Île-Rousse

En prenant la route en direction de Calvi, avant le col de Fogata, un chemin se détache à travers des pâturages et des champs d'asphodèles avant de se scinder en deux branches, l'une se dirigeant vers Corbara, l'autre vers Occiglioni, hameau de Santa Reparata.

- En prenant la route en direction de Bastia, un chemin assez escarpé conduit au pied du Monte Sant'Angelo, d'où l'on découvre L'Île-Rousse ; en poursuivant, on arrive au couvent de Corbara, avant de parvenir sur le plateau et de rejoindre Sant'Antonino, d'où l'on peut regagner Aregno et Algajola.

▲ *Deux pistes forestières sont ouvertes, remontant la rive droite des torrents de Tartagine et de Melaja.*

Boutique
BAR DU GOLFE

Calvi et ses environs

◄ *La marine de Calvi.*

Dominée par sa citadelle édifiée sur un promontoire rocheux, Calvi révèle la magie de son paysage. Bordée par de longues plages de sable blond, adossée à une puissante barrière montagneuse, elle offre l'écrin d'une architecture témoin d'un passé glorieux qui remonte aux Phéniciens. Au fond d'une baie grandiose, Calvi est devenue une escale pour de nombreux plaisanciers, qui trouvent ici l'un des meilleurs mouillages de l'île.

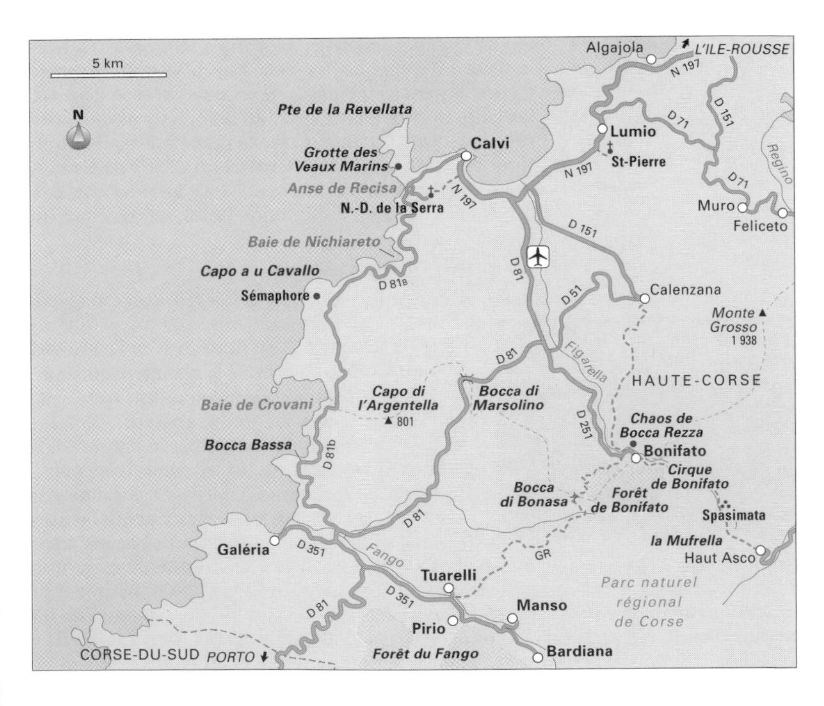

Calvi
la capitale de la Balagne

Le début du XXe siècle signe l'ère du tourisme. Devenue ville balnéaire, Calvi est la troisième ville touristique de Corse. Son port, à l'abri des vents violents, accueille, outre une navigation de plaisance, les lignes régulières des ferries venus de Gênes ou du continent. Fidèle à sa tradition, elle a développé un tourisme culturel, multipliant, tout au long de l'année, rencontres, festivals et manifestations sportives.

CARTE P. 141

Office du tourisme : port de plaisance. ☏ 04 95 65 16 67.

Aéroport Sainte-Catherine, à 7 km de Calvi : ☏ 04 95 65 88 88.

Gare ferroviaire : ☏ 04 95 65 00 61.

Corsica Ferries : port de commerce. ☏ 04 95 65 43 21.

Colombo Line : promenades en mer dans la réserve de Scandola. Port de plaisance. ☏ 04 95 65 03 40.

1re quinzaine d'avril : Open de tennis féminin.

De la mi-mai à la fin août se tiennent les Rencontres d'art contemporain de Calvi : un salon d'art plastique qui propose chaque année les œuvres d'artistes professionnels continentaux et insulaires.

Le Calvi Jazz Festival a lieu fin juin-début juillet.

En septembre, Rencontres de chants polyphoniques.

En octobre se déroule le Festival du vent « Festiventu ».

La ville dans l'Histoire

Le golfe de Calvi était déjà connu des hommes de la préhistoire, comme l'attestent les campagnes de fouilles. Les vestiges d'une basilique paléochrétienne, bâtie sur un éperon surplombant le port Santa-Maria, témoignent de l'implantation du christianisme au IVe s. Ruinée par les grandes invasions des Ve-Xe s., Calvi entre dans l'Histoire au XIIIe s. lors de la guerre entre les féodaux du cap Corse et du Niolo. Soumis à l'hégémonie tyrannique des seigneurs Avogari de Nonza, les Calvais vont se mettre sous la protection de la commune de Gênes. Voyant tout l'intérêt de cette position stratégique, les Génois consacrent en 1278 la fondation de la cité calvaise, qui n'est encore que la petite bourgade maritime qualifiée de « Mont-Royal Sainte-Marie de Calvi », *Mons Regalis de Sancta Maria Calvi.* Le premier château, *castello vecchio,* sera édifié sur le point le plus élevé du rocher, à 81 m.

Fidèle aux Génois

Après avoir repoussé l'attaque d'une garnison espagnole en 1421, Calvi reste la seule ville où, près d'un siècle plus tard (1555), flotte encore l'étendard de Saint-Georges, alors que la grande majorité de la Corse est passée sous domination française. Après une première tentative en avril 1555, les troupes françaises, conduites par le baron Polin de la Garde et Sampiero Corso, renforcées par la flotte turque de l'amiral Dragut, ne parviennent pas à vaincre la résistance des Calvais, restés fidèles à Gênes. Aussi fut-elle insensible aux arguments de Pasquale Paoli et à sa volonté de créer une nation corse. Cherchant un débouché maritime à sa toute jeune république, il crée L'Île-Rousse en 1768 en déclarant : « Ho piantato le forche per impiccar Calvi ! » (« J'ai planté la potence pour y pendre Calvi ! »).

▲ *Calvi possède l'un des ports de plaisance les plus accueillants de Corse, où se mêlent bateaux de pêche et yachts.*

Calvi française

Comme l'ensemble de la Corse après la signature du traité de Versailles, le 15 mai 1768, Calvi devient française. En 1794, avec cette même fidélité, elle s'oppose à la flotte de l'amiral Nelson, pendant un siège de 40 jours. C'est au cours de ce combat qu'il perdit un œil. Un décret du Directoire rendra hommage à cette fidélité en inscrivant sur les portes de la citadelle : « Civitas Calvi semper fidelis. » (« La cité de Calvi toujours fidèle. ») Au XIXe s., la ville va peu à peu trouver un nouveau souffle. Les marais sont asséchés et le port agrandi. Débouché naturel des productions agricoles de la Balagne, elle devient un lieu d'échange et de commerce.

▲ Le Tao, *au cœur de la Haute-Ville, est le piano-bar le plus couru de la ville.*

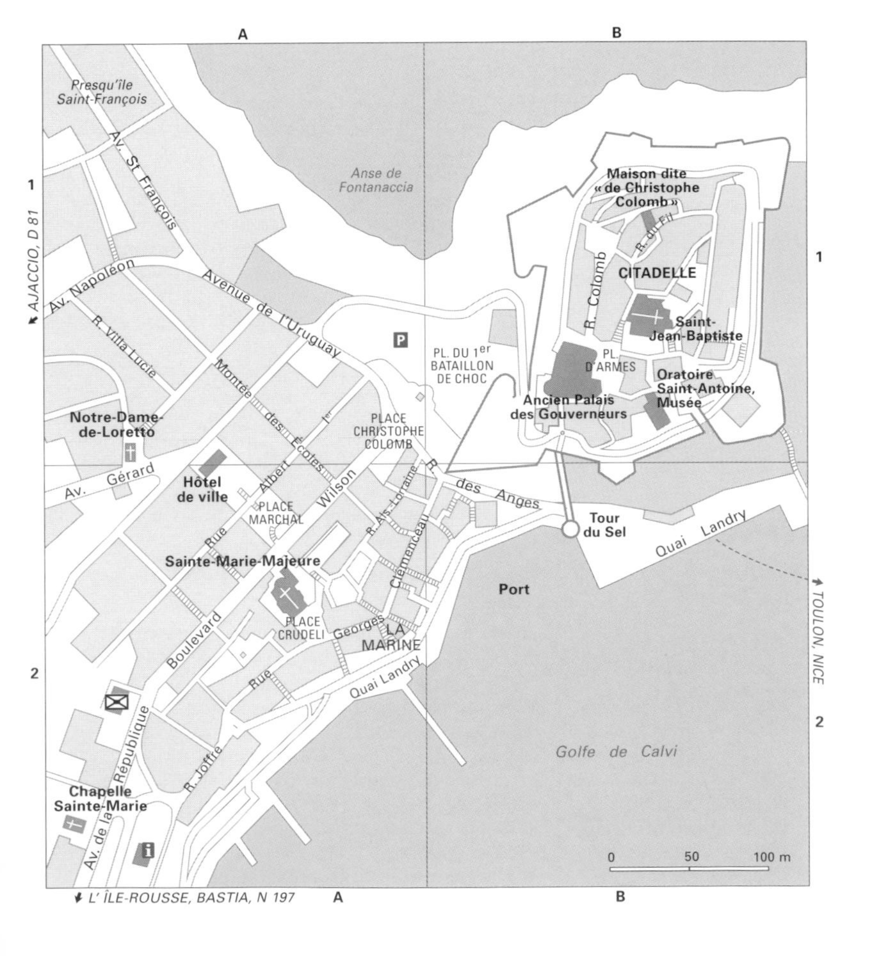

PLAN B1

La Haute-Ville

Le cœur historique de Calvi

Sanglée dans les hautes murailles de son enceinte bastionnée, la citadelle s'avance entre les golfes de Calvi et de la Revellata. Elle témoigne d'un passé de fidélité à la présence et à la puissance de la république de Gênes.

La citadelle

Accès libre. L'Office du tourisme organise des visites guidées, sur réservation. PLAN B1

► *La citadelle altière domine de sa masse la marine, où dansent bateaux de plaisance et barques de pêche.*

Commencée au XIIe s., elle a été solidement fortifiée par la Banque de Saint-Georges. Son unique entrée était jadis gardée par un pont-levis, une herse et des portes blindées. Au-dessus de la porte, l'inscription « *Civitas Calvi semper fidelis* » rappelle la défense de 1555, par laquelle les Calvais manifestèrent leur fidélité à Gênes.

- Trois **bastions** renforcent, côté mer, l'ensemble des fortifications : le bastion « Sab Giorgiu », érigé au XVe s., le bastion « Celle », où l'on peut voir une échauguette, et le bastion « Teghjale », avec un poste de garde.
- Partant de la jetée, un escalier à flanc de roche mène aux **remparts**. Vaste **panorama** circulaire. Pour se retrouver à l'intérieur de la citadelle, prendre le **souterrain** « Portigliada ».

L'ancien palais des Gouverneurs

PLAN B1

Édifié au XVIe s. et flanqué d'un énorme donjon, il donne sur la place d'Armes. Sa construction n'était pas terminée lors du siège franco-turc de 1555. Il était le lieu de résidence des gouverneurs de la Corse. Il abrite aujourd'hui la caserne Sampiero.

▲ *En partie détruite par une explosion en 1567, la cathédrale Saint-Jean-Baptiste fut reconstruite sur un nouveau plan en 1570 et terminée en 1590 par le clocher.*

La cathédrale Saint-Jean-Baptiste

PLAN B1

► *La chaire de la cathédrale Saint-Jean-Baptiste est décorée de trois cartouches peintes rappelant qu'elle a été offerte par les habitants de Calvi en 1757.*

Au sommet du rocher (81 m), elle fut construite au XIIIe s. en contrebas du Castello Vecchio, sur une possession des bénédictins ligures de San Bartolomeo de Fossato. En 1576, elle fut élevée au rang de pro-cathédrale par le pape Grégoire XIII. Sa forme en croix grecque est surmontée d'une élégante **coupole**.

- À l'**intérieur**, des **loges** grillagées, situées dans les pans coupés de la coupole,

permettaient aux femmes de notables d'assister aux offices. Les fonts baptismaux en marbre sont datés de 1568. Dans le chœur, le **maître-autel** en marbre polychrome (XVIIIe s.) est surmonté d'un grand Christ en bois (XVIIe s.).
- Dans l'abside, le **triptyque** fut exécuté par l'un des meilleurs peintres ligures du XVe s., Barbagelata, élève de Mazone. À droite du chœur, sur un autel latéral, le **Christ noir ou Christ des Miracles**. Taillé dans de l'ébène et vêtu d'un pagne d'argent, il fut placé sur les remparts lors du siège de 1555, et aurait fait fuir des assiégeants franco-turcs. Depuis, il fait l'objet d'une vénération particulière.
- Dans la chapelle Notre-Dame-du-Rosaire, à gauche du maître-autel, la **Vierge du Rosaire**, en bois (XVIe s.), est portée en procession le vendredi saint. Monumental tabernacle en bois ouvragé du XVIIe s.

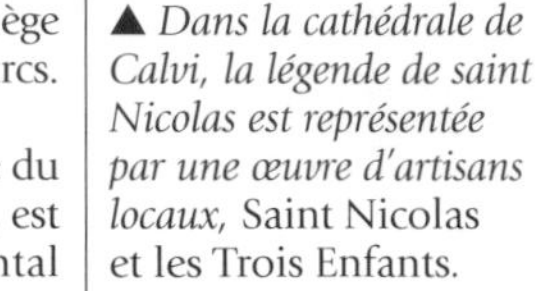

▲ *Dans la cathédrale de Calvi, la légende de saint Nicolas est représentée par une œuvre d'artisans locaux,* Saint Nicolas et les Trois Enfants.

■ L'oratoire Saint-Antoine

Ouvert tous les jours. La visite de l'intérieur est incluse dans la visite guidée de la citadelle organisée par l'Office du tourisme. PLAN B1

Il remonte à la fin du XVe s. Il fait face à la baie. L'édifice de style Renaissance possède trois nefs. Des fenêtres de l'oratoire, **vue** spectaculaire sur la baie et le port. La collection d'art sacré n'est plus visible. Elle attend un nouveau lieu d'exposition. Quelques pièces ont été provisoirement déposées à la cathédrale.

◄ *Saint Antoine est sculpté sur le linteau en ardoise de la porte d'entrée de l'oratoire, accompagné de son cochon, de saint François d'Assise et de saint Jean Baptiste.*

■ La maison dite de Christophe Colomb

PLAN B1

Il ne reste de cette demeure, rue Colombo, qu'un seul pan de mur portant une plaque commémorative : « Ici est né, en 1451, Christophe Colomb, immortalisé par la découverte du Nouveau Monde, alors que Calvi était sous la domination génoise ; mort à Valladolid le 20 mai 1506. » Monument de Christophe Colomb en bas des remparts à l'entrée de la citadelle.
- À voir sur la **maison de Laurent Giubega**, parrain du futur empereur, une inscription rappelant le séjour de Napoléon Bonaparte en mai-juin 1793. Chassé d'Ajaccio, il s'y était réfugié, en compagnie de sa mère.
- L'**hôpital militaire** fut érigé à l'emplacement du Castello Vecchio dans la seconde moitié du XVIe s.
- Le **palais des évêques de Sagone,** édifié au XVIe s., est une puissante maison acquise après la Révolution par la famille Giubega. Elle fut la résidence d'été des évêques. Aujourd'hui, c'est un restaurant.

▲ *Avec ses rues étroites et escarpées, Calvi est une cité aux dimensions humaines.*

PLAN A2-B2

La Basse-Ville

Une cité balnéaire

C'est la ville nouvelle, créée à la suite du siège de la citadelle en 1796. Ses rues étroites s'illuminent d'enseignes de boutiques, de restaurants et de cafés. Le quai à l'ombre des palmiers accueille les plaisanciers. Calvi côté marine est un lieu largement investi pendant les mois d'été, mais qui sait garder cachée au fond de ses ruelles l'histoire de son passé.

▲ *Un voilier traditionnel dans le port de Calvi.*

Le port

PLAN B2

À l'abri des vents dominants, c'est le meilleur mouillage de la Corse. Plaisanciers, pêcheurs et ferries se partagent ses eaux. Des bateaux de gros tonnage accostent le long de ses quais pour exporter les produits de la Balagne.
- Jusqu'au milieu du XIXe s., la marine ou faubourg de Calvi était enfermée dans ses murailles. Elle longeait sur toute sa longueur l'actuel boulevard Wilson, jusqu'à la placette dite de la Porteuse d'eau, que naguère on appelait *E Porte*, car c'est à cette hauteur que se trouvait la porte d'entrée et un corps de garde au quartier Saint-Charles. L'artère principale, qui menait à la citadelle, rue Droite, *Caruggio dritto*, est devenue rue de la Marine puis rue Clemenceau, à l'extrémité de laquelle se trouve le quartier des pêcheurs, *Calellu*. Le long des quais, *a Calata*, bordés de palmiers, s'alignent les anciens entrepôts voûtés, *magazeni*, qui sont devenus des commerces.

L'église Sainte-Marie-Majeure

PLAN A2

L'église Sainte-Marie, dite Majeure par comparaison avec la petite chapelle qui a été construite sur les ruines de la basilique paléochrétienne Santa Maria a Vecchia. Commencés en 1765, les travaux, interrompus, ne reprirent qu'en 1820 et furent terminés par la coupole en 1838. D'architecture baroque sur plan de croix grecque, elle est flanquée d'un anachronique clocher néogothique.
- Le **chœur** abrite deux tableaux de grande dimension. Une belle Annonciation de l'école du Caravage (XVIIe s.), provenant d'un legs Fesh, et une Immaculée Conception (fin du XVIe s.) avec, à ses pieds, deux donateurs probablement calvais.
- Dans le baptistère, une **peinture espagnole** sur cuir argenté représente l'Immaculée Conception. Elle était autrefois dans la chapelle de la Madonna di a Serra. Elle y est rapportée chaque année pour le pèlerinage du dimanche suivant le 8 septembre, jour de la nativité. Cette peinture provient du couvent des Capucins, fondé en 1623 et détruit lors du siège de 1794.

L'œil de Nelson

*Alors que pendant 10 jours (7-17 juillet) les Anglais engageaient de furieux combats pour s'emparer du fort de Mozello, un fait peu banal se produisit le 12 juillet. Au cours d'un violent duel d'artillerie, vers 7 h du matin, le capitaine de vaisseau Nelson, commandant de l'*Agamemnon, *fut blessé à la tête par des pierres provenant du merlan de sa batterie installée à la Pietra Macherona. Le 16, il écrivait à l'un de ses amis : « Mon œil droit est entièrement fendu ; mais le chirurgien me fait espérer que je ne perdrai pas totalement la vue de cet œil !... » Mais Nelson ne recouvra jamais la vue de son œil droit. Une plaque apposée sur le rocher rappelle l'événement.*

La semaine sainte

C'est en Corse un événement important qui comporte des rites spécifiques pour chaque région. À Calvi, elle est marquée par des cérémonies religieuses qui revêtent un caractère original. Le jeudi après-midi, elle commence par la bénédiction des canistrelli, *gâteaux corses qui seront ensuite distribués lors d'une procession à laquelle participent les confréries de pénitents. Suivra la cérémonie de la* Lavanda *: le prieur de la confrérie reprend les gestes du Christ lavant les pieds des douze apôtres. Le vendredi saint suit la procession de la* Granitola. *Les pénitents des confréries de Saint-Antoine et Saint-Érasme, en cagoule et pieds nus, portent un Christ grandeur nature, suivi d'une statue de la Vierge en pleurs et en grand deuil. La* Granitola *se noue et se dénoue plusieurs fois en une spirale symbolique de l'ascèse – une fois dans la citadelle, trois fois dans la Basse-Ville. Cette cérémonie qui résume le mystère pascal trouve son dénouement le lundi de Pâques dans l'église de la Haute-Ville. La statue de la Vierge en procession est revêtue de son ample manteau or et argent.*

■ La chapelle funéraire Sainte-Marie

Avenue de la République.

Elle fut construite au XIIIe s. sur les vestiges de la première basilique paléochrétienne, édifiée dans la Basse-Ville au IVe s.

- Le cimetière, situé au pied du fort du Mozello, surplombe la ville. Ses tombes blanchies à la chaux se détachent sur une belle végétation. Le panorama est d'ici plus étendu. Par temps clair, les contours des Alpes maritimes se distinguent très nettement.

■ La place Christophe-Colomb

PLAN A1

À cause de la vue très dégagée sur la mer, les Calvais l'ont toujours appelée « a Vista ». La stèle de Christophe Colomb fut inaugurée à l'occasion du cinquième centenaire de la découverte de l'Amérique.

- Dans l'axe de la belle perspective du boulevard Wilson, ancien boulevard Géry, s'élève le monument aux morts de la Grande Guerre 1914-1918. Encadrée par des colonnes et surmontée d'un frontispice se dresse la statue de *La Renommée*, œuvre du sculpteur Frémiet.

■ Le centre d'Ethnographie et de Recherche métallurgique

Au fort de Mozello, à 300 m de la mairie.

Ouvert de 10 h à 12 h et de 15 h à 18 h. Fermé les dimanches et jours fériés, et un mois en hiver. ☏ 04 95 65 32 54.

Ce fort du XIXe s. regroupe des artisans des métiers de la fonte et du feu.

▲ *Les vieilles maisons de Calvi se serrent autour de l'église Sainte-Marie-Majeure.*

Colomb le Calvais

Plusieurs autres localités des anciens États de Gênes revendiquent, comme Calvi, l'honneur d'avoir vu naître le grand navigateur. Pour renforcer leur théorie, les tenants d'un Christophe Colomb calvais font valoir que le découvreur du Nouveau Monde aurait embarqué avec lui des chiens et des chevaux corses. Arrivé à destination, il aurait placé ses premières découvertes sous la protection de saints vénérés en Corse et aurait donné à des poissons découverts aux Amériques le nom de toninas, *terme employé dans l'île. Dans les nécrologies de la confrérie Saint-Antoine, on a aussi retrouvé le nom de Colombo. Mais, tant que n'aura pas été retrouvé l'acte de baptême (rendu obligatoire par le concile de Trente, mais existant bien avant), le débat restera ouvert.*

Les environs de Calvi

École de plongée internationale de Calvi : sur le port. ☏ 04 95 65 43 90.
Calvi Castille : sur le port. ☏ 04 95 65 14 05.
Calvi Citadelle : sur le port. ☏ 04 95 65 33 67.
Promenades en mer avec Colombo Line-Croisières. ☏ 04 95 65 03 40.

Ils se visitent par la route, qui offre à partir de Lumio et de la Punta di a Revellata de magnifiques points de vue, ou par la mer. À pied, la forêt et le cirque de Bonifato sont le point de départ de nombreuses promenades.

INCONTOURNABLES

La chapelle de la Madonna di a Serra est le lieu d'un pèlerinage annuel. Tous les ans, le dimanche qui suit le jour de la nativité, on rapporte le tableau de l'Immaculée Conception qui se trouve dans l'église Sainte-Marie-Majeure de Calvi.

▲ *La route qui mène de Calvi à Notre-Dame-de-la-Serra passe à droite d'un chaos de rochers granitiques creusés de* tafoni, *ces curieuses cavités dont l'origine est encore mal connue.*

■ La grotte des Veaux marins

Très intéressant pour les plongeurs, sinon pas de visite possible. Promenade de 1 h 30 aller-retour en bateau.

Derrière la pointe de la Revellata, la grotte s'ouvre à 4 km à l'ouest de Calvi. Longue de 200 m, haute de 25 à 30 m avec une profondeur d'eau de 5 à 10 m, elle tire son nom de la famille de phoques moines qui l'habitaient.

■ La pointe de la Revellata

À 6,5 km au nord-ouest de Calvi, 2 h à pied. Sortir de Calvi par la D 81B; à 1,5 km à droite, un sentier permet de gagner à pied l'extrémité de la presqu'île. En voiture, tourner à droite après 4 km.

Vue étendue sur le golfe et la citadelle de Calvi. Le promontoire est occupé par le **centre océanographique**.

■ La chapelle de la Madonna di a Serra

À 6 km au sud-ouest de Calvi. Sortir de Calvi par la D 81B; après 4 km, prendre la route sur la gauche.

La promenade au milieu de chaos de granit réserve une **vue** remarquable sur la baie de Calvi.
- L'édifice fut construit au XIXe s. sur les restes d'une chapelle du XVe s.
On peut revenir à Calvi à pied (40 mn) par un sentier qui suit l'autre versant.

■ Le cirque de Bonifato

À une vingtaine de km de Calvi. Prendre la route de l'aéroport (D 81) et continuer par la D 251.

Entouré de hautes murailles de porphyre rouge, c'est le berceau de la **Figarella**. Les **aiguilles de Bonifato** offrent un intérêt remarquable pour la **randonnée** et **l'escalade.** Les crêtes de Bonifato séparent les forêts de Tartagine, de Carrozica et du Filosorma.
- La route mène au **col de la Bocca Rezza** (510 m). Superbe **panorama** sur les forêts et sur le Capu Lovu (1 637 m), le Monte Corona (2 134 m), la Mufrella (2 148 m), le Capu a u Ceppu (1 955 m).
- À la maison forestière, départ d'une **piste** qui longe la rivière Figarella, jusqu'à La Chiappada (1 h aller-retour). De l'auberge, on peut suivre la D 251 pour rejoindre le **GR 20** venant de Calenzana.

La Bocca di Tartagine (1 857 m)

Au nord-est de Bonifato.

Ce col relie les vallées de la Melaja et de Tartagine. Excursion longue mais facile. De l'auberge de la Forêt au col, 5 h de marche, du col à la maison forestière de Tartagine, 4 h.

La Spasimata e Mufrella

Au sud-est de Bonifato.

Un itinéraire classique du **GR 20** pour descendre sur le plateau de **Stagno** et la station du **Haut-Asco.**

- À **La Spasimata,** ruines de cabanes en pierre, un site très beau (4 h aller-retour) si l'on veut revenir à Bonifato. De La Spasimata, on arrive au pied de la **Mufrella** en 3 h 30 et, par la **Bocca a Culaja**, on descend sur la station du **Haut-Asco** en 2 h 30.

La Bocca di Bonasa

Au sud-ouest de Bonifato.

Promenade facile qui permet d'atteindre, au-delà du col, la **vallée de Marsolino**, la **Bocca di Lucca**, d'où l'on redescend sur Tuarelli, le hameau de Manso.

Lumio

À 10 km au nord-est de Calvi, par la N 197.

À 200 m d'altitude, entre Calvi et L'Île-Rousse, le village domine le golfe de Calvi. Grande église baroque, flanquée d'un campanile.

- Près d'une tour génoise en ruine, la **tour de Caldano.** Mme Dorothy Carrington, historienne anglaise fixée en Corse, y a découvert en 1959 une stèle de granit de 2,70 m de haut sur 1,20 m de large et 0,80 m d'épaisseur.
- À voir, près de Lumio, le « **pain de sucre** », un rocher qui doit son nom à sa forme semblable à celle du rocher de Rio de Janeiro.

L'église de San Petro e San Paolo

À 1 km à l'est de Lumio.

Elle est située au milieu d'un cimetière planté de cyprès. En façade, deux avant-trains de lions remployés.

- L'église, en granit rose, comporte une nef unique et une abside voûtée. Une décoration comparable à celle des églises romanes pisanes court sur les murs de l'abside. Au XVIIIe s., une voûte à pénétration a remplacé la charpente. Le sol est pavé de dalles funéraires.

Occi

À 2 km au nord de Lumio.

L'ancien village, abandonné au profit de Lumio, est en ruine. Autour de son église baroque dédiée à l'Annonciation se dressent encore les habitations désertées.

bonnes adresses

Restaurant *La Signoria*, route de la Forêt de Bonifato. À 5 km de Calvi par la route de l'aéroport. ☏ 04 95 65 93 15. Un chef bourguignon devenu amoureux de la Corse vous prépare des fricassées d'escargots à la crème d'herbe ou des croustillants de sardines au brocciu.

Hôtel *La Signoria*, route de la Forêt de Bonifato. ☏ 04 95 65 93 00. Une demeure de charme qui offre un confort raffiné, avec des chambres qui donnent sur le jardin.

▲ *L'église pisane de San Petro e San Paolo, en granit rose, date du XIe s.*

bonne adresse

Domaine Colombu. Chemin de San Petru, à l'entrée de Lumio en venant de Calvi. ☏ 04 95 60 70 68. Pour acheter du vin, un rouge solide, auprès du producteur.

▲ *À 200 m d'altitude, entre Calvi et L'Île-Rousse, le village de Lumio domine la plaine côtière et le golfe de Calvi.*

Le Filosorma

CARTE P. 141

SI de Galéria : carrefour des Cinq-Arcades. ☏ 04 95 62 02 27.

Cette vallée, qui s'étend de Galéria à la Bocca di Capronale, s'est formée par la force d'un petit fleuve, le Fango. Ses eaux dévalent des crêtes formant la barrière rocheuse qui sépare la vallée du Niolo et de l'Asco et que domine la silhouette de la Paglia Orba. Maquis et chênes verts de la forêt domaniale du Fango recouvrent la rive gauche du fleuve, tandis que la forêt du Filosorma s'étend sur l'autre rive. La vallée, profonde d'une douzaine de kilomètres, s'achève en une impasse. Par l'intérieur des terres, on entre dans la « Balagne déserte », abandonnée à la suite des incursions barbaresques des XVIe et XVIIe s.

▲ *La tour génoise de Galéria, édifiée au XVIe s., servait au contrôle du commerce du bois, exploité dans les forêts voisines et destiné à la fabrication des navires de la flotte génoise.*

▲ *Le golfe de Galéria offre une vue splendide sur les roches rouges de Scandola.*

■ Galéria

À environ 33 km au sud de Calvi. Sortir de Calvi par la N 197, tourner à droite dans la D 81 puis à droite dans la D 351.

C'est la fenêtre maritime du Parc naturel régional et du Filosorma. Cette échancrure dans la côte, bien que très peuplée en période estivale, est encore préservée d'une urbanisation ostentatoire et inadaptée. Jusqu'au milieu du XVe s., la région fut habitée de manière permanente et les terres utilisées pour le pacage hivernal des troupeaux. Les troubles et invasions du XVIe s. refoulèrent les habitants vers le Niolo, les terres furent alors désertées et annexées par la république de Gênes. Aujourd'hui à l'écart de la route du littoral reliant Ajaccio à Calvi, Galéria est une petite **cité balnéaire** qui conserve de riches **gisements préhistoriques**. Sa **plage de galets** est un point de départ **d'excursions en mer**. Les proches sommets offrent de belles **randonnées**.

- Le **Capo Porculicato** (408 m), à l'ouest de Galéria. Une crête mène au col, reconnaissable à un cône de pierre. La **vue** est magnifique jusqu'au sémaphore du Capo a u Cavallo, ainsi que sur une portion de la Paglia Orba.

■ Tuarelli

À l'est de Galéria sur la D 351.

Au hameau forestier, une petite route et un chemin remontent au nord-est le vallon d'un affluent du Fango. Au hameau de **Chiornia**, on franchit la **crête de Chiumi** (730 m) par la Bocca di Lucca. Par la vallée du Lucca, on gagne le **cirque de Bonifato**.

■ La maison forestière de Pirio

À 1,5 km après Tuarelli, à droite, la route conduit à 500 m à la maison forestière; plan de la forêt domaniale du Fango à la bifurcation.

- Par le vallon de **Perticato**, cette route puis un chemin montent sur 7 km à la **Bocca di Melza** (732 m), qui domine le golfe. Un chemin muletier redescend au sud

La forêt du Fango

C'est l'une des plus remarquables forêts de chênes verts du bassin méditerranéen. Elle a été placée dans la réserve de l'Unesco et constitue un important support de recherche sur la faune et la flore.

sur **Pinito** et **Serriera** (à 9 km du col), relié à la D 81 par une route de 1 km.

Manso

Continuer la D 351 et prendre une petite route à gauche.

C'est la seule commune de la vallée constituée de plusieurs hameaux étagés sur la montagne et répartis sur plus de 12 000 ha.

Bardiana

Poursuivre la D 351.

En face du confluent du Fango et du torrent de Taïta, qui descend de la Mufrella (2 148 m) par une gorge à travers la forêt du Filosorma.

- **À pied de Bardiana à la Bocca di Capronale** (14 km). De Bardiana par des chemins muletiers, il faut 6 h en remontant la vallée de Taïta pour atteindre les **bergeries de Taïta** (1 413 m).
- Le **pont de Lancone** (330 m), sur le Rocce. Après un lacet sur la droite, dans le ravin du ruisseau de Rocce, dominé à l'ouest par les immenses rochers du **Capo di a Media** (1 495 m), le chemin rejoint la vallée du Fango ; sur la rive droite, ruines de l'ancien **couvent Sainte-Marie**.
- Le **pont de la Ciatolosa** (492 m), sur le Fango ; montée en lacets au milieu de chênes verts.
- La **maison cantonnière d'Ometa** (693 m). Montée en pente très raide ; la dénivellation atteint 878 m entre le pont de la Ciatolosa et le col.
- **Bocca di Capronale** (1 370 m), d'où l'on peut gagner Caluccia ou Evisa.

La route côtière entre Galéria et Calvi

Cet itinéraire d'environ 27,5 km, par la D 81B, permet de découvrir un paysage magnifique de mer et de montagne.

- La **Bocca Bassa** (120 m), au pied de la **Punta Ciuttone** ; la vue s'étend en arrière sur le golfe et le village de Galéria dominé par le **Capo Tondo**, à l'est sur la **vallée du Fango** et l'immense **cirque de la Paglia Orba**.
- Le **Capo di l'Argentella** doit son nom à une ancienne mine de plomb argentifère.
- Sur l'emplacement de la **Torra Mozza**, tour génoise, le prince Bonaparte fit construire en 1852 un pavillon de chasse, aujourd'hui en ruine. À gauche, une route monte au **sémaphore** (2 km).
- Le **Capo a u Cavallo** (295 m) est une zone militaire. L'accès au sommet est interdit, mais la route qui y mène offre de beaux **points de vue**. Le **panorama** est immense : à l'est, le massif du Cinto, la Paglia Orba, le Tafonato dressent leurs cimes neigeuses au-dessus des forêts et des maquis.
- En poursuivant vers Calvi, la route offre l'un des plus beaux parcours de la côte occidentale, la **baie de Nichiareto**, l'**anse de Recisa** et la **pointe de la Revellata.**

▲ *Vue de la Punta Cataraghiu.*

▲ *Le Capo Mondolo (448 m), au nord de Galéria, domine la vallée de Crovani.*

▲ *Île de torrents et de rivières, la Corse recèle de nombreuses fontaines. Ici, celle du sémaphore de Capo a u Cavallo.*

▲ *La très belle plage de la baie de Crovani.*

Porto et les Deux-Sevi

Entre la presqu'île de Scandola et le Capo Rosso, la côte offre à la Corse, avec le golfe de Porto et les Calanche de Piana, ses paysages marins les plus étonnants. L'arrière-pays montagneux, splendide, permet de très belles excursions.

◄ *Le village de pêcheurs de Girolata.*

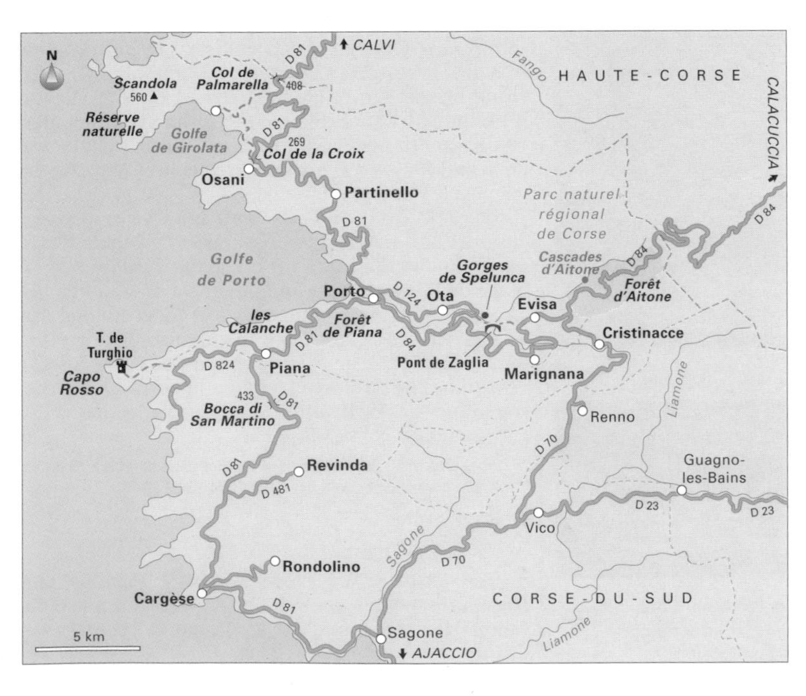

Du golfe de Porto au golfe de Girolata

La côte offre la vision de golfes encadrés de murailles déchiquetées. Ceux de Porto et de Girolata, séparés par la haute pyramide du cap de Senino, opposent leurs escarpements et leurs plongées vertigineuses vers la mer et ses eaux translucides.

CARTE P. 153

Office du tourisme : la marine. ☏ 04 95 26 10 55.

Centre de plongée du golfe de Porto : au port. ☏ 04 95 26 10 29.

Bureau d'information du Parc régional naturel, en saison : ☏ 04 95 26 15 14.

Promenades en mer d'avril à octobre dans la réserve de Scandola, à Girolata et au Capo Rosso : la compagnie Nave Va. ☏ 04 95 26 15 16.

La compagnie Porto Linea. ☏ 04 95 26 11 50.

► *Le golfe de Porto vu des Calanche.*

▼ *Niché au fond de la baie, Porto présente aux flots une tour génoise de base carrée (1549), classée par l'Unesco.*

▲ *Porto doit sa réputation à la beauté de son site. Ici, la marine.*

■ Porto

Ce n'est même pas une ville, tout juste un hameau de la commune d'Ota, qui se dépeuple l'hiver venu, pour ne compter le reste de l'année que 500 habitants, tous vivant du tourisme. Aujourd'hui cité balnéaire, elle est le point de départ idéal pour des **promenades en mer** ou des **randonnées pédestres** vers Girolata et la réserve de Scandola, ou encore au sud vers les Calanche de Piana et le Capo Rosso.

- Sortir de Porto par la D 81 vers le nord. La route passe en corniche à travers les roches rouges de l'**Aghia Campana**. Une petite route sur la gauche descend vers la **plage de Bussaglia**. Le contournement du **Capo Paolo** (262 m) offre un point de vue sur le golfe, dominé par les aiguilles noires du **Capo dei Signori**, les aiguilles rouges des Calanche et les porphyres du **Capo Rosso**.
- L'**aquarium de Porto** présente la faune et la flore aquatiques de l'île dans une douzaine de bassins : araignées, mérous et langoustes...

Sur la marina. **Ouvert en saison tous les jours de 11 h à 23 h. Ouvert hors saison de 10 h à 19 h.** ☏ **04 95 26 19 23.**

■ Partinello

Poursuivre la D 81. À 12,5 km de Porto.

Ancien village de bergers, au milieu des vignes et des oliviers, disposé en amphithéâtre dans l'échancrure d'un vallon. Une petite route (D 324) conduit à la **plage de Caspio**, dans une anse du golfe.

- **Curzu** est un petit village étalé le long de la route avec de très belles maisons en pierre.

■ Osani

Sur la D 81, prendre à gauche la D 424. À 9,5 km de Partinello.

Au pied du **Monte Castellaccio**, couronné par une enceinte préhistorique en pierres sèches, on note l'origine pastorale de l'occupation primitive dans l'organisation spatiale et architecturale des villages d'Osani et de Partinello, anciens hameaux de bergeries basses et relativement disséminées.
- Au début du siècle, Osani exploitait des mines de charbon. Lorsque l'on prend le bateau entre Porto et Girolata, on en distingue les tâches noires, qui assombrissent la couleur verte du maquis.

■ Le col de la Croix (272 m)

Reprendre la D 81.

Ouvert dans le promontoire du Monte Senino (619 m), qui sépare le golfe de Girolata au nord du golfe de Porto au sud, il offre une vue simultanée sur ces deux golfes opposés. Un sentier conduit à Girolata en 2 h.

■ Le col de Palmarella (374 m)

Poursuivre la D 81. À 11,5 km du col de la Croix.

Sur fond de murailles rouges de la Punta di Scandola et du Capo Senino, ce col offre une vue splendide sur le golfe de Girolata.
- Après un parcours en corniche dans la vallée de Parma, la route traverse les maquis du **Capo Ovaggia**, parsemés de plants de cotonniers sauvages qui fleurissent en septembre. On peut continuer sur la D 81 pour rejoindre la D 351 et le Fango.
- Du col de Palmarella, un chemin muletier conduit à **Girolata**.

■ Le golfe de Girolata

La plus belle découverte du site est sans conteste par la mer (de nombreuses excursions partent de Porto). Ce hameau de pêcheurs bâti sur un promontoire et adossé au maquis est réputé pour sa pêche à la langouste. On y accède par un chemin, depuis le col de la Croix ou le col de Palmarella. Son petit port et ses quelques pontons permettent aussi d'y accoster. Grotte à proximité. Possibilité de promenades dans le maquis. **Vue** splendide sur les aiguilles de porphyre rouge du Monte Senino (619 m).

▲ *La vue embrasse le golfe de Porto, dont le bleu sombre tranche sur le rouge des falaises.*

▲ *Très riche en eau, la Corse doit capter ses ressources, des grands barrages de l'intérieur à la typique fontaine de galets. Ici, sur la route de Porto à Partinello.*

◄ *Le minuscule village de Girolata est dominé par un beau fortin génois.*

Des formes aux noms étranges

Façonnées par le vent et l'érosion, ces roches de porphyre rouge ont parfois pris le nom de ce qu'elles évoquent : « L'évêque en position », « La tête de sorcière », « Le cigare », « La tête de chien ».

CARTE P. 153

Accès par la mer seulement, du mois d'avril au mois d'octobre, depuis Porto, Sagone, Cargèse ou Calvi.

La réserve naturelle de Scandola

Créée en 1976, la réserve de Scandola, site classé au titre du patrimoine mondial par l'Unesco depuis 1983, est le fleuron du Parc naturel régional de Corse. C'est aussi la plus ancienne réserve de l'île, qui présente l'originalité d'avoir une double vocation, terrestre et maritime, et une triple fonction : conservatoire, exploration, laboratoire. Sur un territoire de près de 2 000 ha, dont 919 ha sur terre et 1 000 ha en mer, la réserve est riche de sa spécificité géologique, de sa faune et de sa flore.

▲ *Les fameuses roches rouges de la réserve de Scandola.*
► *Les grandes falaises avec orgues dyolitiques.*

■ Une grande diversité géologique

La Corse possède un grand nombre d'affleurements de roches volcaniques, principalement localisés au nord-ouest et notamment dans la presqu'île de Scandola, dont les terrains dateraient d'environ 250 millions d'années. Le travail volcanique a donné à ce site un relief très particulier : coulées boueuses solidifiées, fissures profondes... Les *tafoni* creusent ou perforent les falaises. Les vallées profondes dépourvues de cours d'eau présentent des aplombs vertigineux et des reliefs déchiquetés, qui confèrent à la côte un aspect sauvage que vient rehausser le contraste des couleurs : le rouge de la roche, le bleu de la mer et le vert du maquis.

■ La flore

Le maquis recouvre la majeure partie de la réserve dont le sommet le plus haut, le **Capo Purcile**, culmine à 560 m. Malgré sa modeste superficie, la réserve présente une grande richesse floristique. À chaque étage de ce relief correspond une végétation spécifique, liée à l'exposition du terrain, à l'influence de la mer et de ses embruns. La végétation de bord de mer s'est adaptée à ce terrain rocheux et accidenté ; ainsi se sont développés la ciste marine ou l'arménie de Soleirol, que l'on ne trouve qu'en Corse, l'immortelle d'Italie, l'euphorbe des Pithyuses et le bec-de-grue corse ; le genêt corse peut devenir dominant à certains endroits. Les étages supérieurs voient apparaître le chêne, l'arbousier et la bruyère arborescente.

◀ *L'arbousier ou « arbre à fraises » règne en maître dans le maquis.*

■ Le milieu marin

Tel un iceberg, la majorité de la réserve de Scandola est sous-marine. Elle cache une flore et une faune d'une richesse exceptionnelle et notamment ces posidonies, une plante à fleurs dont les ancêtres vivaient sur terre il y a plus de 100 millions d'années. Elles se structurent en véritables prairies sous-marines et forment des herbiers producteurs de matières végétales indispensables à l'équilibre des fonds sous-marins. Des balisages en béton ont été placés à la limite inférieure de l'herbier pour qu'il puisse être étudié et photographié. Coraux, langoustes, gorgones, coquillages, poissons prolifèrent. Depuis des années, le comité scientifique de la réserve étudie le milieu marin, un espace préservé exempt des pollutions occasionnées par la proximité des centres urbains. Ce laboratoire grandeur nature permet de dresser un inventaire des formes vivantes et d'étudier les écosystèmes existants et leur dynamique. L'inventaire ichtyologique des eaux corses, c'est-à-dire le recensement des poissons, dressé par l'un des agents du Parc régional, a permis de répertorier 243 espèces qui, pour la plupart, existent dans la réserve. L'intérêt des observations déborde donc largement le cadre géographique de Scandola pour s'étendre à la Corse entière et à tous les pays de la Méditerranée nord-occidentale.

▲ *L'algue calcaire lythophyllum a la particularité de former des coussinets très durs et de construire ainsi, le long des rochers, des « encorbellements » en forme de trottoir.*

■ Une faune préservée

Les oiseaux marins sont par bien représentés, comme le cormoran huppé de Desmaret et le goéland leucophée. Les falaises abritent d'autres espèces nicheuses qui s'inscrivent parmi les plus rares et les plus remarquables de l'île : balbuzards pêcheurs, martinets pâles, goélands argentés, merles noirs et bleus, fauvettes à tête noire... La réserve de Scandola abrite toutes les espèces du maquis : renards, belettes boccamelles au ventre coloré et à la queue très longue, rats noirs et rats surmulots, et la presque totalité des formes de vertébrés endémiques de la Corse.

Du golfe de Porto au Capo Rosso

La masse torturée et déchiquetée des roches rouges des Calanche forme un paysage grandiose, unique en Corse.

CARTE P. 153

◄ *Sculpté par les éléments, le granit rouge des « Calanche » de Piana forme d'étranges figures de roc voisinant avec les pins laricio.*

▼ *Le golfe de Porto.*

Maupassant à Piana

Les formes torturées et étranges, presque humaines, des Calanche de Piana ont profondément impressionné Maupassant, qui les découvrit lors d'un voyage en Corse en 1880. Dans son roman Une vie, *il en fera ainsi la description : « C'étaient des pics, des clochetons, des figures surprenantes, modelées par le temps, le vent rongeur et la brume de mer. Hauts jusqu'à 300 m, minces, ronds, tordus, crochus, difformes, imprévus, fantastiques, ces surprenants rochers semblaient des arbres, des plantes, des bêtes, des monuments, des hommes, des moines en robe, des diables cornus, des oiseaux démesurés, tout un peuple monstrueux, une ménagerie de cauchemar pétrifiée par le vouloir de quelque dieu extravagant. »*

■ Les Calanche de Piana

Sortir de Porto par la D 81 vers le sud-ouest. À 7 km, chalet des Roches bleues, départ des promenades.

Burinées, déchiquetées par l'érosion, les Calanche, si bien évoquées par Maupassant, projettent leurs aiguilles et rochers de granit rouge à 300 m au-dessus de la mer. La route, creusée à même le roc, donne, dans ses aspects vertigineux, la mesure des lieux. Pour apprécier toute la grandeur du paysage de ce site classé d'intérêt mondial par l'Unesco, laisser la voiture au chalet des Roches bleues. Le site est également accessible par la mer, depuis Porto, Sagone ou Cargèse.

- Le **château fort** (1 h 15 de marche AR). Suivre le chemin jalonné de points bleus qui s'amorce sur la route de Porto. À 700 m du chalet, le sentier descend sur le versant de Porto, puis remonte au pied d'un énorme massif rocheux de forme carrée, situé sur la crête : c'est le château fort. De là, vue impressionnante du Capo Rosso au golfe de Girolata.
- L'**ancien chemin des muletiers** (1 h 30 de marche AR). Suivre la route de Piana jusqu'au petit **oratoire** de la Vierge, à gauche duquel on monte par un sentier (points bleus), assez raide, pour passer entre deux rochers. Suivre en corniche l'ancien chemin muletier. En se retournant, on découvre l'intégralité des Calanche et du golfe de Porto. À l'endroit indiqué, descendre à droite sur la route pour revenir au chalet en 20 mn.
- La **promenade de la corniche** (45 mn AR). Le chemin s'amorce à quelques mètres du chalet à droite en direction de Porto. Montée assez raide qui réserve une belle

vue sur les Calanche et sur le golfe de Porto. La promenade se poursuit à l'ombre des pins laricio.

■ La forêt de Piana

Promenade à pied à partir du chalet des Roches bleues.

Il y a le choix entre deux itinéraires pour aborder cette forêt.
- Aux abords du chalet, après avoir traversé la belle châtaigneraie, tourner à gauche vers Porto. On passe à côté de la **fontaine d'Oliva Bona**. Là commence la forêt de Piana peuplée de pins; le chemin aboutit sur la D 81 à 2 km du chalet.

- L'autre itinéraire consiste à prendre du chalet des Roches bleues, la D 81 en direction de Piana. Après 2 km, emprunter à gauche le **chemin de Vitullo**. Jalonné de points rouges, le sentier s'engage dans la forêt qui couvre les pentes de la Pianetta (973 m), du Capo d'Ortu (1 296 m) et de la Foce d'Ortu (989 m), sur laquelle subsistent les ruines du fortin où Jean-Paul de Leca et ses compagnons abritaient leur famille au temps des luttes contre les Génois. On gagne en 1 h 40 le col des Deux-Pins, d'où l'on peut grimper en 2 h au Capo d'Ortu : vue plongeante sur le golfe de Porto et les Calanche.

■ Piana

Syndicat d'initiative : place de la Mairie. ☏ 04 95 27 84 42.

Dans un environnement de granit gris contrastant avec le granit rouge des Calanche, les maisons blanches, en amphithéâtre, dominées par le joli campanile de l'**église Sainte-Marie** (XVIIIe s.), surplombent le golfe de Porto. Le village fait partie des plus beaux sites de France.
- À la sortie de Piana vers Cargèse, une petite route mène au **belvédère de Saliccio**.
- De la place de l'église, une route (D 624) descend en lacets jusqu'à la **marine de Ficajola**, en dégageant une vue magnifique sur les Calanche et le golfe de Porto. De la marine, on peut suivre la route jusqu'à **Vistale**, belle vue sur le golfe de Porto.

■ Le Capo Rosso

Continuer par la D 824, puis un chemin empierré. 3 h AR.

Le chemin mène à la **tour Turghio**, qui surplombe la mer de quelque 300 m. Il oppose la masse de ses contreforts rocheux aux eaux turquoises qui le baignent.
- La D 824 continue au sud vers la **plage d'Arone**, noyée dans le maquis et les roches rouges.

◄ *La vue de Piana sur le Monte Senino.*
▼ *Les rayons du soleil baignent les falaises du Capo Rosso.*

▲ *Un coucher de soleil sur la Punta Rossa.*

▲ *La découverte du Capo Rosso par la mer est saisissante.*

De Piana à Cargèse

CARTE P. 153

La route, parfois escarpée, se poursuit au-dessus des golfes et criques, assurant à chaque détour une perspective sur les côtes.

▲ *La Bocca San Martino, sur la route de Piana à Cargèse.*

▲ *Une statue-menhir sur la route de Rondulino.*

▲ *Appelée aussi la ville grecque, Cargèse offre un accueil particulièrement chaleureux.*

■ La Bocca di San Martino (429 m)

Sortir de Piana par la D 81 vers le sud.

Du sommet de ce col, belle vue en enfilade sur la vallée d'Arone, en partie masquée par le Monte Rao (727 m).
- Continuer la D81 et franchir le **pont de Chiumi**. 1 km après sur la gauche, prendre la piste difficilement carrossable qui grimpe à Revinda.

■ Revinda

Ce hameau pratiquement désert domine les golfes de Chiumi et Pero.
- À proximité, en partant d'un chemin à droite près de l'église, on retrouve le sentier « **Tra mare e monti** ». En empruntant ce sentier puis le premier chemin à droite, on gagne en moins de 15 mn le hameau en ruine de *E Case,* où seule subsiste une belle maison en pierre, refuge pour les randonneurs, hameau réhabilité par le Parc naturel régional de la Corse. À l'aplomb de Revinda, l'une des plus hautes **cascades** de Corse, sur le ruisseau de Sulleoni.
- Reprendre la D 81. Au **pont de Fornellu,** une stèle rappelle la mission du sous-marin *Casabianca,* qui débarqua le 14 décembre 1942 sur la plage de Topidi.
- Après le pont, une route sur la droite permet de rejoindre la grande **plage** de sable fin de **Chiumi**. Sur la pointe d'Orchino, tour génoise.
- Pour rejoindre Cargèse, on peut emprunter la D 81 ou la route goudronnée qui longe la plage de Pero, gardée par la tour génoise, sur la Punta d'Omigna.
- En tournant avant Cargèse dans la D 181 à gauche, on rejoint le hameau de **Rondulino**, où subsistent quelques-unes des maisons de **Paomia**, premier établissement de la colonie grecque. Entre Cargèse et Paomia, ruines du **couvent Saint-Martin** et de l'**église Saint-Jean** (XIIe s.).

■ Cargèse

Office du tourisme : ☎ 04 95 26 48 80.
Promenades en mer : le Girolata, ☎ 04 95 28 04 93 ou 04 95 26 44 43. Le Grand Bleu, ☎ 04 95 26 40 24. Le Vénus des Îles, ☎ 04 95 26 41 72.

Construite sur une avancée granitique entre le golfe de Pero au nord et le golfe de Sagone au sud, Cargèse est l'un des villages les plus récents de l'île. Les façades blanches des maisons se massent autour de deux églises, l'une grecque, l'autre latine, se faisant face, témoins de l'histoire de sa fondation. En 1676, des Grecs fuyant le

Péloponnèse et la tyrannie turque sont accueillis par la république de Gênes et installés sur les côtes entre Sagone et Porto. Chaque famille, en échange de sa fidélité, reçoit protection et terre. Ainsi naîtra le village de Paomia, à quelques kilomètres de Cargèse. Les Corses vont rapidement refuser ce voisinage, spoliant ces nouveaux arrivants de leurs terres. Réfugiés entre 1732 et 1774 à Ajaccio, les Grecs y laisseront une chapelle – la chapelle des Grecs – sur la route des Sanguinaires. En 1774, dans cette Corse devenue française, Cargèse sera fondée par le comte de Marbeuf. 110 familles s'y installeront, certaines restant à Ajaccio. Aujourd'hui, Cargèse la Grecque est devenue corse, abandonnant sa langue et ses coutumes. Seuls quelques patronymes rappellent l'origine hellénique du village. Catholiques orientaux et catholiques latins s'unissent dans la même prière, puisqu'il n'y a qu'un seul prêtre pour les deux communautés. La messe est dite tour à tour dans l'une des deux églises suivant le rite qui lui est propre. Les deux chorales ont fusionné et chantent alternativement en grec et en latin.

- L'**église grecque** (seconde moitié du XIXe s.). Quittant leur pays au XVIIe s., les Grecs avaient emporté avec eux des icônes, qui ornent aujourd'hui l'église. Dans la plus pure tradition byzantine, celle de saint Jean-Baptiste ailé (XVIe s.) est traitée dans des tons bleus, verts et gris.
- L'**église latine** (début XIXe s.) renferme un tableau ancien : la Vierge et sainte Élisabeth avec l'Enfant et saint Jean Baptiste.
- Cargèse est le point de départ de **croisières** vers Girolata, la réserve de Scandola, le Capo Rosso, pour la journée ou la demi-journée, d'avril à octobre.
- Sortir de Cargèse par la D 81 en direction de Sagone. La route longe la **plage de Stagnoli**. À la **Punta di Trio**, vue sur le golfe de Sagone et le Capo di Feno au sud ; sur la pointe de Cargèse couronnée d'une tour ronde au nord-est ; sur le Cirnarca et les collines de Calcatoggio au sud-est.

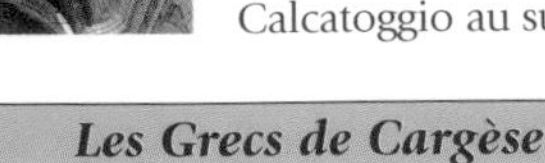

Les Grecs de Cargèse

Paomia est l'un des seuls vestiges de la première implantation de cette colonie grecque de 700 personnes. Dès leur arrivée, ces exilés recevront de la république de Gênes des hectares de terre à cultiver, des aides pour s'installer et du matériel agricole. Rapidement, les Corses vont s'estimer spoliés de leurs terres. Ils les chasseront de Paomia puis le village sera détruit et incendié.

Les Fêtes de Pâques sont célébrées, à Cargèse, selon le rite orthodoxe. Au cours d'une procession, le lundi de Pâques, une sainte icône est promenée dans les rues du village, tandis que l'archimandrite bénit les maisons.

▼ *L'icône de saint Jean-Baptiste ailé (XVIe s.), dans l'église grecque de Cargèse, est signée d'un moine du mont Athos.*

◄ *L'église latine de Cargèse est décorée en trompe-l'œil.*

▲ *L'église latine de Cargèse.*

Les Deux-Sevi

CARTE P. 153

À l'est de Porto, entre Balagne au nord et Deux-Sorru au sud, la région des Deux-Sevi forme un triangle ouvert sur la mer, dont la pointe est marquée par le col de Vergio. Zone vallonnée, mais aussi parfois montagneuse, la région plantée de châtaigniers, d'oliviers et de vignes a développé une économie agricole basée sur l'élevage.

▲ *Le village d'Ota a conservé des maisons à escalier extérieur, caractéristiques de l'architecture de cette région.*

■ Ota

À 4,5 km à l'est de Porto par la D 124.

Bâti en amphithéâtre au pied des murailles roses et rouges du Capo d'Ota (1 220 m), le village est un lieu très fréquenté. Situé sur le passage du sentier « **Mare e Monti** », il est le point de départ de nombreuses **excursions.**
- À 2 km, sur la route d'Evisa, on voit en contrebas le vieux **pont de Pianella**.

■ Le Capo San Petro

Un sentier balisé conduit à ce sommet au départ d'Ota et de Serriera.

Au-dessus d'Ota et tout près des crêtes de la basse Lonca, le Capo San Petro est situé à proximité des deux séchoirs à châtaignes de **Pedua**. Au sommet, l'un des plus beaux **panoramas** sur tout le golfe de Porto.

■ Les gorges de la Spelunca

6 h de marche AR.

Au départ d'Ota, suivre le cours de la Spelunca sur la rive gauche et franchir les deux ponts d'Ota, lieu de confluence des torrents d'Aïtone et de la Lonca. Spectacle superbe sur le Capo Orto, l'envers des *Tre Signori* (qui dominent la marine de Porto) et les *Cacioni*, murailles dentelées qui barrent la rive gauche de la Lonca. Plus bas, les forêts de pins laricio et de châtaigniers entourent les bergeries de **Corgola** et **Larata**. On arrive en 5 h au fond du magnifique **cirque de la Spelunca**, dominé par une somptueuse pyramide rouge hérissée d'aiguilles.
- Au confluent de l'Aïtone et de la rivière de Porto, le **pont génois de Zaglia**, en forme de dos d'âne, privé de parapet et dallé, est classé monument historique.
- Remonter vers **Evisa** par un ancien chemin muletier, puis longer le précipice au fond duquel coule le torrent; on arrive à l'extrémité du mur du cimetière d'Evisa.

▲ *Des cimes impressionnantes au-dessus des gorges de la Spelunca.*

■ Evisa (830 m)

Maison d'information du Paesolu d'Aïtone. ☏ **04 95 26 23 62.**

Sur la D 84, à environ 23 km de Porto (par Ota).

Établi sur un promontoire rocheux entre la vallée supérieure de la rivière de Porto et le ravin du ruisseau d'Aïtone, le village d'Evisa est le point de départ de nombreuses excursions et du ski de fond l'hiver.

Le Belvédère (975 m)

À 2 km au nord-est d'Evisa. 2 h de marche AR.

Suivre la route du col de Vergio sur 3 km et prendre à gauche un sentier qui serpente dans les pins. **Vue** saisissante sur un chaos de rochers rouges.

La cascade et le moulin d'Aïtone

À 4 km au nord-est d'Evisa. 2 h AR.

Sur la route du col de Vergio, prendre le premier chemin forestier qui se détache sur la gauche, au-delà de la bifurcation de la route de Vico. Ruines du moulin d'Aïtone à côté d'une cascade. Le site est très beau.

- La **forêt d'Aïtone**, la plus belle forêt de Corse, domine le golfe de Porto et les gorges de la Spelunca. 2 400 ha peuplés pour la moitié de pins laricio, mais aussi de hêtres, de sapins et de chênes verts. La forêt occupe le centre d'un cirque de hautes montagnes, dominé à l'est par le Capo di Melo (1 564 m) et le Capo a la Ruia (1 715 m), à l'ouest par le Capo Ferolata (993 m), au nord par le Capo a la Cuccula (2 049 m).
- La masse rocheuse du **Capo Turnatoio** (947 m) ferme l'horizon à l'est d'Evisa. **Vue** sur Evisa, les gorges d'Aïtone et de Porto jusqu'à la mer, la forêt d'Aïtone jusqu'au col de Vergio, et à l'est sur les cimes du Niolo.

Bocca di Salto, Bocca di Cocavera, Bocca di Capronale

Au nord d'Evisa. 5 h de marche par chemins et sentiers.

À partir d'Evisa, suivre sur 4,5 km la route du col de Vergio jusqu'à la maison forestière d'Aïtone. Derrière la maison, prendre un sentier qui s'élève pour rejoindre au nord-ouest la route charretière de la forêt de Lindinosa. En 1 h, on atteint la **Bocca di Salto** (1 350 m), dominée au sud-ouest par le Capo a la Scalella (1 487 m).

- Le chemin remonte au nord le vallon d'un torrent descendu de la Bocca di Cocavera, en traversant les pins laricio de la **forêt de Lindinosa** (695 ha).
- Après 2 h de marche, on arrive à la **Bocca di Cocavera** (1 833 m). Superbe **panorama** sur la mer, de la région comprise entre Galéria et Piana. Du col, le chemin descend vers la profonde vallée de Lonca. On rejoint à droite le chemin muletier du Niolo et on monte au col par des lacets assez raides.
- De la **Bocca di Capronale** (1 370 m), on peut regagner Calacuccia par la Bocca di Guagnerola, belle excursion.

Cristinacce

À 6 km au sud-est d'Evisa, sur la D 70.

Perché en terrasse, entouré d'énormes châtaigniers, c'est l'exemple type d'un village montagnard avec ses vieilles maisons de granit construites parfois à même le rocher. Escaliers extérieurs, belles voûtes, linteaux.

▲ *Le vieux pont de Pianella, bâti par les Génois, est formé d'une magnifique arche.*

▲ *Porte de la forêt d'Aïtone, Evisa, noyée dans de magnifiques châtaigniers, est considérée comme la « perle de la Corse ».*

▲ *Les mouflons s'adaptent au relief accidenté de la Corse. Ici, dans les gorges de la Spelunca, un canyon creusé dans les roches rouges par les eaux de l'Aïtone, de la Lonca et de Porto.*

Le Liamone

Le golfe de Sagone est l'un des plus grands de Corse. Il s'ouvre entre celui d'Ajaccio, au sud, et celui de Porto, au nord. Dans son arrière-pays pittoresque, le Liamone, on découvre de très beaux paysages.

◀ *L'ancien sentier du village de Muna.*

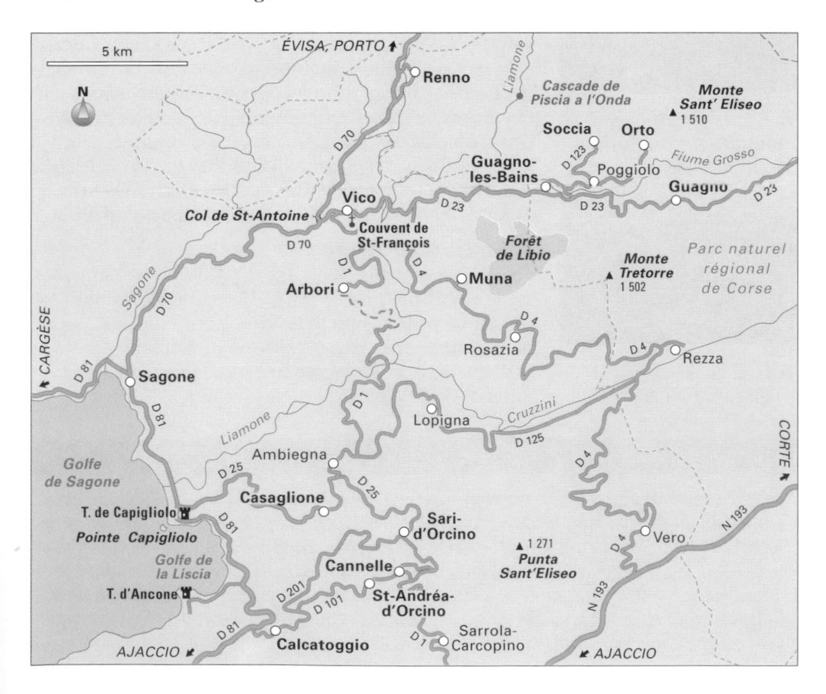

Sagone

CARTE P. 165
À 13 km à l'est de Cargèse par la D 81.

Office du tourisme : la Playa Riniccio. ☏ 04 95 28 05 36.

Promenades en mer : le Girolata. ☏ 04 95 28 02 66.

Le Vénus des Îles : ☏ 04 95 26 41 72.

Centre subaquatique de Sagone : hôtel Cyrnos. ☏ 04 95 28 00 01.

Les trois fleuves, la Sagone, le Liamone et la Liscia, ont, au fil des années, ensablé la baie pour y créer ces vastes plages de sable qui font aujourd'hui la joie des vacanciers. Derrière le port de plaisance et la cité balnéaire se cachent les vestiges de la plus ancienne cité de Corse.

▲ *Vestiges des thermes romains près de Sagone.*

▲ *Les vestiges de l'ancienne cathédrale romane dédiée à Sant'Appiano.*

▲ *Le golfe de Sagone vu du port du même nom.*

Un site très ancien

Des fouilles ont révélé une occupation préhistorique. Deux statues-menhirs ont été découvertes à quelques kilomètres en amont du fleuve Sagone. La première, haute de 2,19 m, dite *Sagone I*, a été décrite par Mérimée. La seconde, dite *Sagone II*, de 1,65 m, a été remployée dans un mur de l'ancienne cathédrale romane (XIIe s.). Sur la rive droite de l'embouchure de la Liamone, les ruines de cette cathédrale dédiée à Sant'Appiano (XIIe s.), érigée sur l'emplacement d'un précédent édifice remontant d'après les fouilles au IVe ou au Ve s., témoignent de l'importance de cette cité. Siège d'un évêché dès le IVe s. – l'un des six évêchés de Corse –, Sagone comptait dans son diocèse onze *pieve*. Au XIIe s., son évêque était suffragant de l'archevêque métropolitain de Pise. On ignore le chiffre de sa population à l'époque. Les incursions barbaresques et le développement de la malaria furent les deux principales causes de son déclin. Brûlée et pillée, il n'en restait, au XVIe s., que des ruines. En 1572, le pape Grégoire XIII fit transférer le siège de l'évêché à Vico et, en 1625, Urbain VIII décida de son établissement à Calvi.

■ La cité balnéaire

Les **plages** de sable de la baie font de Sagone une plaisante cité balnéaire. Le golfe de Sagone est le point de départ de **promenades en mer**, pour la journée ou la demi-journée, d'avril à octobre, permettant de découvrir le Capo Rosso, la réserve de Scandola, Girolata et les Calanche de Piana.

La légende des trois fleuves

La légende veut que trois frères, Liamone, Golo et Tavignano, partageaient le même berceau et souffraient du froid dans les hautes montagnes de l'arête centrale. Un jour, ils se jurèrent de se réchauffer en se jetant dans la mer. Golo et Tavignano y parvinrent rapidement. Liamone, ralenti par les roches granitiques, peinait. Contre le serment de lui livrer chaque année une âme, le diable vint à sa rescousse. Les anciens racontaient que tous les ans lui ou l'un de ses affluents, la Catena, le Fiume Grosso ou le Cruzini, s'acquittait du tribut. La légende évoque bien le débit capricieux, parfois rachitique ou impétueux, de ce fleuve et de ses affluents.

Les Deux-Sorru

CARTE P. 165

La vallée du Liamone et les hautes collines situées entre celle-ci et le fleuve Sagone constituent la région qui s'ouvre sur le golfe de Sagone. Au centre, le bassin de Vico est dominé par la crête de la Sposata ; en amont, plusieurs villages, vivant d'élevage et de culture, se sont implantés dans les vallées secondaires du haut Liamone. De nombreuses excursions sont possibles.

■ Le col de Sevi

Au sud-est de Porto, au nord-est de Sagone.

Après avoir traversé les châtaigneraies d'Evisa et de Cristinacce (à égale distance de Porto et de Sagone, 28,5 km et 27,5 km), en venant de Porto, on arrive au **col de Sevi** (1 094 m), qui fait communiquer le bassin du Liamone avec celui du fleuve Porto.

■ Renno

4 km après le col de Sevi en direction de Vico, prendre la route à gauche (1,5 km).

Niché au milieu de châtaigniers, de noyers, de chênes et de vergers de pommiers, à 900 m, le village produit avec celui de Bastelica et de Lota les meilleures pommes reinettes de Corse. Il a développé un tourisme vert et dispose de gîtes ruraux.

- Rejoindre la D 70 qui descend vers le col Saint-Antoine, **vue** sur le cirque de Vico. Après 6 km à gauche, prendre la D 156 en corniche aérienne. Sur le territoire de **Letia**, l'**Arca di a Catena**, dalle de granit convexe, est une curiosité naturelle, longue de 50 m, large de 10 m, reposant sur d'énormes piliers.

■ Le col Saint-Antoine (496 m)

Poursuivre la D 70.

Vue au sud-ouest sur la vallée de Sagone et la mer ; à l'est sur le bassin de Vico entouré de coteaux plantés de vignes et d'arbres fruitiers, la vallée du Liamone dominée par **la Sposata** (1 429 m) et au loin par le **massif du Rotondo**. Au sud, la **Punta a la Cuma** (904 m). La D 56 d'Appriciani à Coggia permet de voir de très beaux paysages.

■ Vico

Sur la D 70, à 13 km au nord-est de Sagone.

Jusqu'au XVIIe s., Vico fut une cité fortifiée. En 1572, Grégoire XIII autorisa l'évêque de Sagone à s'installer à Vico. À l'époque où le Liamone était un département, elle abrita une éphémère sous-préfecture.

- Le **couvent de Saint-François** (1 km à l'est de Vico sur la D 1) compte parmi les nombreuses institutions érigées

▲ *Au-dessus de la vallée du Liamone, Vico est nichée dans un bassin tapissé d'oliviers et de châtaigniers.*

Le 1er week-end de février a lieu « A Tumbera », la foire traditionnelle du porc, à Renno.

Berceau de la presse corse

C'est de l'ancien canton de Vico que sont originaires les pères fondateurs de la presse d'expression corse. Le plus ancien, Santu Casanova, d'Arbori, créa en 1895 le bimensuel A Tramuntana, *qui parut jusqu'en 1914. Petru Rocca fonda en 1920 le trimestriel* A Muvra *(le mouflon), qui parut jusqu'en 1939. La revue annuelle* A Crispa *(le fusil à silex) fut créée par Xavier Poli, de Letia, et parut en 1914.* L'Annu Corsu, *sortie de 1923 à 1936, fut créée par Paul Arrighi, de Renno.*

Le couvent de Saint-François, près de Vico, propose des retraites. Renseignements ☏ 04 95 26 83 83.

▲ *La tradition veut que le Christ en bois (1481) du couvent de Saint-François soit le plus ancien de Corse.*

▲ *Le clocher de l'église, à Murzo.*

▲ *Les eaux de Guagno-les-Bains sont célèbres depuis le XVIe s. Elles soignent fatigue, insomnies et rhumatismes.*

en Corse par les franciscains. Il sera reconstruit au XIXe s. par Mgr Casanelli d'Istria, qui fit appel aux oblats de Marie Immaculée. Ceux-ci le transformèrent en résidence d'été liée à leur séminaire ajaccien. Bannis en 1905, ils revinrent en 1935. Outre sa vocation religieuse, le couvent assume le rôle d'animation avec l'association « Les Amis du couvent », organisant débats et conférences.
- **Bologna** (à 3 km au nord-ouest de Vico) est un beau village de montagne.

■ Guagno-les-Bains (480 m)

À 12,5 km à l'est de Vico, sur la D 23.

Très jolies vues sur le village de **Murzo**, dominé par la Sposata. La route, surplombée par les escarpements de la Punta di Porcilelle, descend dans la vallée du Fiume Grosso.
- À l'origine de cette **station thermale**, deux sources : l'*Occhio*, avec une eau à 37 °C, utilisée autrefois pour soigner les maladies des yeux, de la gorge et du larynx; la source *Venturini* (49 °C), exploitée par l'établissement thermal doté des installations les plus modernes, traite les rhumatismes et l'hypertension.

■ La cascade de Piscia a l'Onda

Au nord de Guagno-les-Bains. 1 h 50 en montée, 1 h 10 en descente.

De Guagno-les-Bains, descendre au Fiume Grosso, le franchir pour suivre à gauche le chemin qui en longe la rive droite. Après 30 mn, franchir le Liamone juste au-dessus de son confluent avec le Fiume Grosso.
- Passé le pont, suivre pendant 10 mn le chemin muletier de Letia, jusqu'à la rencontre à droite d'un sentier qui remonte, vers le nord, la rive droite du ravin du Liamone. Gravir la colline droit au nord au-dessus du Liamone. On arrive à la cascade formée par les eaux du Liamone.
- En redescendant vers Guagno-les-Bains, beau **panorama** sur la vallée de Guagno, le cirque de montagne de la forêt de Libio et la Sposata, sur la vallée du Liamone au-delà de Murzo.

■ Le Monte Tretorre (1 502 m)

Au sud-est de Guagno-les-Bains. 5 h à la montée, 4 h en descente.

Suivre la route de Guagno sur 1 km et prendre à droite un chemin qui gravit au sud les pentes de la forêt de Libio. En 3 h, on atteint la **Bocca a Forca**, col ouvert entre le Monte Tretorre au nord-est et le Monte Cervello au sud-ouest. Vue sur les vallées du Fiume Grosso et du Cruzini. Du col, on monte en 2 h au sommet. Il est composé de trois rochers en forme de tours unies entre elles. Celui de l'ouest est inaccessible. Il faut escalader celui du nord, le moins élevé, d'où l'on monte au sommet est. Beau **panorama**, du nord-ouest au sud, sur les golfes de Porto, de Sagone, d'Ajaccio et du Valinco.

■ Soccia (630 m)

À 6,5 km au nord-est de Guagno-les-Bains, par la D 323 et la D 123 à Poggiolo.

Le village est bâti en amphithéâtre sur un éperon rocheux, au pied du **Capo alle Pantane** (1 087 m). Il offre une belle **vue** sur le bassin de Guagno et la vallée du Fiume Grosso.

- Du village, on peut monter en 2 h à pied au **lac de Creno**, situé au nord du Monte Sant'Eliseo. À cause de son altitude plus basse que les autres lacs glaciaires (1 350 m), il est le seul à être bordé de pins laricio. Dans les années 1950, la tentative pour rehausser le niveau du lac par un barrage eut l'effet désastreux de noyer les racines, provoquant la mort de ces arbres. En 1987, le Parc régional a corrigé le niveau du lac, modifiant le déversoir, et le plan d'eau fut nettoyé. Aujourd'hui, le lac a retrouvé son équilibre, symbolisé par la présence de la droséra, plante carnivore habituée des pozzines.
- En continuant le chemin vers le nord-est on atteint la **Bocca d'Acqua Ciarnente** (1 571 m), point de passage du **GR 20** qui donne accès à la haute vallée du Tavignano.

■ Orto et le Monte Sant'Eliseo

Revenir à Poggiolo et prendre la D 223 vers l'est. À 6 km au nord-est de Guagno-les-Bains.

Vue sur la forêt de Libio. Orto surplombe la muraille du **Monte Sant'Eliseo**, belle **vue** sur la vallée du Fiume Grosso. L'ascension pédestre du mont, assez rude, se fait en 2 h 30.

■ La forêt de Libio

Elle étend ses 1 212 ha de pins maritimes et de pins laricio sur les pentes escarpées de la Punta di Porcilelle (1 429 m), de la Punta Reginosa (1 495 m), du Monte Cervello (1 624 m) et du Monte Tretorre.

■ Guagno

Revenir sur la D 23 et la poursuivre vers l'est.

Sis sur une terrasse au-dessus de la rive droite de l'Albelli, au milieu des châtaigniers, des bois de chênes blancs, des pins laricio et des mélèzes. C'est le point de départ de nombreuses **excursions**.

- Un chemin muletier rejoint au nord-est la haute vallée du Fiume Grosso. De là, un chemin remontant un vallon latéral au nord peut conduire à la bergerie de **Belle e Buone** et à la **Bocca alla Soglia** (2 029 m), point de passage du **GR 20**. Possibilité de descendre sur le **lac de Melo** et la **vallée de la Restonica**. Si l'on poursuit la montée de la vallée, on parvient, par la bergerie de **Caracuto**, à la **Bocca Manganello** et au **GR 20**, non loin du refuge de Pietra Piana.

bonne adresse
à Bologna

Café Paoli, place Casanelli-d'Istria. ☏ 04 95 26 61 01. Un bistrot qui a ses habitués. La liqueur de myrte est faite maison. Installé à la terrasse, on se restaure avec un sandwich à base de salcicciu, de prisuttu ou de coppa.

▲ *Une Vierge à l'Enfant, triptyque sur bois de la fin du XVᵉ s., orne l'église de Soccia.*

Bandit par hasard

Le tirage au sort d'un mauvais numéro qui devait l'envoyer au service militaire fit de Tiadore Poli le plus célèbre des bandits corses. Soupçonné de vouloir déserter, il fut emprisonné, tua son gardien, s'évada et devint sous le règne de Charles X un défenseur de l'indépendance corse. D'une troupe de bandits, il fit une armée, se fit nommer « roi de la montagne », ayant droit de vie et de mort sur ses sujets, obligeant le clergé et les notables à lui payer un impôt. Le gouvernement dut lever un corps spécial pour se débarrasser de cette armée et Poli fut tué en 1827 dans un guet-apens.

Le Cruzini-Cinarca

CARTE P. 165

Un canton à deux profils : à l'est, le Cruzini, vallée transversale isolée, enclavée et encadrée de monts à flancs abrupts, est une région d'élevage. À l'ouest, la Cinarca est entourée de crêtes rocheuses correspondant au bassin de la Liscia. C'est une région de vergers, de vignobles et d'oliviers. Cette terre prospère fut le fief de la puissante famille des comtes de Cinarca.

► *À 4,5 km au sud-est d'Arbori, sur la D 1, d'énormes rochers ruiniformes plongent à pic dans la vallée du Liamone.*

Terre des seigneurs

Dans ce Moyen Âge mouvementé, alors que Pisans et Génois se disputent la possession de la Corse, Sinucello della Rocca, allié des Pisans, va imposer son autorité sur une grande partie de l'île. Son sens de la justice et son impartialité lui valent rapidement le surnom de *Giudice* : « le juge ». En 1264, il convoque des seigneurs à une assemblée consulaire et institue un système rudimentaire de gouvernement. La reprise de la guerre entre Pisans et Génois, soutenue par une grande partie de la noblesse insulaire, va conduire à la défaite définitive de Pise; Sinucello, repoussé jusque dans son fief du Sud-Ouest, est abandonné par les siens. Âgé de plus de 90 ans, ayant presque perdu la vue, il est trahi par l'un de ses fils et livré à Gênes. Il meurt dans un cachot de la Malapaga. Dorothy Carrington, écrivain et historienne, verra dans ce personnage un véritable héros shakespearien : « Un mélange de sensualité et de sadisme, d'ambition et de vengeance, qui aurait pu fournir la matière de grandes tragédies. »

▲ *Le golfe de Sagone.*

■ Le pays de Cinarca

À proximité du couvent Saint-François à l'est de Vico, prendre la D 1 en direction d'Arbori.

Cet itinéraire pittoresque conduit de Vico à la côte par Sari-d'Orcino. La route est splendide et se transforme le plus souvent en chemins.

- On passe **Arbori**. De là, l'ancien sentier du village de **Muna** descend jusqu'au Liamone et remonte en lacets serrés.
- Sur la D 1, sur un massif rocheux, on verra les ruines du **château des Leca**, qui joua un rôle important dans les guerres de faction du Moyen Âge.
- On traverse le Liamone au **pont de Truggia**, 6 km plus loin.
- À l'embranchement, on peut prendre à gauche la D 125 en direction de **Lopigna**, le long du Cruzini, ou

▲ *La tour d'Ancone, dans le golfe de Sagone, avait pour fonction, comme la plupart des tours génoises, de prévenir de l'approche des assaillants.*

poursuivre la D 1 vers **Ambiegna**, en contournant le bassin de la Liscia.

■ Sari-d'Orcino

Entouré de collines couvertes d'oliviers et de vergers, ce village, constitué de deux hameaux, est le berceau de la famille des seigneurs della Rocca. Il conserve une architecture caractéristique de cette région, des maisons aux hautes façades de pierre assorties de porches. L'**église** romane San Marino a été profondément remaniée. De la terrasse de l'église, belle **vue** sur le golfe de Sagone.
- À l'ouest, les **vestiges** de l'ancienne piévanie San Giovanni Battista (XIIIe s.), classée monument historique. Remarquer l'abside et l'appareil de granit jaune.
- Après le **pont de la Mucchiettina** sur la Liscia, prendre à droite la D 101. **Vue** étendue sur la Cinarca, le golfe de Sagone et Cannelle, l'une des plus petites communes de l'île. Certains y localisent l'oppidum décrit par Ptolémée sous le nom de Canelata.

■ Calcatoggio

À 23 km au sud-ouest de Sari-d'Orcino, sur la D 101.

Le village domine en balcon le golfe de la Liscia, encadré par deux tours génoises, au sud celle d'**Ancone**, au nord celle de **Capigliolo**.

■ Tiuccia

Prendre à droite la D 81.

En poursuivant le long du rivage, on parvient à cette petite **station balnéaire**. À proximité, les ruines du **château de Capraja**, ancienne demeure des comtes de Cinarca, dominent une belle plage de sable.

■ Casaglione

Avant l'embouchure du Liamone, prendre à droite la D 25.

L'**église** romane possède un tableau franciscain, la *Crucifixion et saint François*, daté de 1505, ainsi qu'une Vierge, également du XVIe s.
- À proximité du village sur le **Monte Lazzo**, importants **gisements** du néolithique à l'âge de fer. On y a découvert 300 cuvettes de broyage et de polissage. À côté, voir le **dolmen de Tremaca**.
- Jusqu'à Sagone, la route est bordée de **plages** de sable.

bonne adresse
à Sari-d'Orcino

Clos d'Alzeto. ☎ 04 95 52 24 67. Le plus haut vignoble de Corse. Un grand terroir. À découvrir, l'original « vieux rosé », disponible 2 ans après la cueillette.

▲ *Le Liamone est parsemé de chemins muletiers qu'empruntaient autrefois les bergers.*

▲ *Muna est l'un des plus beaux cadres villageois de toute la Corse.*

Le tigre de la Cinarca

Moine à Bonifacio, déguisé en femme à Calvi, aperçu en Sardaigne ou en Espagne, André Spada, né à Lopigna, fut l'un des derniers « bandits corses ». Un individu insaisissable, surnommé le « tigre de la Cinarca », auréolé de légende, prélevant dîme et rançon à la pointe de son fusil. Il recevait les journalistes dans son « palais vert » du maquis de Cruzini et n'hésitait pas à déclarer, à l'annonce d'une expédition contre le banditisme : « Ce n'est pas trop tôt que la Corse soit débarrassée de ces sales bandits. » Il sera guillotiné à Bastia en 1935.

Ajaccio et son golfe

À la ville du Levant qu'est Bastia, répond celle du Couchant qu'est Ajaccio. Les deux grandes villes corses sont aux deux extrêmes, différentes et semblables, rivales et complémentaires. Blottie au fond de son golfe, l'un des plus grands de Corse, Ajaccio est la ville de l'empereur, elle en a la prestance et elle en garde le souvenir.

◄ *La Punta di a Parata.*

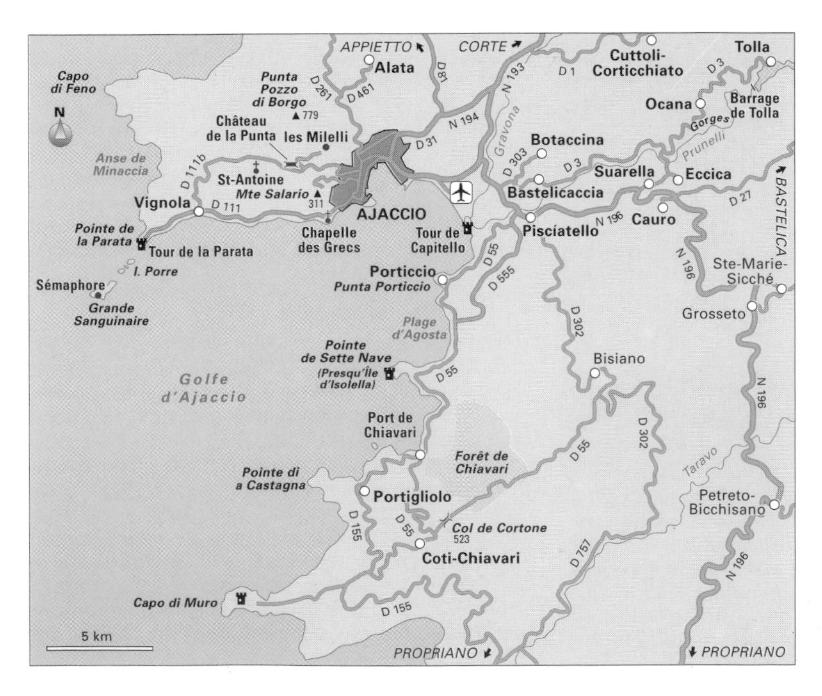

CARTE P. 173

Office du tourisme : 3, bd du Roi-Jérôme. ☏ 04 95 51 53 03.

Maison d'information du Parc naturel régional de Corse : 2, rue du Sergent-Casalonga. ☏ 04 95 51 79 00. Site internet http://www.parc-naturel-corse.com.

Aéroport d'Ajaccio, à 6 km ☏ 04 95 23 56 56.

Gare ferroviaire : place de la Gare. ☏ 04 95 23 11 03.

Gare routière et gare maritime : quai l'Herminier. ☏ 04 95 51 55 45.

▲ *Ajaccio est avant tout une ville maritime. Ici, le vieux port.*

Le 5 mai, commémoration de la mort de Napoléon.

Le 2 juin : fête de la Saint-Érasme, patron des pêcheurs, qui donne lieu à des messes, des processions à travers les rues et la bénédiction des bateaux.

Les Musicales d'Ajaccio ont lieu la 1re quinzaine de juillet.

Fin juillet, les Estivales d'Ajaccio.

Le 15 août, fêtes napoléoniennes.

Tous les jeudis en été, à 19 h, place Foch, relève de la garde impériale.

Un bilan climatique très positif

Le beau temps coïncide avec le vent du nord, les vents d'ouest amènent la pluie, mais seulement une quinzaine de jours en hiver en moyenne. Juillet et août sont chauds, mais la petite brise de l'air marin les rend très supportables.

Ajaccio

Ville antique ou cité mythique

De l'antique cité détruite par les Sarrasins au Xe s., qui aurait été édifiée à l'emplacement de l'actuel quartier de Castel Vecchio, Ajaccio conserve peu de vestiges, tout juste un sarcophage exposé dans l'actuel hôtel de ville. Les incertitudes sont les mêmes quant à l'origine de son nom, que certaines traditions attribueraient au guerrier mythique grec Ajax. Pourtant, il est plus vraisemblable de la trouver dans le mot italien *addiaccio*, dérivé du latin *ad jucium*, désignant un lieu de plein air où les troupeaux vont passer la nuit.

La ville génoise

La cité actuelle a été fondée par les Génois en 1492, mais ce sont les Français, avec le maréchal de Thermes, qui y édifièrent la citadelle en 1554. Après le traité de Cateau-Cambrésis, en 1559, les Génois vont en reprendre possession et poursuivre l'édification d'un système de défense les protégeant des invasions barbaresques. Dès lors, la ville va se développer et devenir le siège de différentes institutions civiles et religieuses. En 1723, elle devient la capitale de la province du Dila-dei-Monti (Au-Delà-des-Monts), qui dépendait jusqu'alors du gouvernement installé à Bastia. Ville génoise, Ajaccio le restera et rejettera la tentative menée par l'avocat Masseria de livrer la ville au gouvernement corse de Pasquale Paoli. Ce n'est qu'avec le traité de Versailles en 1768 qu'Ajaccio, comme le reste de la Corse, deviendra française et sera en 1793 le chef-lieu du département du Liamone. Fidèle à Gênes, elle le sera aussi à la France en décidant de faire sécession avec le reste de la Corse, qui se placera quelques mois après sous la protection de l'Angleterre.

La ville impériale

Alors que se déroulait la bataille de Ponte Nuovo, qui allait mettre un terme à la fragile république instituée par Pasquale Paoli, naissait à Ajaccio Napoléon Bonaparte. Ajaccio devient une ville impériale et Napoléon saura lui en donner les moyens. En 1811, Ajaccio est instituée par l'Empire chef-lieu d'une Corse, réduite à un seul département. Elle le restera jusqu'en 1975. Bastia perd ainsi son titre de capitale de la Corse, qu'elle détenait depuis le temps de la Banque de Saint-Georges. Aujourd'hui encore, Ajaccio demeure le chef-lieu de la Corse-du-Sud et le siège de l'Assemblée territoriale. Depuis, la ville cultive le culte de l'empereur ou de sa famille, donnant son nom à des rues, à des monuments et à des bateaux.

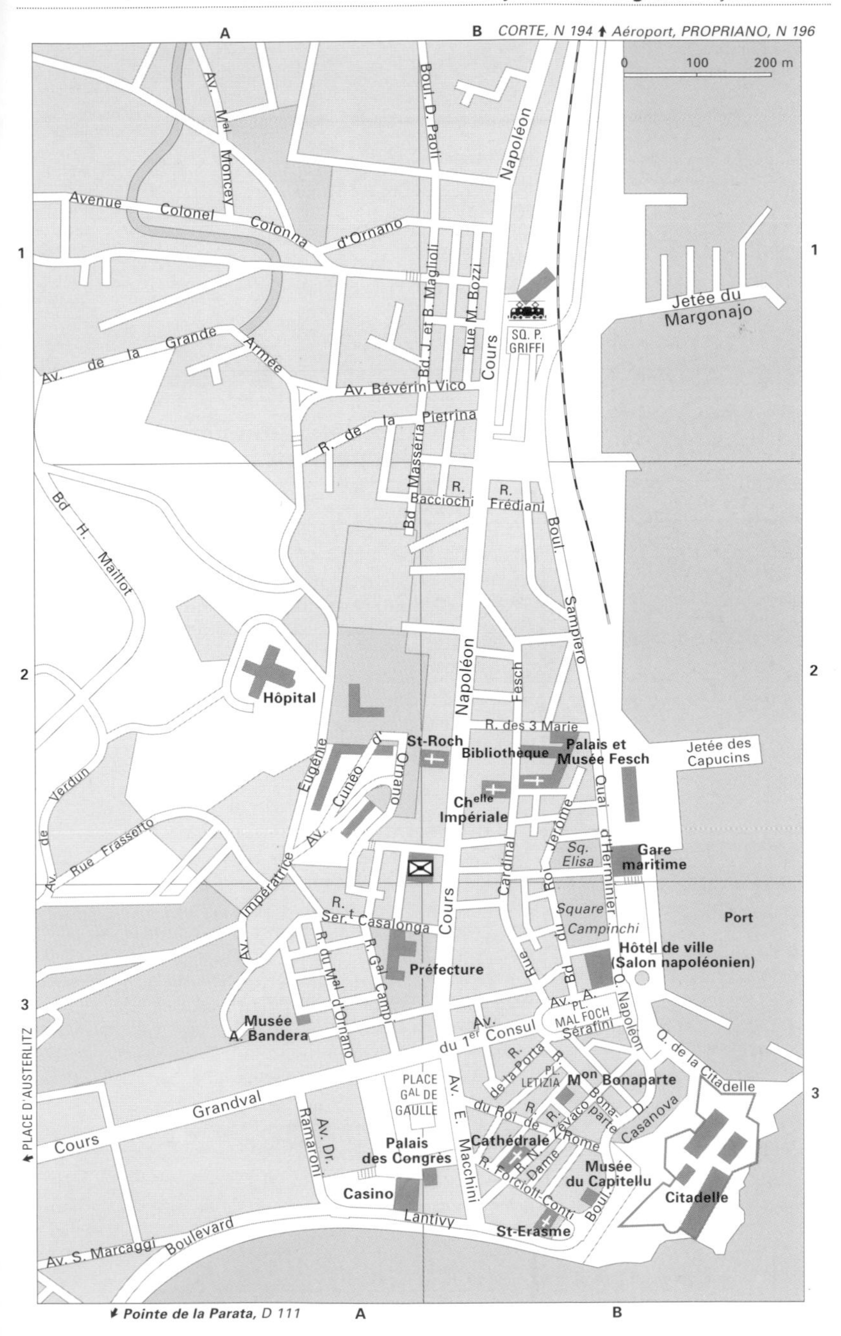

CORTE, N 194
Aéroport, PROPRIANO, N 196
0 100 200 m
Av. Mal Moncey
Boul. D. Paoli
Cours Napoléon
Avenue Colonel Colonna d'Ornano
Jetée du Margonajo
Bd. J. et B. Maglioli
Rue M. Bozzi
SQ. P. GRIFFI
Av. de la Grande Armée
Av. Béverini Vico
R. de la Pietrina
Bd Masséria
R. Bacciochi
R. Frédiani
Boul. Sampiero
Bd H. Maillot
Hôpital
R. Fesch
R. des 3 Marie
St-Roch
Bibliothèque
Palais et Musée Fesch
Jetée des Capucins
Eugénie
Av. Cunéo d'Ornano
Chelle Impériale
Av. de Verdun
Rue Frassetto
Av. Impératrice
Cardinal
Roi Jérôme
Sq. Elisa
Quai d'Herminier
Gare maritime
Port
R. Ser.t Casalonga
Square Campinchi
R. du Mal d'Ornano
R. Gal Campi
Préfecture
Rue du Roi
Hôtel de ville (Salon napoléonien)
Bd A. Sérafini
PL. MAL FOCH
Q. Napoléon
Musée A. Bandera
Av. du 1er Consul
Q. de la Citadelle
PL. LETIZIA
Mon Bonaparte
R. de la Porta
R. Bonaparte
R. du Roi de Rome
R. Zévaco
D. Casanova
PLACE D'AUSTERLITZ
Cours Grandval
PLACE GAL DE GAULLE
Av. E. Macchini
Av. Dr. Ramaroni
Palais des Congrès
Cathédrale
R. N. Dame
R. Forcioli-Conti
Musée du Capitellu
Boul.
Citadelle
Casino
Lantivy
St-Erasme
Av. S. Marcaggi
Boulevard
Pointe de la Parata, D 111
A
B
1
2
3

► *Les « pointus » du vieux port.*

►► *Un bateau de pêche.*

▲ *Le marché aux poissons sur les quais d'Ajaccio.*

▲ *Le quai Napoléon est une promenade agréable le long du port.*

▲ *Les eaux profondes de son port et son mouillage à l'abri des vents dominants attirent de plus en plus de navires de croisière qui y font escale.*

Croissance démographique et développement urbain

Le développement du secteur tertiaire, accru par la régionalisation, va générer une dynamique nouvelle. Dès les années 1960, la désertification des campagnes et l'arrivée de populations rapatriées d'Afrique du Nord vont considérablement modifier le paysage d'Ajaccio. La ville va s'agrandir, créant ces vastes immeubles qui barrent aujourd'hui son paysage et lui donnent cet aspect de ville à deux étages. Prise entre la mer et la montagne, la ville n'a eu d'autre recours que celui d'escalader les pentes et de s'étirer le long du littoral. Ainsi sont nés les hauts quartiers qui écrasent la vieille ville, les quartiers résidentiels de la corniche des Sanguinaires et surtout, au nord-est, les ensembles plus populaires de la plaine des Cannes et des Salines.

La cité balnéaire

Dès le XIXe s., avec ses grandes plages de sable et la douceur de son climat, Ajaccio va attirer de riches vacanciers venus d'Angleterre ou de France. Aujourd'hui, malgré son aéroport qui reçoit chaque année plus de 800 000 passagers, Ajaccio n'est plus vraiment une station balnéaire et, comme à Bastia, on y passe, mais on n'y reste pas. Pourtant, la ville a beaucoup d'atouts : des vieilles rues pleines de charme, des marchés aux mille senteurs, des terrasses colorées où il fait bon flâner ou encore des musées aux trésors insoupçonnés.

La patrie de gens célèbres

Bien sûr le plus célèbre d'entre eux : Napoléon Bonaparte (1769-1821), mais aussi : Pompeo Giustiniani (1569-1616), capitaine général de la république de Venise, Sebastiano Costa (1682-1737), mémorialiste et patriote, Philippe Antoine d'Ornano (1784-1863), maréchal de France, la résistante Danielle Casanova (1909-1943), le chanteur Tino Rossi (1907-1983) et le peintre Pierre Ambrogiani (1907-1985).

▷ La cathédrale Notre-Dame-de-la-Miséricorde

PLAN B3

Des trésors cachés

Construite entre 1554 et 1593 dans le goût des églises vénitiennes, en forme de croix grecque, cette église remplace la chapelle Sainte-Croix, démolie en 1554 au moment de l'édification de la citadelle. Restée inachevée, la cathédrale est toutefois considérée comme l'une des églises les plus intéressantes de Corse, notamment à cause des trésors qu'elle renferme.

■ L'extérieur

Sur la frise du **portail**, encadré de deux pilastres cannelés, d'ordre ionique, une inscription latine relate l'histoire du monument.

■ L'intérieur

La nef unique est flanquée de chapelles latérales, elle se termine par un chœur profond à chevet plat. La croisée des transepts est coiffée d'une coupole octogonale.

- À gauche, la **chapelle de la Madonna del Pianto**, élevée par Pierre Paul d'Ornano au XVIe s. et dédiée à la mémoire de son fils, et dont la voûte était ornée de stucs, peints par le fils du Tintoret.
- La **plaque de marbre rouge** du premier pilier à gauche rapporte les paroles prononcées le 29 avril 1821 par Napoléon à Sainte-Hélène : « Si on proscrit de Paris mon cadavre comme on a proscrit ma personne, je souhaite qu'on m'inhume auprès de mes ancêtres dans la cathédrale d'Ajaccio, en Corse. » Avant la construction de la chapelle impériale (1857), la famille Bonaparte avait son caveau à la cathédrale.
- À droite les **fonts baptismaux** (1593), de marbre blanc, sur lesquels Napoléon à reçu le baptême le 21 juillet 1771.
- La **chapelle de la Vierge de la Miséricorde**, deuxième à gauche, fut érigée en 1752 par les syndics de la ville à la suite d'un vœu collectif prononcé pendant la peste de 1656, qui allait épargner la ville. On remarquera le **retable** avec ses incrustations de marbres rares rehaussées par le jaspe diapré de Sicile, devenu presque introuvable. La statue de la Vierge est en marbre blanc et porte une couronne d'or surmontée d'un gros diamant. Au-dessus, trois **fresques** du XVIIe s. : *L'Église ancienne*, *L'Apparition de la Vierge à Savone en 1629* et *Ajaccio sauvé de la peste par un ange*.
- On notera le maître-autel, en marbre blanc, expédié de Lucques en 1811 par Élisa, une des sœurs de Napoléon. Une belle **statue** en marbre (XVIIIe s.) de l'Immaculée Conception est placée dans la deuxième chapelle de droite.

▲ *La cathédrale Notre-Dame-de-la-Miséricorde, style Renaissance, est due à Giacomo della Porta, architecte du pape Grégoire XIII.*

▲ *La chapelle de la Vierge du Rosaire est ornée de quinze petits tableaux du XVIIe s. retraçant les mystères du rosaire.*

▲ *Au-dessus de la chapelle de la Madonna del Pianto,* La Vierge du Sacré-Cœur, *d'Eugène Delacroix.*

Le musée Fesch

Passionné d'art, le cardinal Fesch a passé sa vie à acquérir des milliers d'œuvres parmi les plus représentatives de la peinture italienne. Une immense collection qui fait du musée le plus important de France, après le Louvre, pour les peintures italiennes.

Palais Fesch, 50-52, rue Fesch. PLAN B2

Du 1er avril au 30 juin et en septembre ouvert tous les jours, sauf le lundi matin, de 9 h 15 à 12 h 15 et de 14 h 15 à 17 h 15; le lundi après-midi de 13 h à 17 h 15. En juillet et août ouvert tous les jours, sauf le lundi matin, le lundi après-midi de 13 h 30 à 18 h, du mardi au vendredi de 9 h à 18 h 30, nocturne le vendredi soir de 21 h à 24 h. Le week-end ouvert de 10 h 30 à 18 h. Du 1er octobre au 31 mars ouvert tous les jours, sauf le dimanche et le lundi matin, de 9 h 15 à 12 h 15 et de 14 h 15 à 17 h 15. ☏ 04 95 21 48 17.

► *Le portrait du cardinal Fesch peint par Pasqualini, dans la salle des reliques.*

Un panorama de la peinture italienne

Le musée Fesch possède une collection de 17 000 objets. Sur les 1 200 tableaux de la collection, les œuvres exposées sont les plus représentatives de cinq siècles de peinture italienne de l'école de Giotto au XVIIIe s. Elles sont regroupées en trois ensembles : les primitifs ou comment l'école italienne, sort du Moyen Âge, la peinture baroque romaine et la peinture baroque napolitaine. Douze sections rendent compte d'un siècle ou d'une école à l'aide de photographies et de textes, permettant d'intégrer facilement les tableaux présentés dans les grands courants de la peinture italienne. Des œuvres de Botticelli, Véronèse, Canaletto et Titien, etc., restaurées en partie dans les ateliers de Versailles ou ceux du Louvre.

▲ L'Homme au gant, *de Titien.*

■ La salle des primitifs italiens : du XIVe s. au début du XVIe s.

Le XIVe s. est illustré par *Le Mariage mystique de sainte Catherine* d'Alegretto Nuzi, *La Vierge et les Apôtres* de Mariotto di Nardo, trois toiles de l'école de Rimini et un beau *Jugement dernier* de l'école florentine. Du XVe s., citons *La Madone et les Deux Saints* de Cosimo Tura (1431-1495), certainement le meilleur représentant de l'école de Ferrare.

▲ *La* Vierge à la guirlande *(1470) est une œuvre capitale de la jeunesse de Sandro Botticelli. La tendresse qui s'en dégage et la délicatesse des coloris sont accentuées par la composition et les lignes.*

► *Le triptyque de Rimini, du XIVe s.*

La salle du XVIe s.

Le musée possède deux toiles importantes, caractéristiques de leur école : *L'Homme au gant*, de Titien, *La Léda* de l'atelier de Véronèse. Dans l'histoire de la peinture, l'école de Venise a été la première à préférer la couleur, qui enchante les sens, à la forme.

La salle des XVIe et XVIIe s.

À voir, les œuvres du peintre siennois Salimbeni, *La Trinité entre saint Pierre et saint Bernardin*, une série de beaux panneaux représentant les *Quatre Âges de la vie et la loi écrite*, attribués à Santo di Tito.

La salle du XVIIe s.

On verra de belles natures mortes, dont celles de Felice Boselli et de Pier Francesco Cittadini, *Nature morte au tapis turc*, ou le *Double Portrait de femme et enfant* dû à P. Paolini, une œuvre appréciée par Picasso.

Les salles romaines du XVIIe s.

Elles présentent des œuvres de peintres français qui ont travaillé à Rome et d'Italiens. *Le Roi Midas à la source du Pactole* de Nicolas Poussin. On remarquera en particulier le *Portrait du cardinal Scipion Borghèse* par Ottavio Leoni ; *Un perroquet dans un jardin avec fruits*, dû à G.P. Castelli dit Spadino, est le chef-d'œuvre de ces salles.

Les écoles flamandes du XVIIe s.

Elles sont représentées par des paysages de Paul Brill ou de Nicolaes Berchem et une série de natures mortes de David de Coninck.

Les salles napolitaines du XVIIe s.

À côté d'un *Sacrifice d'Abraham* de F. Guarino, des natures mortes de Guiseppe Reco ou de la *Nature morte à la tortue* de Paolo Porpora, elles conservent l'une des plus belles toiles du musée, *Le Départ de Rébecca* de Solimène.

La Grande Galerie

Elle abrite des tableaux de grande dimension, offrant un voyage pictural à travers les différentes influences de l'école italienne. Celle de Venise avec son goût du luxe et de la sensualité, où celles de Florence et de Rome, une référence à la beauté traditionnelle.

Le XVIIIe s.

Un salon est réservé à Corrado Giaquinto, Napolitain et peintre officiel de la cour d'Espagne. *Jésus et la Samaritaine* d'Étienne Parrocel, le *Portrait d'un prêtre* et *Portrait d'homme à la tête enturbannée* de Pierre Subleyras. On pourra voir des œuvres de Panini (1695-1766), peintures de ruines antiques dans le genre monumental ou décor théâtral. Il naquit, à cette époque, une véritable et originale école de paysagistes vénitiens, les *Vedute*, parmi lesquels furent Guardi et Canaletto.

▲ *La partie supérieure du diptyque du* Maître du Crucifix *d'Argenta, qui appartient à l'école des Marches.*

Le cardinal Fesch

Né à Ajaccio en 1763, demi-frère de Letizia et oncle de Napoléon Ier, le cardinal Fesch est archidiacre et prévôt du chapitre d'Ajaccio jusqu'à la Révolution. Il renonce à sa vocation et devient, grâce à Napoléon, commissaire des guerres de l'armée d'Italie. C'est à cette époque qu'il commencera à constituer sa fabuleuse collection (plus de 3300 tableaux). En 1800, il renoue avec l'Église. Archevêque de Lyon en 1802, cardinal en 1803, il convainc le pape Pie VII de sacrer Napoléon empereur. Quelques années plus tard, en 1811, il refusera de signer le décret impérial donnant pouvoir de nomination aux sièges épiscopaux à l'Église de France. Disgracié en 1812, il s'exile à Rome en 1814 où il mourra en 1839.

PLAN P. 175

▲ *L'église Saint-Érasme, ancienne église des jésuites (1602), a été restaurée en 1932. Elle appartient depuis 1812 à la confrérie des marins, qui y débutent leur procession tous les ans le 2 juin.*

▲ *La chambre de Madame Letizia dans la maison Bonaparte est meublée de fauteuils cabriolets tendus de damas rouge.*

▲ *Un salon de la maison Bonaparte.*

La ville

La ville de Napoléon

Entre mer et montagne, étendue le long de son golfe, Ajaccio présente aux visiteurs les deux visages de son histoire. La ville génoise, avec la citadelle, la ville moderne, avec ses vastes bâtiments blancs.

■ La place du Général-de-Gaulle

PLAN A3-B3

Elle s'appelait jusqu'en 1945 place du Diamant, du nom de la famille « Diamante », à l'origine propriétaire de cet emplacement. Elle marque la séparation entre la vieille ville et les nouveaux quartiers. En son centre, le monument de Napoléon et ses frères, surnommé « L'Encrier », dessiné par Viollet-le-Duc et inauguré en 1865.

■ La maison Bonaparte

4, rue Saint-Charles. PLAN B3

Du 1er avril au 30 septembre, ouvert tous les jours sauf le lundi matin de 9 h à 12 h et de 14 h à 18 h. Hors saison, ouvert tous les jours sauf le lundi matin de 10 h à 12 h et de 14 h à 17 h. ☏ 04 95 51 52 53.

C'est la maison natale de Napoléon, né le 15 août 1769, et la propriété de la famille depuis 1682. En 1793, Napoléon et sa famille furent contraints de l'abandonner sous la pression des partisans de Paoli. Réquisitionnée comme bien d'émigrés pendant la période du royaume anglo-corse, la maison servira de lieu de séjour à des officiers anglais, dont un certain Hudson Lowe, qui deviendra vingt ans plus tard le geôlier de Bonaparte à Sainte-Hélène. En 1798, Letizia, la mère de Napoléon, reviendra à Ajaccio et obtiendra du Directoire 97 500 francs en dommages de guerre. La décoration et le mobilier actuels datent de cette époque. Devenue propriété nationale en 1923, c'est aujourd'hui un musée. La tradition rapporte que la mère de l'empereur fut prise par les douleurs de l'enfantement alors qu'elle était à la cathédrale. Elle se fit transporter chez elle dans une chaise à porteurs, exposée au rez-de-chaussée de la maison. On peut voir dans la chambre natale le divan Louis XVI sur lequel Napoléon serait venu au monde. Les salles du deuxième étage sont consacrées à la famille Bonaparte : portraits, autographes, armes ainsi que l'arbre généalogique.

■ Le salon napoléonien

Aménagé au 1er étage de l'hôtel de ville, place Foch. PLAN B3

Du 15 juin au 15 septembre, ouvert tous les jours sauf le week-end et les jours fériés de 9 h à 11 h 45 et de 14 h à 17 h 45. Hors saison, ouvert de 9 h à 11 h 45 et de 14 h à 16 h 45. Fermé le week-end et les jours fériés.

Précédant le salon, dans le vestibule, une statue de Jérôme Bonaparte, marbre de Boso (1812), et un portrait de Madame Mère par Gérard. Le grand salon est éclairé par un lustre somptueux, en cristal de Bohême, offert par l'ex-Tchécoslovaquie à l'occasion des fêtes du bicentenaire (1769-1969). Tableaux, documents et souvenirs évoquent l'époque impériale. Le mobilier provient de la résidence du cardinal Fesch à Rome, l'oncle de Napoléon Ier.

Le musée du Capitellu

16, boulevard Danielle-Casanova. PLAN B3

Ouvert du 15 mars au 15 octobre tous les jours sauf le dimanche après-midi de 10 h à 12 h et de 14 h à 18 h. Fermé hors saison, ouverture sur demande. ☎ 04 95 21 50 57.

Ce musée privé relate l'histoire d'Ajaccio depuis sa fondation par Gênes jusqu'à nos jours. Les peintres ajacciens du XIXe s. y sont aussi en bonne place.

Le musée A Bandera

1, rue du Général-Lévie. PLAN A3

Ouvert de janvier à fin mars tous les jours sauf le dimanche de 9 h à 12 h et de 14 h à 18 h. Du 1er avril à fin juin, ouvert de 9 h à 12 h et de 14 h à 19 h tous les jours sauf le dimanche. Du 1er juillet à la mi-septembre, ouvert tous les jours de 9 h à 19 h. De la mi-septembre à fin décembre, ouvert tous les jours sauf le dimanche de 9 h à 12 h et de 14 h à 18 h. ☎ 04 95 51 07 34.

Il présente une rétrospective de l'histoire de la Corse. Préhistoire avec les statues-menhirs, la marine avec l'histoire des invasions barbaresques et le XVIIIe s. en Corse : Paoli, Napoléon puis la Première et la Seconde Guerre mondiale.

La citadelle

PLAN B3

Aujourd'hui, elle est occupée par l'armée et ne se visite pas. De la jetée, on découvre le port ainsi que la ville dominée par la Punta di Pozzo di Borgo, le rocher de Gozzi (708 m), et, dans l'ouverture de la vallée de la Gravona, la Punta Sant'Eliseo (1 272 m).

La place du Maréchal-Foch ou place des Palmiers

PLAN B3

Elle portait avant le nom de piazza Porta, puisque c'était ici que s'ouvrait l'unique porte (démolie en 1813) des fortifications de la cité génoise. Aujourd'hui, c'est l'une des places les plus agréables d'Ajaccio, couverte d'immenses palmiers et ouvrant sur la ligne bleue de la mer.

Le jeune Napoléon échappe à la mort

Le 8 avril 1792, lors de troubles entre Ajacciens et gardes nationaux, le jeune Napoléon Bonaparte, lieutenant-colonel en second du 2e bataillon de la garde nationale corse, échappa de justesse à la mort en trouvant refuge dans les maisons aujourd'hui détruites qui faisaient face à la cathédrale.

▲ *La statue de* Bonaparte Premier consul *réalisée par Laboureur et inaugurée en 1850, trône au centre de la place des Palmiers. La fontaine, dite des Quatre Lions, de Jérôme Maglioli lui sert de socle.*

▲ *Commencée en 1554 par le maréchal de Thermes, la citadelle fut achevée par les Génois cinq ans plus tard.*

◄ *Le campanile de l'hôtel de ville vu de la place des Palmiers.*

bonne adresse

Boulangerie Galeani, 3, rue Fesch. ☏ 04 95 21 39 68. On y trouve toutes les spécialités boulangères et pâtissières corses : canistrelli, finucetti, falculelli pour le sucré, anchiulatta, marbitata, cuzucatta pour le salé...

► *La statue du cardinal, bronze de Vital-Dubray, trône au centre de la cour d'honneur du palais Fesch.*

En partie piétonne, la rue du Cardinal-Fesch, très commerçante, est au cœur de la vieille ville.

La Madone de la Miséricorde

Apparue le 18 mars 1536 à un paysan des environs de Savone, dans les États de Gênes, la Madone est très vénérée par les Ajacciens. Une chapelle et une statue lui avaient été élevées dans l'église des jésuites. Lorsque la peste menaça Ajaccio en 1656, les habitants implorèrent sa protection. Par la suite, ils placèrent la statue dans la cathédrale. Chaque année, le 18 mars, elle est portée solennellement en procession dans les rues de la ville. Une autre statuette, portant l'inscription Posuerunt me custodem *(« Ils m'ont placée comme gardienne »), se trouve aujourd'hui dans une niche pratiquée dans la muraille de l'enceinte de l'ancienne piazza Porta (devenue place du Maréchal-Foch ou des Palmiers).*

■ Le palais Fesch

50, rue Fesch. PLAN B2

Le palais Fesch est composé de trois corps de bâtiments ordonnés autour d'une cour d'honneur s'ouvrant rue Fesch, avec au centre la statue du cardinal, bronze de Vital-Dubray. Ce bâtiment classique du XIXe s. fut construit entre 1827 et 1837 sur ordre du cardinal Fesch pour y recevoir les œuvres d'art qu'il avait acquises durant sa vie et permettre aux jeunes gens de se perfectionner dans les études secondaires et s'appliquer aux arts et sciences. Le palais abrite la bibliothèque municipale et la chapelle impériale.

- La **bibliothèque municipale** fut fondée en 1800 par Lucien Bonaparte, alors ministre de l'Intérieur, qui fit expédier à Ajaccio 12 310 volumes provenant de congrégations religieuses et de collections des palais royaux de Marly et de Meudon. Les bibliophiles y trouveront des ouvrages rares : une Bible de 1483, un Tite-Live de 1425, une édition originale *De l'esprit des lois*, imprimée à Genève en 1748, un Boileau avec estampes de Bern, un Tasse avec figures de Cochin, un Vossius ayant appartenu à Christine de Suède, etc.

Située au rez-de-chaussée de l'aile gauche du palais Fesch.

Ouvert tous les jours sauf le week-end de 14 h à 17 h 50. ☏ 04 95 51 13 00.

- La **chapelle impériale**, en forme de croix latine, est construite en pierre de Saint-Florent. Inaugurée en 1860 par Napoléon III, elle est le sanctuaire de la plupart des membres de la famille impériale, hormis Napoléon. Dans la crypte située sous la coupole reposent neuf membres de la famille Bonaparte.

Elle est actuellement en travaux.

■ Le cours Napoléon

PLAN B1-B2-B3

C'est l'artère centrale d'Ajaccio, autour de laquelle s'est ordonnée la ville des XVIIIe et XIXe s. Ses nombreux cafés et terrasses en font le centre de vie principal pour les Ajacciens, qui aiment y flâner et s'y rencontrer.

■ La place d'Austerlitz

PLAN A3

Elle domine l'enfilade du cours Grandval et se ferme 1 500 m plus loin par la place Foch. Elle est dominée par une statue de Napoléon Ier, réplique de celle placée dans la cour d'honneur des Invalides. À côté, la grotte où venait se réfugier et méditer le jeune Napoléon.

La Corse et Napoléon

« Une île lui donne naissance ; tombé, il repart d'une île et meurt dans une île, tué par une île. » Ainsi, Théophile Gautier résumait-il la vie de Napoléon, qui, au-delà de la Corse, d'Elbe ou de Sainte-Hélène, aura marqué l'Histoire par ses actes et par son nom.

Le souvenir de l'empereur

Un lien invisible et indestructible a relié Napoléon à son île et la Corse à son empereur. Ajaccio lui voue un culte très présent. Statues, noms de rues, enseignes commerciales, le souvenir du glorieux enfant de la cité est constamment rappelé. Jusqu'à la formation politique qui s'intitule « parti bonapartiste ». Une dénomination historique conservée depuis le Second Empire, le seul auquel les Ajacciens aient adhéré avec enthousiasme et qui instituait le culte posthume de Napoléon Ier.

Le petit caporal

Il faut dire que Napoléon n'a guère entretenu de relations cordiales avec son pays natal. C'est pourtant d'ici qu'il va débuter une fulgurante carrière avec sa nomination en 1792 comme lieutenant-colonel de la garde nationale. Lorsque la Corse paoliste proclame sa séparation d'avec la France, Napoléon ne devra son salut qu'à une fuite rocambolesque en direction de Marseille avec sa mère et ses sœurs. Alors qu'il est général, ce sont des vents violents qui le contraindront à y faire une escale forcée lors de son retour d'Égypte en 1799. Devenu Premier consul, puis empereur, il ne foulera plus jamais le sol corse.

L'ambition d'un homme face à la volonté d'un peuple

Au printemps 1796, revenant d'Italie, le général Bonaparte est chargé de réoccuper la Corse ; il mettra fin au royaume anglo-corse. À 35 ans, Napoléon devient empereur, mais cela ne fut guère favorable à la Corse, mise « hors la Constitution » et qui aura à subir l'arbitraire d'un proconsul tyrannique, le général Morand. Napoléon III s'intéressa à la Corse et la famille impériale y fit plusieurs visites. Quelques faveurs habilement prodiguées à la ville d'Ajaccio attachèrent définitivement la capitale de l'île à la glorieuse dynastie corse.

▼ *Dans la maison Bonaparte, on peut voir la chambre natale, décorée façon florentine, avec le fameux divan Louis XVI sur lequel Napoléon serait venu au monde.*

◀ *Portrait de l'empereur dans la maison Bonaparte.*

La dynastie Bonaparte

La famille Bonaparte, appartenant à une petite bourgeoisie d'hommes de loi, a quitté l'Italie au XVIe s. pour s'installer à Ajaccio. Deux siècles plus tard, Charles Marie Bonaparte épouse Letizia Ramolino et le 15 août 1769 naît Napoleone. En 1779, il entre à l'école militaire de Brienne, réservée aux enfants de la noblesse se destinant aux armées. En 1785, il devient officier, lieutenant en 1787 et capitaine en 1792. En octobre 1795, il est nommé général en chef et Premier consul en décembre 1799. En 1804, il est proclamé empereur puis roi d'Italie en 1805. En 1814, c'est l'exil à l'île d'Elbe. Le 20 mars 1815 débutent les Cent-Jours ; en juin 1815, défaite de Waterloo, puis c'est l'exil à Sainte-Hélène où il meurt en 1821.

Les environs d'Ajaccio

CARTE P. 173

Côté mer ou côté montagne, les environs d'Ajaccio sont riches en promenades et en découvertes.

INCONTOURNABLES

▲ *La grosse bâtisse des Milelli, était la maison de campagne de la famille Bonaparte.*

La fontaine et le monte Salario

À 4,5 km à l'ouest d'Ajaccio par la D 11.

Aujourd'hui, la fontaine de Salario n'est plus qu'un simple robinet. L'origine de son nom vient de la légende selon laquelle des salamandres auraient vécu autrefois autour de cette source, qui une fois découverte se serait appelée *funtana Salamandra*. De la place de la fontaine, vue sur la vallée de Saint-Antoine, l'ancien pénitencier de Castellucio et les aiguilles de la Punta di Lisa (790 m). Un chemin conduit au sommet du Monte Salario (311 m), d'où le panorama est encore plus étendu.

Les Milelli

À 4 km au nord-ouest d'Ajaccio par la route d'Alata.

Ne se visite pas.

C'est ici que se réfugia Madame Mère, accompagnée de ses filles Élisa et Pauline, ainsi que de l'abbé Fesch, dans la nuit du 25 mai 1793. Ils rejoignirent Napoléon en passant par la vallée de Saint-Antoine, les hauteurs d'Aspreto et le Campo dell'Oro. Ce dernier les conduisit à Calvi. À son retour d'Égypte, le général Bonaparte passa aux Milelli les journées des 2 et 3 octobre 1799 en compagnie de Murat, de Lannes et de l'amiral Ganteaume.

Le château de la Punta

À 13 km au nord-ouest d'Ajaccio par la D 61.

La terrasse, entourée de pins et d'eucalyptus, domine le golfe d'Ajaccio à plus de 600 m au-dessus du niveau de la mer et offre une vue superbe sur le golfe de Sagone, les vallées de la Gravona et du Prunelli, limitées par la masse rouge du rocher Gozzi et les contreforts du Renoso.

Ce château de la famille Pozzo di Borgo, adversaire déterminé de Napoléon, fut construit entre 1880 et

L'implacable opposant

Né à Alata en 1764, procureur général du syndic du département de la Corse sous la Convention puis président du Conseil d'État dans le très bref royaume anglo-corse, Carlo Andrea Pozzo di Borgo a toujours été un adversaire farouche des Bonaparte. À la chute du royaume anglo-corse, il mena une vie aventureuse à travers l'Europe. On le retrouve au service du tsar Alexandre Ier, auquel il aurait inspiré la décision d'incendier Moscou en 1812. Il convainquit en 1811 Bernadotte, prince royal de Suède, de s'allier à la Russie contre Napoléon, et poussa la coalition alliée à marcher sur Paris en 1814. Sous la Restauration, il devint ambassadeur de Russie à Paris, puis à Londres. Il mourut à Paris en 1842. Selon Jacques Gregori : « Napoléon fut partisan d'une Europe française, Pozzo di Borgo d'une France dans l'Europe. »

1890 avec les pierres du château des Tuileries, ancien palais de l'empereur, rachetées lors de sa démolition et ramenées en Corse par train et bateau. Une aile de la bâtisse a été construite en réplique d'une aile des Tuileries. Les rampes de l'escalier qui mène à la terrasse proviennent du château de Saint-Cloud. Le château de la Punta a été largement endommagé par un incendie de maquis. Il doit être restauré.

■ Punta di Pozzo di Borgo

1 h à pied aller-retour.

Beau panorama sur les îles Sanguinaires, les golfes d'Ajaccio, de Lava et de Sagone; au nord-est, les cimes neigeuses du Monte d'Oro et du Monte Renoso.

■ Alata

À environ 10 km au nord d'Ajaccio par la D 61.

Village bâti au flanc de la montagne, dont est originaire la famille Pozzo di Borgo.

■ Appietto

À environ 17,5 km au nord d'Ajaccio par la D 81 puis une petite route à droite au col de Listincone.

Bâti au flanc de la montagne de granit rose de la Punta San Sistro (867 m), le village est constitué de trois hameaux : Marchisato, Teppa Sottana et Teppa Soprana. Sur une tour médiévale, une inscription arabe témoigne de la présence des Maures. Ruines d'un château ayant appartenu aux comtes de Cinarca et tour génoise de **Pelusella**. En contrebas du village, vestiges de l'église piévane de San Giovanni.

- Capazza et Fondère atterrirent à Appietto, après avoir réalisé la première traversée de la Méditerranée en ballon.

■ Le rocher Gozzi

À partir du premier hameau du village d'Appietto, on peut accéder au rocher Gozzi (708 m).

Suivre le sentier muletier qui relie Appietto à Valle di Mezzana par la Bocca la Foce, jusqu'au calvaire; descendre à droite à la fontaine d'Appietto au bord du ruisseau de Lava. Le chemin monte et atteint les contreforts de la Punta Pastinaca. Vues sur les golfes de Lava et d'Ajaccio. Le sentier court au nord pour tourner brusquement à l'est, à la hauteur du rocher dont l'accès est facile. Le rocher Gozzi est couronné par les **ruines** d'un château médiéval fortifié par les seigneurs Cinarchesi, de la lignée des Gozzi.

- Retour par les crêtes avec la chapelle comme point de repère.

Traversée en ballon

Partis de Marseille le 14 novembre 1886, à bord d'un vieux ballon de 200 m^3, le Gabizios, Louis Capazza et Alphonse Fondère vont atterrir après une traversée très difficile en pleine nuit au lieu-dit Alzallo, sur le territoire de la commune d'Appietto. Cette première traversée est commémorée par une stèle en granit rose, dans laquelle le sculpteur a enchâssé les médaillons en bronze des deux aéronautes.

▲ *Il ne subsiste de l'ancien village Pozzo di Borgo qu'une tour crénelée très restaurée.*

◄◄ *Le rocher Gozzi offre un panorama sur le golfe de Lava, celui d'Ajaccio et toute la vallée de la Gravona.*

◄ *Le village d'Appietto est le meilleur point de départ pour l'ascension du rocher Gozzi.*

Vers les îles Sanguinaires

CARTE P. 173

Sortir d'Ajaccio vers l'ouest par le boulevard Lantivy et la D 111.

Ouvert entre le Capo di Muro au sud et la Punta di a Parata au nord, le golfe d'Ajaccio est le plus vaste et le plus profond de la Corse : près de 15 à 18 kilomètres d'ouverture et plus de 90 kilomètres de périmètre. Au nord, un rivage rectiligne au nord s'effilochant avec les îles Sanguinaires ; au sud des contreforts rocheux et tourmentés, avec les pointes de la Castagna, des Sette Nave et de Porticcio. En allant vers les Sanguinaires, l'extension résidentielle d'Ajaccio colonise peu à peu cette corniche exposée au midi.

▲ *La chapelle des Grecs, édifiée au XVIIe s., fut mise à la disposition des réfugiés grecs chassés de Paomia, qui allèrent ensuite s'établir à Cargèse.*

▲ *La Punta di a Parata, piton rocheux haut de 60 m, est couronnée par une tour génoise édifiée en 1608.*

■ La chapelle des Grecs

Une peinture sur toile, *Le Couronnement de la Vierge*, entre les saints et les donateurs, rappelle la fondation de la chapelle en 1632 par Artilia Pozzo di Borgo, veuve de Paul-Émile Pozzo di Borgo, commandant des troupes pontificales corses en 1619. De la terrasse, derrière la chapelle, beau **panorama** sur le golfe jusqu'au Capo di Muro.

- Sur la route de la corniche, le **cimetière marin** offre au regard la majesté de ses chapelles funéraires.

■ La corniche du Couchant

Laisser la voiture à 1 km environ de la Parata sur la D 111 et prendre le chemin à droite 100 m avant la chapelle. Il conduit en 1 h 30 à la plage Saint-Antoine, qui offre de beaux points de vue sur les Sanguinaires.

■ Les îles Sanguinaires

À environ 15 km à l'ouest d'Ajaccio par la D 111.

Ce sont les restes d'un promontoire de diorite qui fermait à l'ouest l'extrémité des golfes d'Ajaccio et de Sagone. L'origine de leur nom pourrait simplement rappeler la couleur que prennent leurs roches au soleil couchant. Le plus grand de ces quatre îlots, la **Grande Sanguinaire** ou **Mezzo Mare**, est le plus éloigné du rivage (18 km d'Ajaccio ; à 2 km de la Punta di a Parata). Il s'élève à 80 m au-dessus de la mer et porte un phare à éclipses d'une portée de 56 km. C'est dans ce phare qu'Alphonse Daudet séjourna en 1863. Un séjour qu'il évoquera dans *Les Lettres de mon moulin* : « Figurez-vous une île rougeâtre et d'aspect farouche ; le phare à une pointe, à l'autre une vieille tour génoise où de mon temps logeait un aigle. » Inspiré par les lieux, le prince Jérôme Napoléon, mort à Rome le 17 mars 1891, avait demandé à y être inhumé, mais le gouvernement s'y opposa.

Des plages à la montagne

Côté sud, le golfe d'Ajaccio s'ouvre sur une côte déchiquetée formée de criques, de plages et de ports naturels.

CARTE P. 173

En sortant d'Ajaccio par la N 193, vers l'aéroport.

■ Bastelicaccia

À environ 11,5 km à l'est d'Ajaccio.

C'était autrefois un territoire complémentaire ou *piaghia* du village de montagne, Bastelica, où était installé l'habitat permanent. Bastelicaccia naît en 1865. L'irrigation réalisée à partir des eaux du Prunelli va en faire une terre maraîchère. Aujourd'hui, c'est une zone d'extension d'Ajaccio. Des fouilles ont révélé sur place un habitat très ancien et notamment un très beau sarcophage du IIe s.

■ Porticcio

Office du tourisme : plage des Marines. ☏ 04 95 25 01 01.

À environ 18 km au sud d'Ajaccio. Continuer la D 55.

C'est une cité balnéaire avec hôtels, restaurants et diverses installations. Présence d'un centre de thalassothérapie.
- La route longe la grande plage d'**Agosta**. À 6 km, la **Punta di e Sette Nave**, est couronnée par la **Torre di l'Isolella** (1608) ; vue superbe sur le golfe d'Ajaccio.

▲ *Adossé aux collines de la Serra, dans un site magnifique, Porticcio a de grandes plages de sable fin.*

bonnes adresses
à Porticcio

Restaurant *L'Arbousier*. ☏ 04 95 25 05 55. Une restauration de qualité. À déguster, la mostelle ou le homard bleu du littoral corse.
Hôtel *Le Maquis*. ☏ 04 95 25 05 55. Un esprit pension de famille dans l'unique cinq-étoiles de Corse. Plage privée, piscine...

■ La Punta di a Castagna

Elle forme un long éperon rocheux (91 m d'altitude), surmonté d'une **tour génoise** (1584) truffée de fortifications construites pendant la dernière guerre par les Italiens.
- Vers le sud, sur la D 155, le **Capo di Muro** sépare le golfe d'Ajaccio de celui de Valinco ; belle **tour génoise.**
- Revenir sur la D 155, puis prendre la D 55 vers le sud, la route offre de merveilleux **points de vue**.

C'est de la tour de Capitello que Madame Letizia s'enfuit en bateau avec Napoléon, la nuit du 1er juin 1793.

■ Coti-Chiavari

À environ 22,5 km au sud de Porticcio sur la D 55.

Proche des ruines d'un **ancien pénitencier** bâti sous le Second Empire, le village s'étage sur les flancs de la montagne. Au-dessus, depuis la crête à laquelle on peut accéder en voiture, vue sur les golfes d'Ajaccio et de Valinco.
- Poursuivre vers le nord-est la D 55 jusqu'au **col de Cortone** (625 m), où la vue s'étend sur la Punta di a Castagna, le golfe d'Ajaccio et les îles Sanguinaires au nord-ouest, sur le golfe de Valinco au sud.
- La route continue jusqu'au **col de Chenova** (629 m), point culminant qui offre une vue étendue sur les pentes de Pietrosella, la Torre di l'Isolella, la Punta di e Sette Nave et les îles Sanguinaires à gauche, sur la forêt de Pennenti et la basse vallée du Taravo à droite.
- On rejoint Ajaccio par la D 302 après le **col d'Aghia** (640 m) puis le **col de Belle Valle** (522 m).

Cistes, bruyères, arbousiers et filarias forment ici une puissante végétation typiquement corse, que l'on appelle le maquis dense.

La Gravona

CARTE P. 173

La région a pris le nom de son fleuve qui a formé la vallée de la Gravona. La proximité urbaine d'Ajaccio et la désertification qui touche les régions montagneuses ont profondément modifié dans le temps cette unité géographique née autour du fleuve. Les plaines alluviales de la basse vallée étaient autrefois une zone de culture et de maraîchage tandis qu'à l'ouest, la haute vallée se consacrait à l'élevage et à l'exploitation des carrières.

▲ *L'église de la Trinité, à Sarrola, d'origine médiévale, a été remaniée mais conserve un joli clocher détaché.*

La famille Carcopino

Sarrola est le berceau de la famille de François Carcopino-Tusoli, connu sous le nom de Francis Carco, romancier, poète et critique d'art né à Nouméa en 1886. C'est aussi la patrie de Jérôme Carcopino (1881-1970), le grand historien de la Rome antique. Sur la façade de la mairie, une plaque rappelle le souvenir de Jacques-Antoine Giustiniani, poète et écrivain corse (1867-1937).

Les 29 et 30 novembre, Cuttoli-Corticchiato fête les saints pèlerins, Prosper et André. La Saint-Prosper est réservée aux enfants, la Saint-André concerne les adultes. Ces jours-là, on fait le tour du village en frappant à toutes les portes en souvenir des pèlerins qui parcouraient les chemins en demandant pitance et hospitalité.

■ Sarrola-Carcopino

À environ 20 km au nord d'Ajaccio, par la N 193 et la D 1.

Accrochés à la montagne de Sarrola (654 m), les deux villages distants de 1,5 km sont dominés par le Monte Gozzi. **Belles maisons** de granit rose.
- À proximité, église en ruine de **San Pietro** et **couvent Saint-François** (XVIe s.). Ce fut le lieu de résistance des paolistes en 1769.
- Dans la vallée de Bughia, un dolmen de 3 m de long et pesant plusieurs tonnes fut découvert en 1969. À proximité, le site a révélé des traces d'occupation romaine.

■ Valle-di-Mezzana

Prendre vers l'ouest la D 161.

Le village est constitué de trois hameaux nichés dans la verdure : Opapo, Poggiale et Casile. À l'écart, l'**église** paroissiale Saint-Michel, édifice médiéval, est surmontée d'un clocher à arcades. À l'intérieur, mobilier provenant du couvent, dont une statue de saint François et un grand Christ en bois.
- Au-delà des hameaux, la route pénètre dans les **Calanche de Chuivoni**, taillées en corniche dans le roc qui surplombe le ravin de la rivière de Valle.
- À la sortie des gorges, passé le **pont de Murieto**, vue à gauche sur l'éperon de **San Pietro** (1 209 m).

■ Cuttoli-Corticchiato

Au nord-est d'Ajaccio : rejoindre la N 193 et prendre vers l'est la D 1.

Corticchiato, perché sur un piton rocheux, a été bâti sur un site préhistorique. Cuttoli, étagé à flanc de montagne, a été fondé au XVIe s. On raconte que sa création est due à une famille venue d'un lieu-dit proche d'Ocana, dans le Prunelli. Elle aurait construit là une maison fortifiée dans laquelle se serait réfugié Alphonse d'Ornano, fils de Sampiero Corso. En représailles, les Génois l'auraient incendiée.
- L'**église Saint-Martin**, à mi-distance, a été édifiée au XIXe siècle à la place d'un édifice détruit en 1880. Beau bénitier en marbre et une peinture de la Vierge.

Peri

Continuer vers le nord par la D 29.

Le village est sis au pied d'un contrefort montagneux. L'**église Saint-Laurent** (XVIIe s.) est construite sur un plan en forme de trèfle. À l'intérieur, trois statues du XVIIe s. Un perron en escalier double avec en son centre une croix latine polychrome en bas-relief conduit à la **place de l'Annonciation**, où se dressent un campanile et une chapelle des XIVe et XVIIe s.
- Au nord du village, un sentier mène à la **grotte dite de Sampiero Corso**.
- **Tavaco** est un tout petit village bien restauré. À voir, l'ancien moulin et l'église paroissiale. Sur la montagne, à 1 271 m d'altitude, la **chapelle de San Eliseao** du Xe s., où on allait autrefois en procession pour demander la pluie.

Vero

À environ 27,5 km d'Ajaccio. Rejoindre la N 193, continuer vers le nord et tourner à gauche dans la D 4.

Avant de monter au village, ruines de l'**église Saint-Jean-Baptiste** (XIe s.), ancienne piévanie de Celavo, de style roman pisan. Il existe huit sources sur le territoire de la commune et plusieurs rivières.

Le Centre d'élevage et de protection de la tortue

Au lieu-dit Vignola, en bordure de la N 193, à 23 km d'Ajaccio.

Ouvert du 1er avril au 31 mai et du 1er septembre à la mi-novembre, tous les jours de 10 h à 17 h 30. Du 1er juin au 31 août, de 9 h 30 à 19 h tous les jours. Fermé de la mi-novembre à fin mars. ☏ 04 95 52 82 34.

Unique en Europe, créé par l'association « A Cupalatta » (la tortue), il abrite 130 espèces et plus de 2 000 animaux.

Le pont d'Ucciani

À environ 28,5 km d'Ajaccio. Rejoindre la N 193, continuer vers le nord-est et tourner à droite dans la D 29.

Construit sous Louis XVI ; Bernadotte, le futur roi de Suède, aurait dirigé les travaux. C'est là qu'il fut nommé caporal du Royal-Marin, régiment du roi.

Ucciani

Sur la D 29.

Le village est étagé sur une arête montagneuse. Dans l'**église** paroissiale Saint-Antoine, très beau tabernacle en marbre polychrome et statuette en marbre de Notre-Dame du Mont-Carmel (XVIe s.). Les cloches datent de 1715. Le site a révélé une occupation très ancienne avec la découverte d'une statuette de bronze représentant un sanglier, datée de la seconde moitié du Ier millénaire avant notre ère. C'est dans une maison du village que

Les frères Bonelli

Partisans résolus de Paoli, les frères Bonelli gardèrent le maquis malgré la défaite de Ponte Nuovo. L'un des deux, surnommé Zanpaglinu, arrêté et déporté au bagne de Toulon, s'évadera en 1774 et poursuivra à la tête d'une petite armée le combat contre les soldats du roi de France. Exilé à Londres, auprès de Paoli, il reprendra les armes 16 ans plus tard dès son retour en Corse, cette fois contre les Anglais. En 1796, il sera assassiné dans la forêt de Vizzavona.

bonne adresse
à Vero

Miel Orsoni-Buisset, piazza Communa. ☏ 04 95 52 86 94. Du miel corse avec des saveurs inédites (alliages maison entre miel, huile d'olive et fenouil sauvage...).

▲ *L'église paroissiale de Vero abrite une* Vierge à l'Enfant *du XVIIe s.*

Au pont d'Ucciani se tient tous les ans, le 1er mai, une foire.

bonne adresse
à Ucciani

Fest a Ner. ☏ 06 09 06 72 06. Une fameuse charcuterie. Les saucissons et les jambons proviennent du porc local, élevé et nourri dans la montagne.

▲ *La statue-menhir de Tavera a les yeux profondément enfoncés, l'ovale du visage volontaire.*

bonne adresse
à Bocognano

Restaurant *L'Ustaria*. ☏ 04 95 27 41 10. L'une des meilleures tables de Corse. Tourte aux herbes à la morue et aux pignons assortie d'une escalope de foie gras de canard et fromages affinés maison.

▲ *La cascade dite du « voile de la mariée », à Bocognano.*

En décembre, la *Fiera di a Castagna*, la Foire de la châtaigne, a lieu à Bocognano. C'est l'une des foires régionales les plus importantes de Corse.

Bonaparte trouva refuge après avoir été fait prisonnier à Bocognano en 1793.

■ Tavera

Au nord-est d'Ucciani, sur la D 227.

Le village formé de plusieurs hameaux conserve de belles **maisons anciennes** en pierre et des passages voûtés. Dans l'**église**, beau tabernacle en marbre polychrome. Figure illustre et mystérieuse du lieu, Pietro Paolo Tavera, qui, dit-on, devint au milieu du XVIe s. dey d'Alger sous le nom de Hassan Corso.
- De Tavera par la D 127 et la D 27, on peut accéder au **col de Scalella**.
- À partir de la N 193, à gauche, un sentier mène aux ruines d'une **tour féodale**. À 100 m, **statue-menhir** de 2,42 m de haut (IIe millénaire avant J.-C.).

■ Bocognano

Sur la N 193, à environ 10,5 km au nord-est de Tavera.

C'est un gros bourg montagnard dont les hameaux sont disséminés au milieu d'une forêt de pins et de châtaigniers. À 640 m d'altitude, le site est réputé pour son air pur et les eaux limpides de ses sources.
Bocognano a vu naître des officiers, des grands administrateurs et des légistes. Parmi eux, les frères Bonelli, qui ont joué un rôle important auprès de Paoli.
- **Point de départ de nombreuses promenades** : à l'entrée du village, une route puis un chemin partent vers le nord en direction du **moulin de l'Orso**. On franchit alors la passerelle sur la Gravona et on part en direction des pentes sud du Migliarello (2 254 m), à la découverte de deux curiosités parmi les plus originales de Corse. La **clue de la Richiusa**, entaille profonde entre des parois de 60 m de haut, débouche sur une magnifique vasque d'eau verte. La descente de ce torrent nécessite un équipement particulier (baudrier, descendeur, combinaison isotherme, corde) ; elle permet de découvrir une succession de biefs et de ressauts qui s'échelonnent sur une centaine de mètres. Le **glacier de Busso**, névé présent en toutes saisons malgré son exposition au sud et sa faible altitude (1 600 m), résulte de l'accumulation de neige, amassée ici par des avalanches. C'est le site de neiges éternelles le plus étendu de toute la Corse.

■ La Pentica

À 6,5 km à l'ouest de Bocognano. 4 h aller-retour à pied.

Dans un virage coupé par l'ancienne route se détache un chemin qui descend à la Gravona et au confluent de la Pentica. Le cirque rocheux est très sauvage et, après 2 h 30 de marche, on atteint le hameau des célèbres bandits *Bellacoscia*. Bon site de pique-nique, vue sur la vallée de la Gravona.

Le Prunelli

CARTE P. 173

Formé par son fleuve qui a creusé ici de magnifiques gorges, le Prunelli est une région à deux visages, celui de la haute vallée montagneuse à l'est, centrée sur Bastelica, et celui des douces collines de la basse vallée qui se prolonge jusqu'à Ajaccio. Le Prunelli est un objectif de promenade en été. L'hiver, skieurs de fond ou alpins peuvent pratiquer leurs sports favoris sur le plateau d'Ese.

Eccica-Suarella

À environ 20 km à l'est d'Ajaccio par la N 196.

Eccica est étagé sur une colline, Suarella au sommet d'un coteau. L'église paroissiale Saint-Thomas, remaniée au XIXe s., est située à mi-chemin des deux villages.

▲ *Le village de Suarella a un caractère paisible et traditionnel, avec de belles maisons de granit rose, des passages voûtés et des toits anciens.*

Cauro

À proximité de la N 196.

Il reste sur les collines qui dominent le village quelques traces des châteaux des seigneurs della Rocca et de Bianca. Lorsque fut apposée sur l'**église Santa-Barbara** une plaque commémorative en mémoire des disparus de la Grande Guerre, on a découvert un crâne scellé dans les pierres. On prétend qu'il s'agirait de celui de Sampiero Corso, abattu lors d'une embuscade au XVIe s., à quelques mètres de là.

bonne adresse
à Cauro

Auberge Napoléon. ☎ 04 95 28 40 78. Une authentique cuisine corse, à l'image de sa suppa di fasgioli, une soupe traditionnelle à base de légumes gorgée d'un délicieux bouillon.

Bastelica

À environ 40 km au nord-est d'Ajaccio. Prendre la D 27.

Les six hameaux de la commune s'étagent en amphithéâtre au milieu des châtaigniers. L'élevage et l'agro-pastoralisme sont ici prédominants. La maison natale de **Sampiero Corso**, à Dominicacci, hameau le plus élevé du village, fut incendiée par les Génois et reconstruite au XVIIIe s. sur son emplacement primitif. Bastelica est un village de montagne de villégiature où la fréquenta-

◄ *Bastelica est surtout la patrie du célèbre Sampiero Corso, dont la statue se dresse sur un grand piédestal en face de l'église.*

La Saint-Jean

Les villageois se réunissent autour du feu en apportant des beignets, du vin et des gâteaux. C'est à cette période de l'année que sont confectionnés les brei, *talismans composés de fleurs jaunes de la Saint-Jean, de brins d'olivier de l'Ascension, de sel et de cire de cierge.*

bonne adresse
à Bastelica

Charcuterie Benielli. ☎ 04 95 28 70 23. Des produits traditionnels dont le fitoni, le prisuttu...

▶ *Le Monte Renoso et le Monte Niello.*

tion touristique d'été est forte. C'est aussi le point de départ de **randonnées** vers le Monte Renoso et le Monte Niello, des balades qui nécessitent un bon équipement : chaussures de marche, vêtements chauds.
- La **station du Val d'Ese** (1 759 m) est la 4e station de Corse et la mieux équipée en remontées mécaniques.

Le plus corse des Corses

Sampiero Corso est de même que Pasquale Paoli, une figure emblématique de la Corse indépendante. Adversaire acharné des Génois, il passera une grande partie de sa vie à solliciter l'aide des ennemis de la Sérénissime. Il fera tour à tour appel au roi de Navarre, au duc de Toscane et au dey d'Alger. Parcourant l'Europe, reçu par les cours de Florence et de Navarre, il n'en obtiendra cependant que des promesses sans effet. Nommé gouverneur d'Aix-en-Provence en 1560, Sampiero gardera toujours un contact avec son île, en y menant à distance une agitation antigénoise et en attisant des foyers d'insurrection. À 69 ans, alors qu'il avait échappé aux périls d'une vie de combats, il sera rattrapé par la haine implacable de ses beaux-frères, vengeant leur sœur Vannina d'Ornano, assassinée 40 ans auparavant par Sampiero Corso. Ils lui tendirent une embuscade en contrebas d'Eccica et le tuèrent le 15 janvier 1567. Depuis, Sampiero Corso est devenu une figure héroïque à travers laquelle certains ont vu une sorte de précurseur de la Corse française et d'autres, une préfiguration des luttes du XVIIIe s. pour l'indépendance de l'île.

■ Le Monte Renoso (2 352 m)

Au nord du Val d'Ese.

Point culminant de la longue arête qui joint les cols de Vizzavona et de Verde, c'est l'un des cinq grands belvédères de l'île. Pour mieux profiter du **panorama**, il est conseillé d'arriver au sommet le matin. De Bastelica au Renoso, deux itinéraires sont possibles. Le premier, par les **bergeries des Pozzi**, est plus long ; il s'effectue en 7 h 30. Le second, par le **lac Vitelaca**, est plus rapide, on parvient au sommet en 5 h 30. Il est préférable de l'emprunter pour le retour. Une étape campement est possible au plateau des Pozzi. Au départ, les deux parcours sont communs. Possibilité de remonter le chemin carrossable le long de la rive droite du Prunelli, jusqu'à la passerelle sur le torrent. Se garer à la fontaine de Verga.
- Le **Monte Renoso par les Pozzi** (7 h 30 de marche) : traverser le Prunelli ; le sentier s'élève à travers les hêtres. Après 1 h 30 de marche, on laisse à droite un sentier qui va au plateau d'Ese. En 3 h, on atteint les bergeries de Mezzaniva, d'où l'on domine la vallée du Prunelli. La montée se poursuit jusqu'à la Bocca di Scaldasole. Du col, on descend sur les Pozzi. En 4 h 30, sur le plateau des Pozzi, on arrive à cinq bergeries. Présence de sources. En quittant les Pozzi, prendre à flanc de montagne par la sente de la Rina. Se munir d'eau à la fontaine proche du sentier car au-delà on ne rencontre plus de source. Laisser le sentier à gauche et suivre les crêtes. Là, le chemin n'existe plus et la progression, un peu pénible, se fait sur un sol rocheux. En 6 h, vue en contrebas à gauche sur le lac de Vitelaca et, au-dessus de lui, sur la montagne opposée, le lac de Bracca. Après 7 h de marche, l'ascension se termine en escaladant et en contournant d'énormes rochers.
- Le **Monte Renoso par le lac Vitelaca** (5 h 30 de marche) : l'itinéraire côtoie le Prunelli jusqu'au lac. Laisser à droite la passerelle sur le Prunelli et poursuivre sur le chemin rive droite. En 1 h, on arrive à une fontaine. Laisser le Prunelli à droite et atteindre à mi-côte les **bergeries de Latina**. On passe près d'une fontaine et on revient vers le torrent qu'on longe d'assez haut. Après avoir traversé des bois de hêtres, on retrouve le Prunelli.

Le chemin devient assez mauvais et il faut franchir encore plusieurs fois le torrent avant d'arriver aux bergeries ruinées d'Arbajola. Un balisage mène vers le lac Vitelaca (4 h). C'est une nappe de forme allongée, longue de 175 m, entourée de gazon, qui occupe le fond d'une cuvette à la tête de la vallée du Prunelli. Le lieu est dominé par des pentes raides recouvertes de taillis d'aulnes. Par un sentier, on suit les bords du lac en laissant à gauche une fontaine. À travers des roches et des aulnes, on monte jusqu'à un gros rocher, de là on se dirige jusqu'au Renoso et on atteint le sommet en 5 h 30. On découvre alors une **vue superbe** sur la forêt de Vizzavona, la chaîne du Rotondo, le Cinto, les crêtes de l'Incudine, le Fium'Orbo, la côte orientale, la vallée de Ghisoni, la forêt de Marmano, la vallée de Zicavo, les montagnes de Sartène, les golfes du Valinco et d'Ajaccio.

▲ *Le Prunelli est une microrégion verdoyante et montagnarde.*

■ Le Monte Niello

Au nord du Val d'Ese.

Il n'est facilement accessible que par son arête sud-ouest, les autres versants ne pouvant l'être que par l'escalade ou le passage à travers d'épais taillis d'aulnes. Ce sommet offre deux randonnées d'environ 5 h 15 chacune. La première permet de gravir la **Punta a Vetta** (2 255 m) par le beau site de la Bocca Lagione. On atteint par la seconde la **Punta Capannella** (2 250 m).

- D'autres chemins de randonnée mènent de **Bastelica** à **Zicavo** dans la vallée longitudinale attenante du Taravo, en passant par la Bocca di a Arusula (1 206 m) et la Bocca di Lera (1 274 m), pour parvenir après 5 h de marche sur Guitera. De là, on peut rejoindre la route goudronnée. Zicavo est à 7 km.

▲ *Le massif enneigé du Monte Niello domine les gorges du Prunelli.*

■ Les gorges du Prunelli

De Bastelica, revenir jusqu'à la Bocca di Menta (D 27) et prendre à droite la D 3, qui descend la vallée du Prunelli. À 4,5 km, la route pénètre dans les gorges du Prunelli.

- Le **barrage de Tolla** (hauteur 88 m, largeur 120 m) est un ouvrage du type voûte, édifié en 1956. Il a été renforcé en 1964 et produit 87 millions de kWh.
- La **Bocca di Mercuio** (612 m). La route débouche entre deux cornes rocheuses au-dessus d'un cirque majestueux dominé sur la gauche par d'énormes pyramides. À gauche, une route conduit à un **belvédère**, panorama sur le barrage et les gorges du Prunelli ; à 700 m à droite, **chapelle de l'Annunziata** (saint Antoine en est le patron) ; elle fut construite pour conjurer le fléau qui voulait que les enfants tombent et se noient dans le Prunelli.
- Les hameaux de **Bastelicaccia** s'étagent au pied du Monte Aragnasco (888 m). Vue étendue sur le golfe d'Ajaccio.

À environ 21 km au sud-ouest de Tolla.

▲ *Les maisons d'Ocana s'étagent au milieu des châtaigniers, dans les gorges du Prunelli.*

▲ *Le village de Tolla, dans les gorges du Prunelli, s'accroche au-dessus du lac de barrage incrusté dans un cirque.*

Le golfe de Valinco et la vallée du Rizzanese

Traversée par le Taravo, le Baracci et le Rizzanese, la région, d'occupation fort ancienne, est attractive, avec le célèbre site préhistorique de Filitosa et les belles plages de sable fin du golfe de Valinco. Propriano est le point de départ de nombreuses excursions dans un arrière-pays couvert d'oliviers et de maquis.

◄ *Le pont Spin'a Cavallu.*

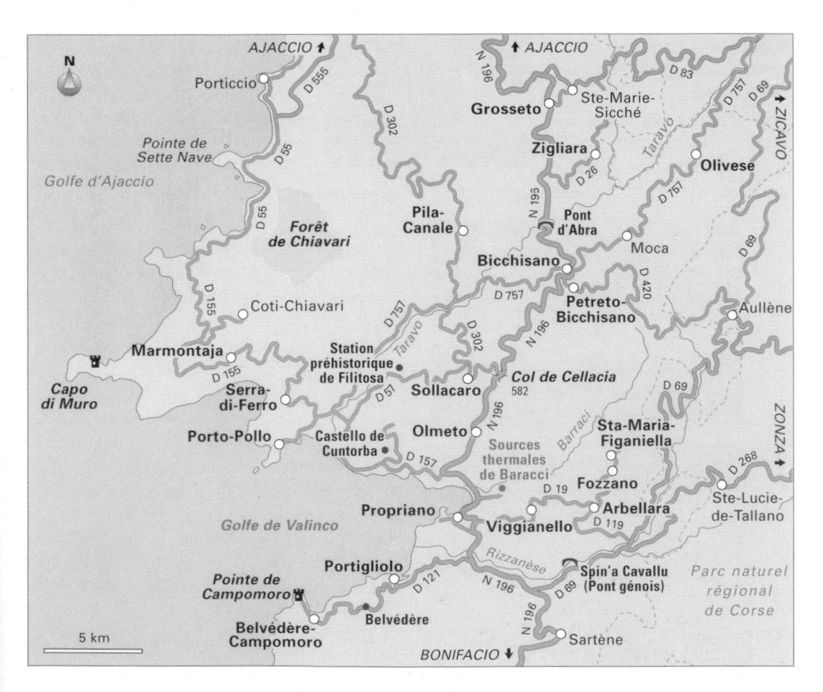

Propriano

CARTE P. 195

Office du tourisme : port de plaisance. ☏ 04 95 76 01 49.
Gare maritime : quai l'Herminier. ☏ 04 95 76 04 36.

La ville, environnée de collines, est blottie au fond du golfe de Valinco, entre la pointe de Porto-Pollo et celle de Campomoro, au débouché du Baracci. Avec son port et ses belles plages, elle est très fréquentée. Le site est connu depuis l'Antiquité de tous les marins qui ont fréquenté ses côtes.

Le 13 mars, fête de la Miséricorde. Une procession en mer a lieu à l'occasion de la fête des pêcheurs, le 2 juin. Le 15 août, fête patronale.

Une simple marine

À l'embouchure du Rizzanese et du Baracci, l'ancienne marine de Fozzano ne comptait jusqu'à la fin du siècle dernier que quelques maisons de pêcheurs. La construction en 1837 de la route Ajaccio-Bonifacio va considérablement dynamiser ce simple hameau, érigé en commune en 1860. Propriano, *Proprio in Piano* (bien dans la plaine), en contraste avec Sartène *Serra Tenet* (qui tient la montagne), va devenir un centre routier et commercial et le débouché portuaire de Sartène et du Sartenais. On y écoule le bois et le charbon de bois de l'arrière-pays, mais aussi l'orge et le blé. La construction d'un phare et d'une jetée puis la mise en place d'une ligne régulière par bateaux à vapeur avec Marseille ont considérablement modifié l'avenir de cette cité.

► *La marine de Propriano.*

■ La cité balnéaire

La ville, qui est passée de 1 000 habitants au début du siècle à plus de 3 000 aujourd'hui, vit principalement de son tourisme. Le long de la rue principale, face à la mer, restaurants, boutiques et terrasses donnent à l'ensemble une note estivale. Propriano affiche l'architecture spécifique de ces villes de vacances, avec ses bungalows et autres constructions modernes qui bordent le rivage. Faute de place, l'urbanisation est restée maîtrisée. Malgré son développement touristique, le site a su conserver, entre ses collines couleur de bronze et le bleu intense de la mer, le charme d'un environnement exceptionnel. Propriano possède des **plages** magnifiques, celles de **Pujara** et de **Baracci**. C'est aussi le point de départ d'un grand nombre d'**excursions** vers l'arrière-pays.

▼ *Agrandi et aménagé, le port dispose d'une capacité d'accueil de plus de 500 places.*

▼▼ *Les cimetières corses, comme celui de Propriano, sont conçus comme de véritables villages, où les chapelles en pierre à toits de tuiles dessinent des fronts de rue.*

Le golfe de Valinco

CARTE P. 195

Bordé de plages de sable fin ou limité par les contreforts rocheux des montagnes couvertes d'oliviers qui l'entourent, le golfe a été façonné par les trois rivières qui le sillonnent, le Taravo, le Baracci et le Rizzanese.

■ Les bains de Baracci

À 4 km au nord-est de Propriano par la N 196 et la D 557.

Ouvert tous les jours de 9 h à 12 h et de 14 h à 19 h; en juillet et août de 8 h 30 à 12 h 30 et de 15 h à 21 h, nocturne les mercredi et samedi jusqu'à 23 h. ☏ 04 95 76 30 40.

La découverte de médailles antiques et certains vestiges attestent la présence à Baracci de thermes romains : les bains sont situés sur la rive gauche du Baracci, au fond du golfe de Valinco. Les eaux sulfureuses et salines, qui jaillissent à 47 °C, soignent des affections rhumatismales et cutanées.

■ Olmeto

Prendre à gauche la D 257.

Office du tourisme : ☏ 04 95 74 65 87.

Ce gros bourg est construit en terrasses sur les pentes méridionales de la Punta di Buturetto (870 m), qui domine le golfe dans un somptueux décor d'oliviers. Colomba Carabelli, qui donna son titre au roman de Prosper Mérimée, y mourut à l'âge de 96 ans, dans la maison des demoiselles d'Istria, en 1861. Sur une colline faisant face au village se dressent les tours génoises du Taravo et d'Aglio et les **ruines** du Castello della Rocca, demeure du comte Arrigo della Rocca, qui chassa les Génois de l'île en 1376.

- Au lieu-dit **Casa l'Abbadia**, belle maison du XVe s. À l'intérieur de l'église paroissiale, **orgue** Stolz (1850). **Ruines** du couvent Saint-François et **vestiges** de l'abbaye romane Sainte-Marie.

▼ *Le village d'Olmeto conserve de jolies maisons de granit aux vieux toits et aux passages voûtés.*

La légende du château d'Istria

L'un de ses seigneurs fut Giudice de Cinarca, amoureux d'une séduisante veuve, Savilia de Franchi. Enchaîné par celle-ci, il la voyait chaque jour défiler nue devant lui. Parvenant à s'échapper, il se vengea en la livrant à ses soldats et à ses serfs.

▲ *L'enceinte du Castello de Cuntorba.*
► *Le Castello de Cuntorba.*

■ Castello de Cuntorba

Prendre la N 196 en direction de Propriano puis à droite la D 157. Tourner à droite dans la D 157A.

Au milieu du maquis et des chênes verts, ce site privé conserve les **vestiges** d'un monument circulaire torréen daté de 1 200 ans avant notre ère.

■ Porto-Pollo

▼ *Un voilier au mouillage, à Porto-Pollo.*

La D 157 s'accroche en corniche au-dessus de la côte nord du golfe de Valinco. Prendre à gauche la D 757. À 19,5 km de Propriano.

Au milieu des figuiers et des oliviers, à l'embouchure du Taravo, ce fut pendant longtemps un simple village de pêcheurs et une marine où venaient mouiller les bateaux. Aujourd'hui, c'est une station balnéaire qui offre une **belle plage** d'où l'on aperçoit la pointe de Campomoro. Elle offre de nombreuses possibilités de plongée sous-marine.

■ Serra-di-Ferro

Reprendre la D 757 et tourner à gauche dans la D155.

Belle **plage** de sable blanc ouverte sur la baie de **Cupabia**.
- Après **Mormontagna**, sur la D 155, un chemin sur la gauche mène à la **Cala di Giglio** (ou anse de Giglio).
- 500 m avant le hameau d'**Acqua Doria**, un chemin à gauche, signalé « **Capo di Muro 5** », dessert plusieurs plages, dont l'**anse d'Orzo** et l'**anse de Cacao**. Au bout du chemin, on parvient à la **tour génoise** qui couronne la **Punta Guardiola** (167 m). C'est le plus haut promontoire de la presqu'île du Capo di Muro.

▲ *Le golfe de Valinco vu du Castello de Cuntorba.*

■ Portigliolo

Sortir de Propriano par la N 196 en direction de Sartène. Prendre à droite la D 121 après le pont de Rena Bianca. À 8 km au sud-ouest de Propriano.

Belle **plage** de sable fin à l'embouchure du Rizzanese, qui s'étend sur 1,5 km.

Pour apprécier pleinement les jeux de lumière sur le golfe, il est conseillé de découvrir la côte sud en fin de journée.

■ Belvédère

Poursuivre la D 121. À environ 12,5 km de Propriano.

De ce village, situé sur une terrasse où se mêlent les parfums de la mer et du maquis, le regard s'étend sur le golfe de Valinco et ses 100 plages.
- À gauche en descendant vers la mer, un chemin peu accessible mène au **menhir de Capo di Luogo**. Trois **coffres** mégalithiques sont à proximité. À voir aussi, le **dolmen de Tolla** et le **château Durazzo.**

■ Campomoro

Sur la D 121. À 4,5 km de Belvédère.

À l'extrême sud du golfe de Valinco, au milieu des eucalyptus, ce petit port de pêche, dont le nom signifie « Le Camp des Maures », offre une **vue** remarquable sur l'ensemble du golfe. La maison natale du poète corse Lorenzi di Bradi (1869-1945) s'y trouve. Quelques bateaux de pêche et de plaisance s'abritent dans la petite anse protégée par la pointe de Campomoro, surmontée d'une vieille **tour génoise**, entourée d'un **fort**. Édifiée en 1586, c'est l'une des tours les plus importantes de Corse. Classée monument historique, elle a été restaurée par le Conservatoire du littoral, qui a aménagé un **chemin d'interprétation** pour y parvenir. En 30 mn à pied, on gagne l'extrémité de la pointe.
- La **côte**, entre la pointe de Campomoro et celle de Senetosa, s'étire sur plus de 15 km entre criques et pointes rocheuses. Ce lieu sauvage et majestueux, occupé par l'homme depuis l'Antiquité, est aujourd'hui protégé.
- De Campomoro, on peut rentrer à Propriano en faisant un circuit par Grossa.

▲ *L'anse de Campomoro.*

◄ *Une succession de superbes plages forme le golfe de Valinco. Ici, à Campomoro.*

CARTE P. 195

À 18,5 km au nord-ouest de Propriano, par la N 196, la D 157 à gauche et la D 57 vers le nord.

Ouvert d'avril à fin octobre, de 8 h 30 au coucher du soleil. Hors saison, sur rendez-vous. ☏ 04 95 74 00 91.

Filitosa

Classé par l'Unesco comme l'un des « sites culturels et artistiques les plus importants du monde pour la préhistoire », Filitosa apparaît comme le fleuron de l'art mégalithique. Aménagé sur un éperon naturel dominant le confluent de deux petits ruisseaux, le Barcajola et le Sardelle, le site conserve les traces d'une occupation qui dura du VIe millénaire au Ier millénaire avant notre ère.

▼ *À droite de l'entrée, le* monument *est un monument tumulaire plein, extérieurement appareillé, bâti entre des blocs de rochers.*

■ La découverte du site

Si Prosper Mérimée parle avec enthousiasme du dolmen de Tavaru ou de la statue-menhir d'Apriciani, il ne fait pas mention de Filitosa, qui échappa à sa perspicacité. Il faudra encore attendre près d'un siècle pour que le site soit découvert. Pourtant, la tradition orale connaissait ces *paladini* de pierre, perdus dans la campagne. Charles-Antoine Cesari, propriétaire de cette terre, mettra au jour en 1946, au pied d'une butte, plusieurs statues-menhirs. Ainsi débuta cet extraordinaire voyage dans le temps. Dès 1954, des fouilles systématiques sont entreprises par Roger Grosjean, archéologue du CNRS. La Corse redécouvre sa lointaine histoire. Filitosa renaît et devient le plus grand centre de l'art statuaire de Corse et de la Méditerranée. Il présente à lui seul une synthèse des différentes époques de la préhistoire corse.

■ Depuis 6000 ans avant J.-C.

Les vestiges découverts permettent de voir et de comprendre l'évolution d'une société, ses modes de vie, ses rites et ses croyances. Filitosa fut occupé dès le néolithique ancien, soit 6000 ans avant J.-C. À cette époque, la population, pratiquant la chasse, la pêche ou la cueillette, était de faible densité et occupait principalement des abris sous roche. Ces premiers hommes laisseront quelques pierres gravées à la coquille. Dans la portion sud de l'enceinte, une carrière de monolithes a révélé, à plus de 2 m de profondeur dans la couche la plus ancienne du gisement, le témoignage d'une première occupation remontant au début de la fabrication de la céramique, datée du VIe millénaire.

La richesse des mégalithes corses

C'est la première région d'Europe pour la qualité des menhirs. Au total, on a dénombré dans l'île 74 mégalithes sculptés et près de 500 menhirs. Le site de Filitosa concentre la moitié des statues-menhirs armées et près de 30 % des menhirs retrouvés en Corse.

Un peuple d'agriculteurs et de pasteurs

Au néolithique récent, à partir de 4000 ans avant J.-C., les hommes se sédentarisent. Ils deviennent agriculteurs, pasteurs, et se regroupent en société. Une véritable vie communautaire peut naître. De cette époque datent les premiers menhirs, simples pierres dressées, dont la symbolique fait encore l'objet de nombreuses interrogations. Certains y voient la marque visible du culte des morts. Le phénomène mégalithique prend toute son ampleur à l'âge du bronze (vers 1800 avant J.-C.), en Corse et principalement dans le sud de l'île comme dans l'ensemble du bassin méditerranéen. Les menhirs deviennent statues, la tête est dissociée du reste du corps. Progressivement, la technique va s'affiner, la statue va devenir véritable sculpture avec la bouche, le nez, les yeux, parfois même des attributs guerriers avec des armes sculptées en relief, comme celle de **Filitosa V**.

Les *torré*

À partir de 1300 avant J.-C., de vastes constructions en pierre, empruntant parfois des matériaux aux époques précédentes, sont édifiées sur des sites stratégiques. Témoins de l'évolution d'une société, ces camps fortifiés, ou *castelli*, sont généralement dominés par des sortes de donjons circulaires, ou *torré*, qui donneront leur nom à la civilisation torréenne. Filitosa en compte deux, au centre et à l'ouest. Leur architecture avec peu d'ouvertures laisse penser qu'il s'agissait de monuments cultuels. À l'intérieur, au centre de la *cella*, on remarque l'emplacement où étaient allumés des feux rituels ou funéraires. Des statues-menhirs d'époques précédentes ont été utilisées pour la construction des murs de ces édifices, représentant donc deux époques de Filitosa. Ainsi remarque-t-on, à la droite de l'entrée du monument central, la statue de **Filitosa IX**, très expressive.

▲ *La statue de Filitosa IX, avec son visage aux traits réguliers, constitue le chef-d'œuvre de la haute époque mégalithique.*

◄ *À l'ombre de Filitosa IV.*

◄◄ *Filitosa V est la plus grande et la mieux armée de toutes les statues-menhirs de Corse. Elle arbore une longue épée verticale et un poignard dans son fourreau.*

Les différents âges des menhirs

Au départ, le menhir est une simple pierre dressée. Au stade 2, les faces sont régularisées, le sommet arrondi suggère une tête. Au stade 3, la tête est distincte du corps et les épaules sont esquissées, c'est un menhir anthropomorphe. Au stade 4, nez, bouche et menton sont figurés avec un grand réalisme. Au stade 5 apparaissent les statues-menhirs armées.

La vallée du Rizzanese

Creusée par le fleuve du même nom, la vallée ouvre sur le golfe de Valinco.

CARTE P. 195

► *C'est à tort que l'on qualifie Spin'a Cavallu de pont génois. Il date en effet du XIIIe s. et est typique de l'art de construire des Pisans.*

Les héroïnes de Mérimée

« J'ai vu une héroïne, Mme Colomba, qui excelle dans la fabrication des cartouches et qui s'entend même fort bien à les envoyer aux personnes qui ont le malheur de lui déplaire. J'ai fait la conquête de cette illustre dame qui n'a que 65 ans et en nous quittant nous nous sommes embrassés à la Corse. Pareille bonne fortune m'est arrivée avec sa fille, héroïne aussi mais de 20 ans, belle comme les amours, avec des cheveux qui tombent à terre, trente-deux perles dans la bouche, des lèvres du tonnerre de Dieu, cinq pieds trois pouces, et qui, à l'âge de 16 ans, a donné une raclée des plus soignées à un ouvrier de la faction opposée. On la nomme la Morgana et elle est vraiment fée, car je suis ensorcelé » (Prosper Mérimée, Lettre à Requiem, *Bastia, 30 septembre 1839).*

■ U Frate et a Suora

Quitter Propriano par la N 196 vers le sud-est. Prendre à gauche la D 69. Plaque indicatrice. Sur la rive gauche du Rizzanese.

D'après la légende, le moine et la religieuse, qui s'aimaient, décidèrent de fuir Sartène un vendredi saint, alors que la ville était occupée à la procession. Sur le chemin, Dieu se vengea et ils furent transformés en statues de pierre (3 m et 1,60 m).

■ Spin'a Cavallu

Poursuivre la D 69.

Son nom signifie « dos de cheval » : son arche unique se déploie d'une rive à l'autre du Rizzanese sur l'ancienne route d'Aullène à Sartène. Il représente un ensemble remarquable d'équilibre et de proportions. Le tablier est d'une extrême minceur, les remblais d'accès pavés de larges dalles de granit, un peu à la manière des anciennes chaussées romaines. Long de 64 m et large de 2,60 m, il enjambe les 14 m de la rivière à une hauteur de 8 m. Il est classé monument historique.

■ Arbellara

À la bifurcation, prendre la D 69 en franchissant le pont d'Acoravo, puis à gauche la D 119.

Village-balcon dominant le golfe de Valinco, il conserve de beaux exemples de **maisons fortes** avec meurtrières, mâchicoulis, contreforts et créneaux. L'une d'entre elles, la « torra », constituée d'une maison-tour défensive, se dresse sur trois niveaux.

Fozzano

Continuer par la D 19 au nord.

Planté sur un promontoire rocheux, au milieu de maquis et de prairies, le village aux ruelles étroites et escarpées, avec ses passages voûtés, fut le théâtre d'une vendetta (1833) qui a inspiré à Prosper Mérimée son roman *Colomba*, publié en 1840. Cette violente vendetta opposa pour d'obscures raisons, politiques ou territoriales, deux familles rivales, les Carabelli et les Durazzo. On peut encore voir leurs maisons fortifiées.

- À voir, deux **tours** génoises des XVIe et XVIIe s.

▼ *On voit encore, à Fozzano, la chapelle funéraire (1834) où est enterrée Colomba.*

Santa-Maria-Figaniella

Le village est situé sur une hauteur dominant la vallée du Baracci.

- L'**église Santa Maria Assunta**, du milieu du XIIe s., est classée monument historique. À l'inverse de certains constructeurs d'églises romanes du nord de l'île, qui cherchaient dans la polychromie des murs une nouvelle décoration, les bâtisseurs du sud sont restés fidèles à la monochromie. Ainsi l'église Santa Maria Assunta, construite en granit jaune-gris, s'inspire-t-elle en majeure partie d'édifices plus anciens, notamment dans l'emploi d'un bandeau souligné par des arcatures, qui sépare nettement le fronton du reste de la façade. L'accès principal (façade ouest) comporte une porte centrale avec linteau monolithique et arc en plein cintre doublé d'un second arc fait de long claveaux. Sur les modillons, masques humains et serpents enroulés sur eux-mêmes constituent l'essentiel des motifs de la décoration. La voûte de l'abside a conservé sa toiture primitive.
- La route se poursuit jusqu'au hameau de **Giacomoni**, au pied du **Monte Peloso** (974 m), et se prolonge par un chemin au **col de Sio**. Beau **panorama** sur la vallée du Baracci et le golfe de Valinco.

▲ *Le clocher de l'église Santa Maria Assunta de Santa-Maria-Figaniella, haut et élancé, est un ajout postérieur, qui s'accorde assez bien avec la construction originelle.*

Viggianello

Revenir à Arbellara et prendre à droite la D 19.

Proche de Propriano, c'est un village-belvédère qui domine la vallée du Rizzanese et le Valinco. Des fouilles ont révélé, près du **Castello di Corvo**, ancienne demeure médiévale de la famille de la Rocca, les **vestiges** de l'ancienne abbaye de Santa Giula de Tavaria, un édifice à nef unique doté d'une abside en cul-de-four.

La basse vallée du Taravo

CARTE P. 195

La vallée possède de nombreux menhirs et vestiges d'une occupation fort ancienne (IIe millénaire). Ces différents éléments montrent la progression du peuplement, qui s'est fait de l'aval à l'amont. La route traverse des villages traditionnels entourés d'oliviers.

■ Sollacaro

À 14,5 km au nord de Propriano par la N 196 puis la D 302.

Syndicat d'initiative : ☏ **04 95 74 07 64.**

Sur une hauteur subsistent les **ruines** du château bâti par le puissant seigneur Vincentello d'Istria au XVe s. Il fut pris par Sampiero Corso le 12 juin 1564. Il est classé monument historique. C'est ici que l'écrivain voyageur James Boswell rendit visite en 1765 à Pasquale Paoli, alors chef du gouvernement corse. Le récit de son voyage et de cette rencontre fit l'objet d'un livre, *An Account of Corsica, the Journal of a Tour to that Island and Memoirs of Pascal Paoli*, véritable best-seller publié en 1768 et traduit en plusieurs langues. En France, il est paru sous le titre *Relation sur la Corse, journal d'un voyage à cette île avec les Mémoires de Pascal Paoli*. En 1841, Alexandre Dumas fera ici un séjour et prendra le village pour cadre de son roman *Les Frères corses*.

▲ *Au milieu d'un paysage d'oliviers et de vergers, Sollacaro surplombe la vallée du Taravo.*

■ Pila-Canale

À environ 30 km au nord de Propriano par la D 157 puis la D 757.

Petit village au milieu des oliviers, qui offre une belle vue au sud sur la vallée du Taravo. À l'entrée du village, une **statue-menhir**.

■ Castellucia

À environ 7 km au sud de Pila-Canale.

À 150 m avant le croisement de la D 302 et de la D 757, une piste de terre conduit à ce site archéolo-

La foire de la Celaccia

Il s'agit d'une manifestation à vocation agricole, artisanale et culturelle, réunissant plus d'une centaine de producteurs, de créateurs locaux ou venus de toute la Corse, à l'exclusion des transformateurs ou simples revendeurs de marchandises importées. Le but de cette foire est de dynamiser la production insulaire et de lutter contre le processus de désertification de l'intérieur de l'île.

gique. C'est un complexe d'habitat de l'âge du bronze, comprenant autour d'une grande maison divers fonds de cabanes enfermés par une série d'enceintes. Plusieurs occupations et destructions successives sont attestées, depuis 2000 jusqu'à 1000 avant J.-C.
- À proximité sur le Taravo, le **pont de Calzola**.

■ Petreto-Bicchisano

À 12,5 km au nord-est de Sollacaro. Au col de la Celaccia, prendre vers le nord la N 196.

Un dolmen récemment mis au jour atteste d'une occupation ancienne. Au fil des siècles, ces villages autrefois distincts se sont confondus. Celui de Bicchisano est dominé par celui de Petreto, tous deux étagés et étirés sur les flancs de la montagne. Le lieu conserve une belle architecture villageoise. Dans l'**église** Saint-Nicolas de Petreto, autel et tabernacle en marbre polychrome. Dans l'**église** de l'Annonciation de Bicchisano, Christ en bois d'art populaire et statues provenant de l'ancien **couvent** Saint-François, construit à la demande du seigneur d'Istria au XVIe s. Le bâtiment est situé à l'écart du village. Deux **maisons fortes** en parfait état rendent compte de l'importance stratégique du bourg et des conflits subis.
- Aux environs, le **complexe mégalithique de Settiva**, daté de l'âge du fer. La structure dolménique est entourée d'une série de menhirs placés en cercle. À proximité, le **pont d'Arba**, sur le Taravo.
- Les **Bains de Taccana** forment une source thermale, dont l'eau sulfureuse à 37 °C jaillit au fond d'un ravin.

■ Zigliara

Prendre à droite la D 26.

L'**église** du XVIIe s. est flanquée d'un clocher baroque.
- Entre Zigliara et **Forciolo**, **ruines** de la **chapelle romane** San Simeone (XIIIe s.). L'abside est dotée d'une arcature décorative. Parmi les modillons, têtes d'animaux, motifs géométriques, façade de chapelle en ex-voto, visage féminin.
- À **Olivese**, restes de dolmens et de menhirs; beaucoup ont été remployés dans les constructions.

■ Grosseto-Prugna

À 19,5 km au nord de Petreto-Bicchisano, sur la N 196.

Important village construit au milieu des chênes verts et des noyers au-dessus du vallon de Salice. Le lieu a conservé l'architecture traditionnelle de ces hameaux de montagne constitués de hautes façades, de voûtes et de porches. Après avoir été abandonnées, beaucoup de ses maisons sont aujourd'hui restaurées. Sur la place, statue du général Grossetti (1861-1918), héros de la Grande Guerre, originaire de Grosseto.

Au col de la Celaccia (594 m), tous les ans depuis 1978, se tient la foire de la Celaccia, le week-end de la mi-juillet.

Le 24 juin, fête de Saint-Jean-Baptiste à Petreto-Bicchisano : on y fait de grands feux de joie qui coïncident avec le début de l'été.

L'hospitalité corse

C'est dans cette région que débute l'action des Frères corses*, d'Alexandre Dumas (1845) : « Vers le commencement du mois de mars de l'année 1841, je voyageais en Corse. (...) Vers les cinq heures, nous arrivâmes au sommet de la colline qui domine à la fois Olmeto et Sollacaro. Là, nous nous arrêtâmes un instant. – Où Votre Seigneurie désire-t-elle loger ? demanda le guide. Je jetai les yeux sur le village, dans les rues duquel mon regard pouvait plonger, et qui semblait presque désert : quelques femmes seulement apparaissaient rares dans les rues. (...) Comme, en vertu des règles d'hospitalité établies, j'avais le choix entre les cent ou cent vingt maisons qui composent le village, je cherchai des yeux l'habitation qui semblait m'offrir le plus de chances de confortable, et je m'arrêtai à une maison carrée, bâtie en manière de forteresse, avec mâchicoulis en avant des fenêtres et au-dessus de la porte. »*

Sartène et le Sartenais

◄ *La chapelle San Quilico de Montilati.*

On découvre la Corse préhistorique, dont le sous-sol a révélé les traces d'une histoire lointaine. La présence de sites préhistoriques de premier ordre a fait du Sartenais la terre d'élection du mégalithisme méditerranéen. Entre mer et montagne, la région offre des paysages d'une grande diversité : golfes lumineux, dont les côtes ont été durant des siècles ravagées par les Maures, les Sarrasins, les Barbaresques et les Turcs, un arrière-pays montagnard, de hauts sommets et des vallées profondes.

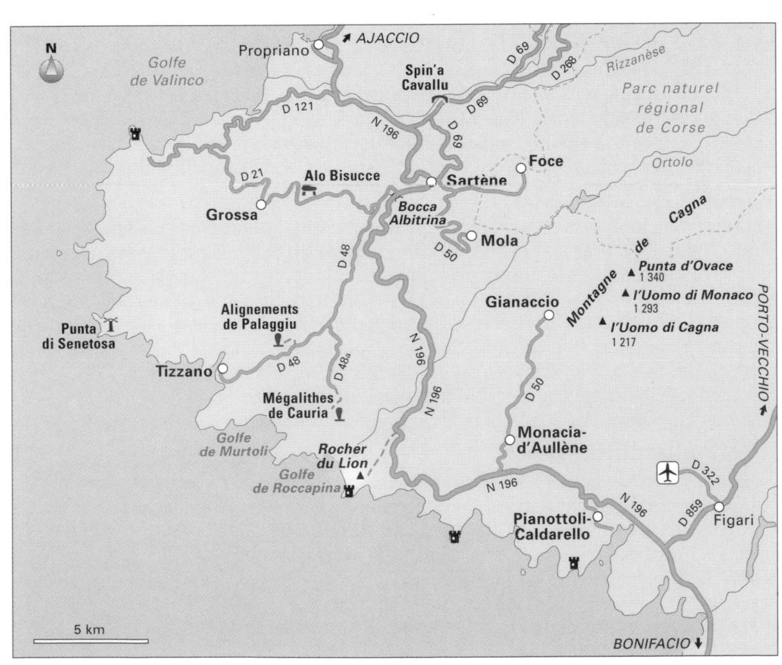

Sartène

CARTE P. 207

Syndicat d'initiative : 6, rue Borgo. ☏ 04 95 77 15 40.

Sartène est « la plus corse des villes corses », selon Mérimée. La ville est bâtie sur un éperon rocheux dominant la vallée du Rizzanese. Elle impose au relief l'austérité de son architecture.

L'époque féodale

C'est l'une des communes de France les plus étendues, dont la *pieve* regroupait autrefois 11 villages répartis du Rizzanese à Roccapina et de la chaîne de Cagna à Tizzano. Chacun d'entre eux dépendait d'un château fort qui contrôlait les terres les plus fertiles de la région (XIe s.). Au début du XIIIe s., Guglielmo di Cinarca, le premier des seigneurs della Rocca, dont la domination s'étendit du col de Saint-Georges à Bonifacio, fit construire le château de Castel-Novo (Baracci), à 3,7 km de Sartène. Celui-ci devint le centre du Sartenais féodal, où vécurent les plus grands seigneurs de Cinarca.

La ville génoise

Après le démantèlement des différentes seigneuries de la région, les Génois vont fonder Sartène au XVIe s. En 1507, l'amiral génois Andrea Doria emmène une partie de la population de Zicavo et de l'Alta Rocca dans le Sartenais. À la même époque, les habitants des villages de l'Ortolo, fuyant les invasions des corsaires barbaresques, se replient eux aussi sur la citadelle, où la garnison génoise a commencé à construire des remparts à l'intérieur desquels va se développer Sartène.

Sièges, révoltes et occupations

Assiégée et démantelée en 1565 par Corso, la garnison doit se rendre et est massacrée. Vingt ans plus tard, c'est le dey d'Alger Hassan Pacha qui s'empare de la ville, dont 400 habitants sont enlevés et vendus comme esclaves. Lors des « révolutions de Corse » (1728-1769), Sartène, fidèle à Gênes, est assiégée à trois reprises par les insurgés (1737 à 1736). En 1736, Théodore de Neuhoff, éphémère roi de Corse, en fait le lieu de sa résidence. Il y signe le décret par lequel il confie le gouvernement du royaume aux généraux Ornano, Giafferi et Giacinto Paoli. En 1763 se tient au couvent de Sartène, la *Cunsulta* des délégués de toute la Corse, qui consacre le triomphe de Pasquale Paoli.

Terre de seigneurs

Anoblis par la monarchie française à laquelle ils se sont ralliés après la défaite de Ponte Nuovo (mai 1769), les grands propriétaires terriens du Sartenais vont constituer entre le XVIIIe et le XIXe s., la caste dominante qui fournit la France en hauts fonctionnaires et en hommes politiques, entre autres Joseph-Marie Piétri, préfet de police sous le Second Empire, et Nicolas Piétri, ami et exécuteur testamentaire de Clemenceau. Une lutte de pouvoir va s'instaurer pour aboutir au XIXe s. à une longue vendetta, opposant les Rocca Serra du quartier de Sant'Anna, partisans des Bourbons, aux Piétri et Ortoli, « libéraux », du quartier de Borgo. Un ancien soldat de Napoléon, le général Lallemand, devenu gouverneur de la Corse, parviendra à leur faire signer un traité de paix en décembre 1834.

La ville aujourd'hui

Sous-préfecture de la Corse-du-Sud, la ville représente le pôle économique d'un arrière-pays dont l'économie a longtemps été centrée sur l'élevage et la viticulture. Aujourd'hui, ces deux secteurs ne sont plus prédominants. Le tourisme, comme dans beaucoup d'autres régions de Corse, est l'un des axes de développement, mais la région tente de le maîtriser pour éviter tout excès.

bonne adresse

Auberge ***Santa Barbara***, route de Propriano. ☏ 04 95 77 09 06. Un splendide jardin et une salle à manger ancienne où cuisent sur des braises les saucisses, les figatellis et les côtes d'agneau. Et aussi, au menu, charcuterie corse, soupe paysanne, civet de sanglier...

■ La place de la Libération (ancienne place Porta)

PLAN A1

C'est le cœur de la ville et le lieu de rencontre et de promenade des Sartenais. Bordée d'un côté par l'hôtel de ville et de l'autre par l'église, elle s'ouvre sur la montagne.

Le 14 août a lieu la fête de l'Hospitalité.

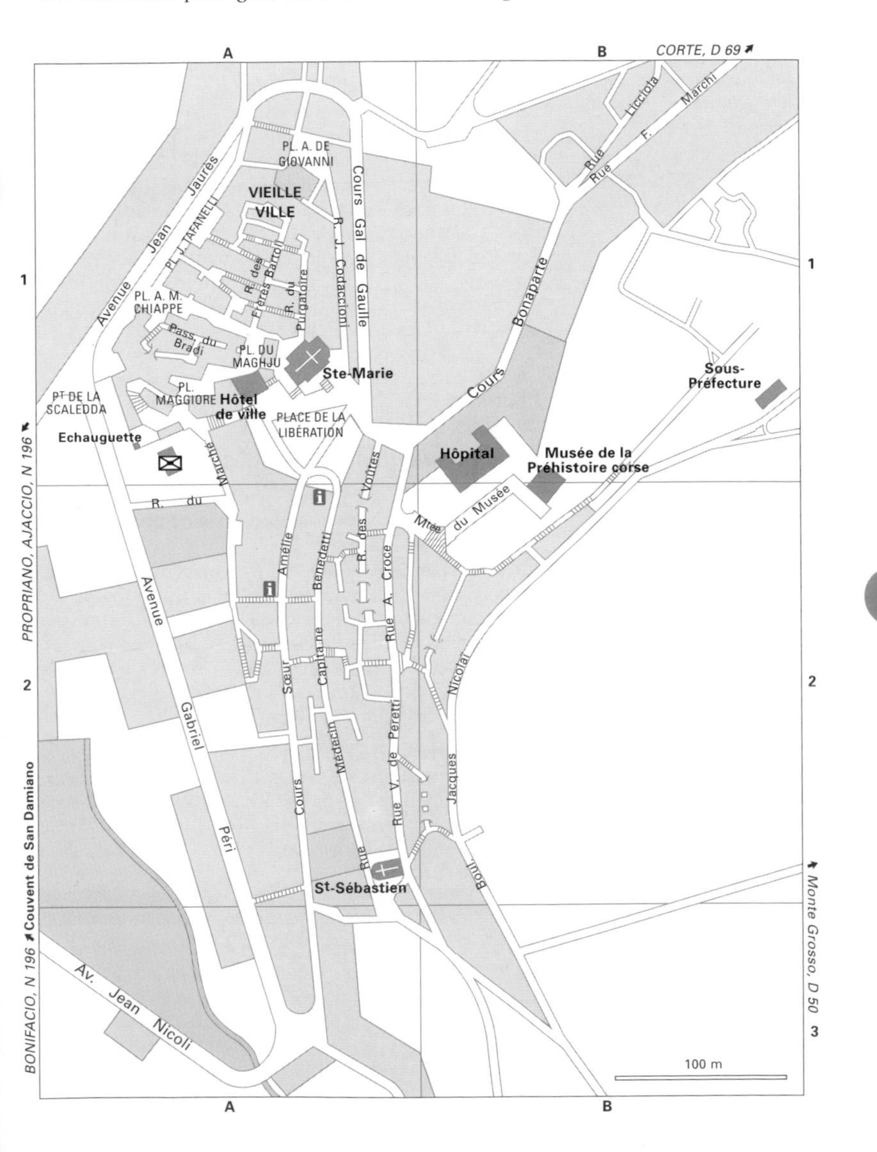

► *Les armes de Sartène, sur la façade de l'hôtel de ville.*

■ L'hôtel de ville

PLAN A1

L'ancien palais des administrateurs génois est une véritable maison forte. Il accueille des expositions temporaires et abrite des toiles du legs Fesch. Un passage voûté conduit à la vieille ville.

▲ *Sartène se dresse fièrement sur un piton de granit.*

► *L'église Sainte-Marie est dominée par un clocher ajouré et coiffé d'un dôme.*

■ L'église Sainte-Marie

PLAN A1

Elle renferme la **croix** et la **chaîne du Catenacciu**. Le **maître-autel** de style baroque en marbre polychrome (1781) provient du couvent Saint-François. L'église est à Sartène le centre de la vie de la communauté. Elle fut le cadre de grands événements, tels la signature du traité mettant fin aux vendettas de Sartène ou à celle de Fozzano, qui inspira Mérimée.

- Entre l'église et l'hôtel de ville, un **passage voûté** mène dans le dédale des ruelles étroites et des passages en escaliers de la **vieille ville**.
- À 100 m, on peut voir se dessiner une tour génoise, l'**Échauguette** (XVIe s.), l'un des rares vestiges des murailles qui encerclaient la ville.

■ Le musée de la Préhistoire corse

Rue Croce. PLAN B1

Le musée, en cours de rénovation, est fermé pour travaux jusqu'à fin 2002. ☏ 04 95 77 01 09.

Installé dans l'ancienne prison, il présente des collections d'objets provenant de fouilles faites en Corse. Du néolithique ancien au début de l'âge de fer, sont exposés des objets trouvés dans les tombes, des statues-menhirs sculptées, des céramiques décorées à l'aide de coquillages, des céramiques à l'amiante du cap Corse, des armes, des bijoux et divers outils.

▲ *Les hautes bâtisses de Sartène, construites avec de gros blocs de granit, évoquent le Moyen Âge.*

■ Le rocher de France

Situé dans le quartier de Paccialedda, il porte une croix. Panorama sur le bassin du Rizzanese et le golfe de Valinco ; au nord-est, les aiguilles de l'Asinao et de Bavella dominent l'horizon.

La guerre des clans

Mérimée ne s'inspira pas uniquement des rivalités des deux seules familles de Fozzani pour écrire Colomba. *Il trouva aussi à Sartène des exemples d'oppositions de clans qui mènent à ces vendettas incessantes et meurtrières. Lors de son voyage en Corse, il reçut les confidences de l'un des membres de la famille Rocca-Serra, dont il fera mention dans une note de son roman. À sa lecture, la famille adverse ne put supporter, après avoir conclu un traité de paix et alors que le pardon avait été donné, que son adversaire se vante de ses méfaits. La vengeance ne se fit pas attendre et celui-ci périt d'avoir trop parlé et manqué à son honneur.*

Les environs de Sartène

CARTE P. 207

Deuxième commune de France par sa superficie, Sartène est très prisée pour ses plages magnifiques. En s'éloignant de la ville, les points de vue sur le bassin du Rizzanese et le golfe de Valinco se multiplient.

▲ *Le couvent Saint-Damien est un lieu très recherché pour effectuer une retraite. L'atmosphère y est remplie de mysticisme.*

■ Le couvent Saint-Damien

À la sortie ouest de Sartène, au carrefour de la route de Bonifacio.

Possibilité d'y séjourner. ☏ 04 95 77 06 45.

Ce couvent franciscain du XVIe s. fut restauré au XIXe s. Il est occupé par une communauté de moines d'origine belge. C'est ici, la veille du vendredi saint, que vient se recueillir et méditer le pénitent qui portera la croix.

■ Le belvédère de Foce

Quitter Sartène par la D 45. Après 4,5 km environ, prendre à gauche la route de Foce.

Laisser la voiture au village et prendre un chemin à gauche à travers la forêt pour parvenir au **belvédère**. Vue magnifique sur la vallée inférieure du Rizzanese et vers le golfe de Valinco.

La tradition agro-pastorale a prédominé pendant des siècles, mais le Sartenais est aussi une terre de vergers et la première région viticole de la Corse-du-Sud, avec des vins de pays réputés et des vins AOC.

■ La route de Mola

À l'est de Sartène, par la D 50.

Une route à travers le maquis mène jusqu'au hameau que surplombe le haut massif de la montagne de Cagna.
- Entre Mola et le pont de l'Ortolo, vers le nord, on aperçoit les ruines du **château de Baracci**, baptisé Castel-Novo. Il fut bâti par le père de Giudice di Cinarca, au XIIIe s., et fut le cadre d'épisodes dramatiques qui virent l'élimination des parents de Giudice. Vincentello d'Istria s'en empara grâce à une ruse et ses occupants furent tués. Au XVe s., le château fut l'une des places fortes de Paolo della Rocca dans sa lutte contre les Génois. Il passa aux mains de son fils Giudice, qui, lui, soutenait Gênes.

Sartè, Sartène

L'origine du nom de Sartène a suscité beaucoup d'interrogations. Pour certains chercheurs, « Sartè » aurait la même étymologie que « Sardaigne » et proviendrait de Sardes, une ville d'Asie Mineure d'où auraient émigré les ancêtres des Étrusques au Ier millénaire avant notre ère. Ceux-ci auraient créé des colonies en Sardaigne, puis se seraient établis dans le Sartenais avant de s'installer en Toscane.

Le sud du Rizzanese

CARTE P. 207

le circuit des menhirs

Aujourd'hui désertique, la région fut habitée au cours de la préhistoire et dans l'Antiquité. Les incursions barbaresques et la malaria allaient contribuer peu à peu à son abandon. Entre Grossa, à l'ouest, Monacia-d'Aullène et Pianotolli-Caldarello, au sud, et ponctuée à l'est par la chaîne de montagnes de Cagna, c'est aujourd'hui une zone protégée, acquise par le Conservatoire du littoral. Plusieurs sites mégalithiques ont été mis au jour.

▲ *Les Stantari (ou les Paladini) rassemblent 25 statues-menhirs, parfois armées, caractéristiques de l'art statuaire primitif.*

▲ *L'alignement de Pagliaju est l'alignement de menhirs le plus important de la Méditerranée occidentale.*

■ La *pieve* de Bisogeni

À 20 km environ à l'ouest de Sartène.

Elle est mentionnée dans les actes du XIIIe s. conservés à Bonifacio. La proximité de nombreux monuments mégalithiques atteste une très longue continuité de l'occupation humaine. La présence de tuiles romaines dans les environs immédiats de Grossa indique qu'il y avait là une bourgade dans l'Antiquité. Aujourd'hui, en dehors de Grossa, le territoire de Bisogeni, s'étendant du cap de Senetosa au port de Tizzano, est totalement désert et protégé.

- À la sortie de Sartène, suivre la route de Bonifacio jusqu'à la Bocca Albitrina, où l'on prend à droite la D 48 puis 1 km plus loin la D 21 à droite. Elle conduit à la Bocca di Bicelli (352 m). 1 km plus loin à gauche, une route mène au **menhir de Vaccie-Vecchiu** (haut de 3,20 m), classé monument historique.
- **Grossa** est le village natal de Giovanni della Grossa, le plus ancien des chroniqueurs corses, qui vivait dans la deuxième moitié du XVe s. Belles et anciennes **maisons de granit**. Vestiges d'un château.

■ La chapelle romane Saint-Jean-Baptiste

À 8,5 km de Sartène.

Isolée dans la campagne, elle dresse une élégante silhouette aux proportions harmonieuses. Cette chapelle romane du XIIe s., classée monument historique, présente une façade avec un fronton dont les arcatures s'appuient alternativement sur des modillons et des pilastres peu saillants. Au milieu des arcatures, des cupules contenaient jadis des éléments décoratifs en céramique. Édifiée dans un lieu sans cesse soumis aux invasions, elle fut abandonnée.

■ Le circuit des menhirs : l'alignement de Pagliaju

De Sartène, prendre la direction de Bonifacio jusqu'à la Bocca Albi-

trina, puis à droite la D 48 qui descend la vallée de Loreto. Après 12,5 km, on laisse à gauche la route de Cauria et on prend à droite la direction de Tizzano. Après le col de Capirosso (75 m), une route carrossable conduit à Pagliaju.
258 monolithes dont 3 statues-menhirs se dressent devant une sépulture en coffre dont la dalle est gravée. Comme la plupart des alignements et des menhirs retrouvés en Corse, ils sont orientés nord-sud, sauf l'alignement est, qui est orienté est-ouest.
- Entre Pagliaju et Tizzano, alignement de **menhirs et statues-menhirs d'Apazzu.**

▲ *Détail d'une arme sculptée sur une statue-menhir de l'alignement de Pagliaju.*

■ Tizzano

À 19 km au sud-ouest de Sartène sur la D 48.

Cette petite marine à l'entrée d'un goulet a révélé des vestiges d'une occupation très ancienne (Ier et IIe s. après J.-C.). Ce fut jusqu'au XIXe s. le port traditionnel de Sartène.

◄ *Aujourd'hui, Tizzano est une station balnéaire qui offre de nombreuses petites criques le long de la côte sauvage.*

- De l'autre côté du goulet, le **fort** en ruine (XVe-XVIe s.) surveillait l'entrée d'un havre les jours de tempête.
- On appréciera la belle **plage de Tradicetto** (à 7 km au sud-est).

■ Le plateau de Cauria

On peut s'y rendre directement à partir de Sartène (17 km au sud par la D 48) ou en remontant de Tizzano par la D 48, puis en tournant à droite dans la D 48A et en poursuivant sur environ 4 km. Il faut ensuite marcher 1 km.

Le **dolmen de Fontanaccia**, au pied nord de la Punta Cauria (276 m), est le dolmen le mieux conservé de Corse. Ce monument daté du IIe millénaire avant J.-C. se compose d'une chambre funéraire (2,60 m de long sur 1,60 m de large et 1,80 m de haut) et d'une dalle de couverture (3,40 m de long). L'ensemble est orienté est-ouest, perpendiculairement aux alignements voisins.

◄ *Le dolmen de Fontanaccia, dont l'ouverture regarde vers le soleil levant, est un assemblage parfaitement préservé aux lignes pures.*

- À 300 m du dolmen, à l'intérieur d'un enclos de pierres sèches, l'**alignement de Stantari**, ou « les hommes debout », est orienté vers Rinaiu. Recouvert par la végétation, il fut mis au jour en 1964.
- À 400 m, l'**alignement de Rinaiu** : disséminés dans un petit bois de chênes que l'on dit sacré, les menhirs sont alignés au pied d'ensembles rocheux autrefois habités par les hommes du néolithique.

D'après les croyances populaires, les mégalithes servaient, la nuit, à des pratiques diaboliques. C'est ainsi que le dolmen de Fontanaccia a été appelé *a Stazzona di u Diavul* (la forge du diable), tandis que les Stantari voisins étaient considérés comme les gibets des victimes de Satan.

Les rochers sculptés

CARTE P. 207

Le sud de la région de Sartène s'ouvre vers la mer, par une zone désertique où règnent maquis et roches sculptées.

► *C'est au lion qu'il revient de garder la tour de Roccapina, l'un des lieux où s'opposèrent, aux XVe et XVIe s., partisans et adversaires de Gênes.*

▼ *Le rocher du lion domine une côte très découpée où les plages se succèdent.*

Le gouffre du Trapentatajo

Au XVe s., Rinuccio della Rocca, dont la famille avait été anéantie par Gênes, fit une tentative pour reconquérir son fief et son pouvoir dans l'île. Face à Gênes, il fut contraint de se réfugier dans la tour de Roccapina. Pour ne pas tomber vivant entre les mains de ses adversaires, il se serait précipité dans le gouffre, appelé depuis Trapentatajo.

■ Le Lion de Roccapina

À 21 km au sud de Sartène, par un chemin à droite de la N 196.

La nature a taillé dans le granit rose ce lion couché, crinière au vent, dominant la baie et émergeant du maquis, qui semble contempler son territoire. À l'est de la Cala di Roccapina lui fait face la **tête d'éléphant**. Cette monumentale sculpture est le résultat de l'érosion naturelle provoquée par l'eau et le vent : les *tafoni*. Ces formes étonnantes, que l'on retrouve ici en de nombreux endroits, ont fait naître quantité de légendes. Sur la plage, un chemin permet d'arriver au pied du rocher. Il est vivement déconseillé d'escalader les rochers, cela peut être dangereux.

- Au large affleurent les **îlots des Moines**, un refuge pour les cormorans qui fait partie des îles de Bruzzi.
- Au nord du **golfe de Roccapina**, celui de **Murtoli**, avec la **Cala Barbarina**, un abri utilisé par les Barbaresques.

■ Monacia-d'Aullène

Poursuivre la N 196, puis prendre à gauche la D 50.

Au centre de l'une des plus vieilles régions viticoles de Corse, Monacia, à 4 km de la mer, conserve l'apparence pittoresque des villages corses. Érigé en commune en 1864, il a été pendant des siècles une dépendance d'Aullène, un site de transhumance où les bergers venaient faire paître leurs troupeaux pendant la période hivernale.

- Au nord du village, au sommet d'une colline, **ruines** de la chapelle Santa Monica.

■ La montagne de Cagna

Au nord de Monacia-d'Aullène.

C'est l'extrême sud de la chaîne montagneuse qui sépare la Corse et prend naissance au Monte Cinto. Moins élevée que les sommets du centre de l'île, son relief chaotique réserve des paysages remarquables et permet la découverte de témoignages de la vie pastorale d'autrefois : les **bergeries de Bitalza et de Nasseo**. Un détour s'impose pour aller s'aventurer dans la **plaine d'Ovace**, l'un des endroits les plus difficilement accessibles de la montagne corse, jalousement gardé par un amoncellement étrange de blocs rocheux.

▲ *La chapelle romane San Quilico de Montilati, à nef unique, a la particularité assez rare en Corse d'être voûtée en plein cintre. Elle a conservé sa toiture primitive de* teghje.

- L'**Uomo di Cagna**, célèbre et impressionnante boule rocheuse posée en équilibre sur son étroit socle granitique, nargue la plaine qui s'étire à ses pieds. Une vieille complainte corse imagine un dialogue entre le Lion de Roccapina et l'Uomo di Cagna : « Tu regardes la mer, dit le lion, moi, je regarde la montagne. »
- L'**Uomo di Monaco** est moins connu que son voisin car plus difficilement visible de loin, mais tout aussi spectaculaire. Monacia est le meilleur point de départ vers ce gigantesque bloc de rocher gris posé en équilibre sur un socle, qui dresse son étrange silhouette humaine à 1 217 m au-dessus des plaines méridionales de l'île : remonter par la D 50 jusqu'au hameau de **Giannuccio** (7,5 km), situé à la Bocca di Croce d'Arbitro (476 m). Du col, on atteint en 2 h 40 le pied de l'Uomo. La vue sur Bonifacio et la Sardaigne est saisissante. La randonnée à pied est la meilleure façon de découvrir la montagne de Cagna dans son ensemble.

■ Pianotolli-Caldarello

Sur la N 196, à 7 km de Monacia-d'Aullène.

Situés de part et d'autre de la route, Pianotolli, au nord, et Caldarello, au sud, conservent des restes d'habitat troglodytique, ayant servi d'abri pour les bergers lors des transhumances. Des vestiges romains ont été retrouvés près de **San-Giovanni-Battista**, à l'entrée du golfe de Figari. Ptolémée mentionne le port de Ficaria parmi les cités répertoriées dans l'île au début du Ier s. après J.-C. Une tour du XIIIe s. permet de repérer le site probable de cette ville. À 300 m à l'ouest, traces d'un complexe baptismal du IVe s.

◄ *Les chaos de rochers de Pianotolli.*

◄◄ *Monacia est pittoresque, avec ses maisons de granit, ses escaliers extérieurs, ses voûtes et ses ruelles étroites en escaliers.*

Le sud : de Bonifacio à Porto-Vecchio

Les criques et les plages de sable fin, les villes attachantes de Bonifacio avec ses falaises et de Porto-Vecchio avec son golfe, le charme des petits ports tranquilles en font une région prisée des touristes.

◄ *La plage de Palombaggia, à Porto-Vecchio.*

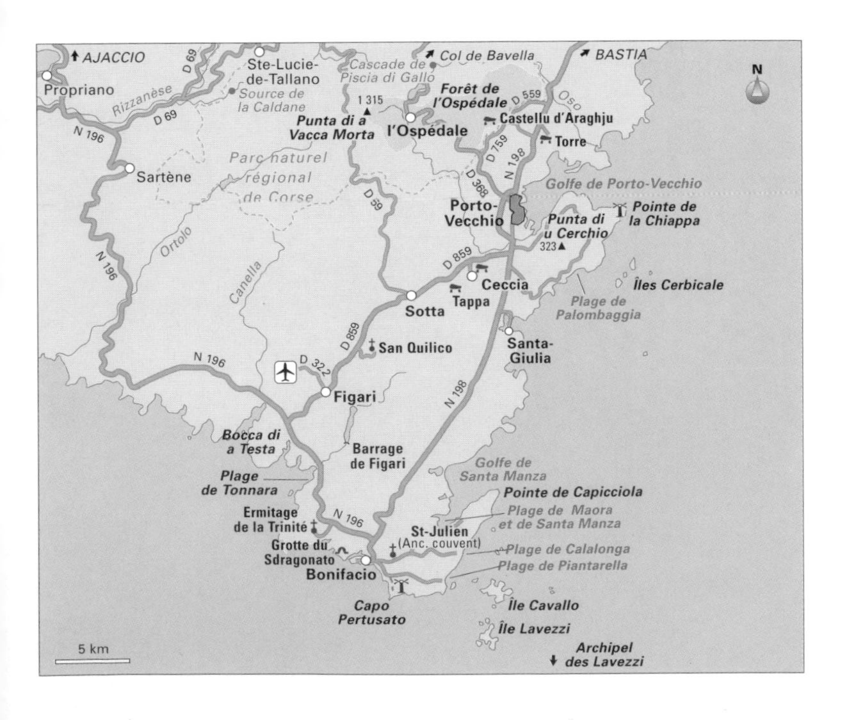

Bonifacio

CARTE P. 217

Office du tourisme : 2, rue Fred-Scamaroni : ☏ 04 95 73 11 88.
Gare maritime : ☏ 04 95 73 06 75.
Aéroport de Figari (à 22 km) : ☏ 04 95 71 10 10.

Le site est somptueux et imposant, la ville belle et majestueuse. À l'extrême sud de l'île, Bonifacio offre aux regards ses hautes falaises de calcaire blanc façonnées par le vent et les embruns. Face à la Sardaigne, la presqu'île de Bonifacio a toujours constitué un territoire à part entière.

Une origine légendaire

« Nous entrons dans ce port bien connu des marins, une double falaise à pic et sans coupure se dresse tout autour, et deux caps allongés, qui se font vis-à-vis au-devant de l'entrée, en étranglent la bouche... » C'est en ces termes qu'Ulysse (chant X de *L'Odyssée*) décrit le port qui serait Bonifacio. Selon la légende, la flotte du héros aurait été taillée en pièces par des géants autochtones, les Lestrygons. Au VIe s. avant J.-C., les Grecs d'Asie Mineure y pratiquaient le commerce. Au IIIe s. avant J.-C., les Romains

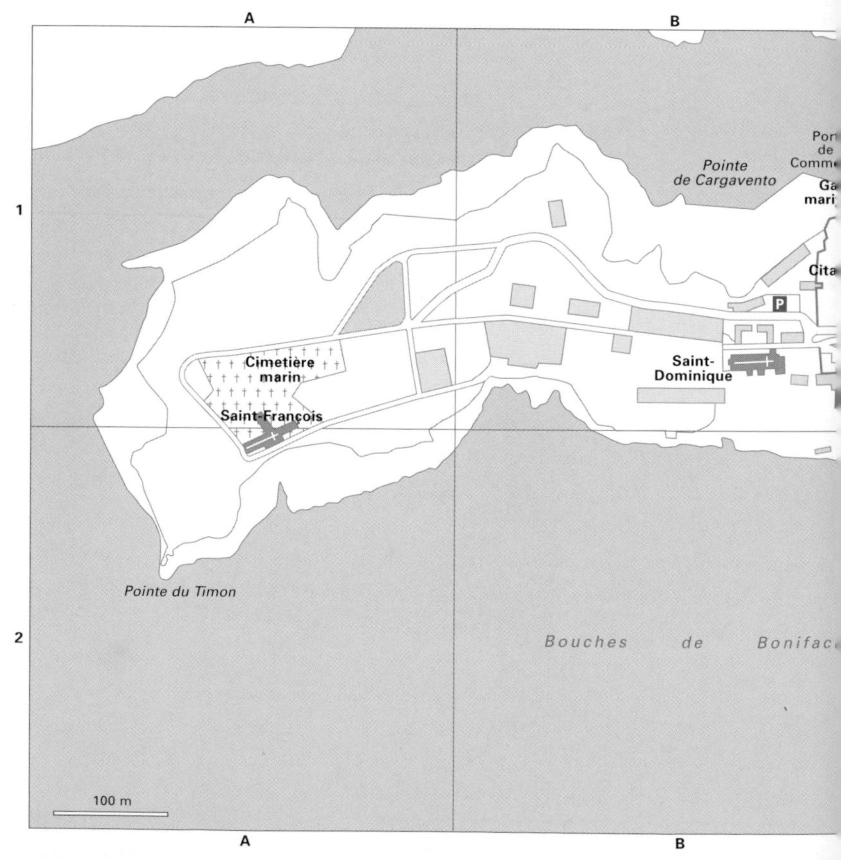

fondaient la petite cité de « Palla ». De cette histoire lointaine, il ne reste que peu de vestiges. De retour d'une expédition contre les Sarrasins en Afrique en 828, le marquis de Toscane, Boniface II, profita d'une escale pour prendre possession de la place pour le compte de Louis le Débonnaire. C'était alors un repaire de pirates nommé Giola. Rapidement, le marquis se rendit maître des lieux et y fit édifier un château, à l'endroit le plus élevé du promontoire, que l'on situe aujourd'hui à l'emplacement de l'ancien quartier militaire. Peu à peu, une population de commerçants et de gens de mer s'installa. La ville de Bonifacio était née.

Entre Pise et Gênes

En 1092, la république de Pise se vit confier la Corse par le pape Urbain II. En 1187, profitant des festivités d'un mariage, les Génois s'en emparèrent par la ruse. Chassés vers 1200 par le marquis de Toscane, ils ne s'assurèrent

Le week-end de la Pentecôte : les Journées médiévales de Bonifacio célèbrent l'année 1541, où Charles Quint, empereur du Saint Empire romain germanique, a foulé le sol de la cité. Spectacle historique, marché médiéval.

▲ *Les falaises taillées dans le calcaire du pays bonifacien constituent l'une des curiosités de la ville.*

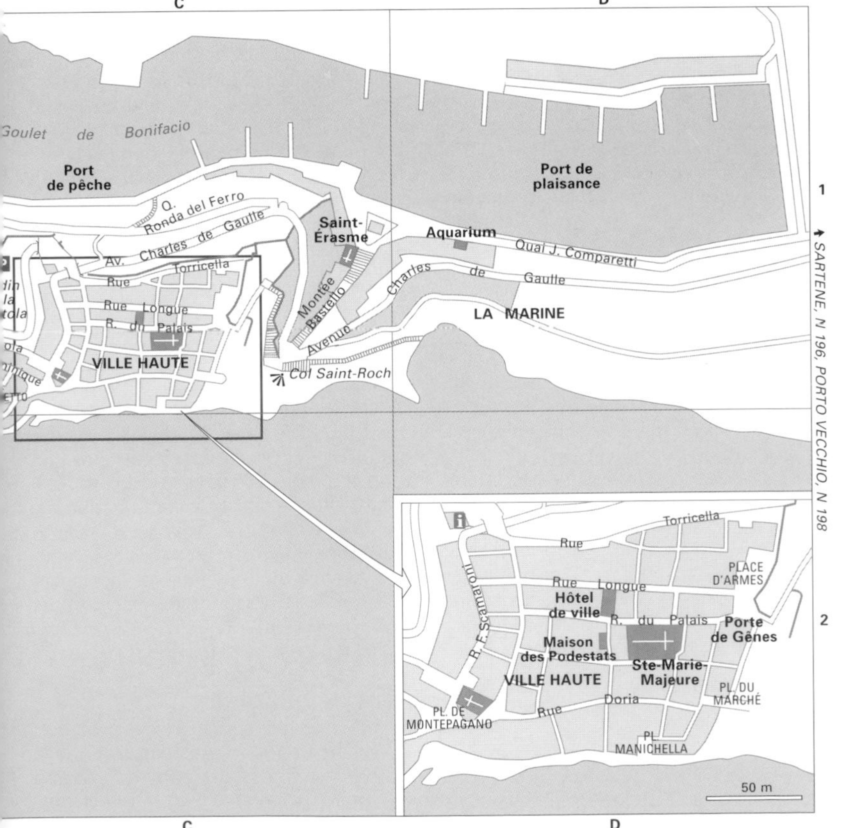

INCONTOURNABLES

▲ *La vieille ville.*

▲ *Installé à l'extrême sud de la presqu'île, le cimetière marin domine les bouches de Bonifacio.*

▲ *Dans la mer, en contrebas du col de Saint-Roch, le « grain de sable », un gros bloc de calcaire détaché de la falaise, rappelle la fragilité de cette roche, soumise à l'érosion incessante de la mer et du vent.*

Début septembre, fête de Notre-Dame, au cours de laquelle sont préparées des aubergines farcies, dites « à la bonifacienne », distribuées à la population.

Lors de la semaine sainte, procession des cinq confréries de la ville.

la possession de la place qu'en 1205. Ils en expulsèrent les habitants et les remplacèrent par des familles liguriennes auxquelles furent accordés de nombreux privilèges. Autorisée à rendre la justice, à battre monnaie et disposant d'assemblées délibérantes, Bonifacio allait devenir une république indépendante. Elle obtiendra même du pape, en 1516, l'autorisation de dépendre directement de l'archevêque de Gênes. Elle subira les outrages de tous les ennemis de sa grande protectrice, la république de Gênes, en particulier en 1420 et en 1553.

Deux sièges mémorables

Après s'être emparé de Calvi, Alphonse d'Aragon, appuyé par Vincentello d'Istria, met le siège devant Bonifacio en 1420. Protégée par ses puissantes fortifications et sa situation géographique, la citadelle va résister et repousser les Aragonais. La légende raconte que, pour prendre ce site, ces derniers creusèrent dans la roche, en une nuit, un escalier de 187 marches reliant le sommet du promontoire à la mer. En janvier 1421, Alphonse V, appelé à Naples par la reine Jeanne qui voyait en lui son successeur, leva le siège. En 1553, les troupes françaises d'Henri II, alliées à la flotte turque du fameux corsaire Dragut et soutenues, côté terre, par les insurgés corses commandés par Sampiero, mirent le siège devant Bonifacio. Leur artillerie déversa plus de 6 000 boulets sur les murailles, créant des brèches géantes. La trahison d'un envoyé de Gênes fit le reste, et le commandant de la place capitula. Cinq ans plus tard, le traité de Cateau-Cambrésis rendit Bonifacio aux Génois, qui reconstruisirent la fortification telle qu'on peut la voir aujourd'hui. En 1768, les Français prirent possession de l'île en vertu du traité de Versailles et les Bonifaciens se soumirent.

La ville aujourd'hui

Retranchée, vivant de la pêche, de l'exploitation des oliviers et des chênes-lièges, Bonifacio a été confrontée pendant le XIXe s. et le début du XXe s. au déclin de son économie et à l'émigration de sa population. Depuis quelques décennies, le tourisme constitue pour la ville une activité majeure. De vastes travaux financés par l'État ont permis de réhabiliter la citadelle et les vieux quartiers de la ville. Le port de plaisance, la proximité avec la Sardaigne, les nombreux sites naturels qui l'environnent constituent un atout majeur pour cette cité au riche patrimoine.

▷ La ville basse et la marine

Le Finistère de la Corse

L'arrivée sur Bonifacio se fait par la ville basse et sa marine. Le port, lové dans l'étroit goulet, offre un mouillage exceptionnel à l'abri des vents et au centre de la cité. La marine réserve de belles perspectives sur la vieille ville.

La marine

PLAN D1

Entourée de hautes falaises calcaires, elle est abritée par un extraordinaire fjord, long de 1 600 m et large de 100 à 150 m, qui s'ouvre entre le promontoire de la citadelle et la pointe de la Madonetta. Le port de commerce et le port de plaisance sont les endroits les plus animés de la ville. Les quais sont le lieu de départ des navettes pour visiter les grottes et les falaises ou s'embarquer pour la plongée sous-marine.

L'aquarium

71, quai Comparetti. PLAN D1

Ouvert d'avril à fin octobre de 10 h à 20 h. En juillet et août de 10 h à 24 h. ☏ 04 95 73 03 69.

Aménagés dans une grotte, plusieurs aquariums présentent les poissons et crustacés des eaux de la Méditerranée.

Les plages

Deux chemins au départ des quais, longeant le port de pêche, mènent aux plages de **la Catena** et de **l'Arinella.** On peut poursuivre jusqu'au **phare de la Madonetta**.

▷ La ville haute

Un monde à part

Retranchée derrière de hautes murailles, elle comprend le quartier de la citadelle et la vieille ville édifiée par les Génois. Un ensemble de maisons hautes et étroites bâties sur les surplombs vertigineux de la falaise. En période estivale, il est préférable de laisser sa voiture à la marine.

Le col de Saint-Roch

PLAN C1

Depuis la marine, on peut gagner le col par un escalier pavé, situé sur un étranglement de la presqu'île. De ce **belvédère**, la vue s'étend jusqu'à la Sardaigne. Sur place, **la chapelle Saint-Roch** a été édifiée en mémoire de la dernière victime morte de la peste en 1528.

- À gauche, près d'une croix, un **chemin** conduit au **phare de Pertusato**. En le remontant sur une centaine de mètres, on a une **vue** saisissante sur les maisons de la vieille ville et les à-pic de la falaise.

La porte de Gênes

PLAN D2

Du quai Comparetti, la **montée Saint-Roch** mène jusqu'à la **porte de Gênes**, qui fut longtemps la seule entrée de la ville. Elle conserve son pont-levis (1588).

- À proximité, **la place d'Armes** ; on peut y voir les sommets circulaires des silos à grains, anciennes réserves alimentaires de la ville.

▲ *Les vieilles maisons s'accrochent au bord de la falaise.*

▲ *Des remparts subsistent des anciennes fortifications.*

Mirenda di San Roccu

Célébrée le 16 août, la Saint-Roch est un temps fort pour les Bonifaciens, qui ont édifié en son honneur une chapelle votive. À la fin de l'office, ils organisent pour leurs enfants la traditionnelle mirenda di San Roccu. *Une collation en plein air que l'on faisait autrefois sur le Capo Romanello. Depuis plus d'un demi-siècle, elle se déroule en dehors de la ville, à l'ermitage de la Trinité, à la Tonnara ou à Sant'Amanza.*

► *Le groupe des* Trois Marie au pied du calvaire, *dans l'église Saint-Dominique, est d'un baroque très marqué.*

▲ *La marine de Bonifacio, au pied du bastion de l'Étendard, est aujourd'hui l'un des ports les plus fréquentés par les bateaux de plaisance.*

La langue de Bonifacio

Ville génoise pendant cinq siècles, Bonifacio a conservé des vestiges de sa langue d'origine. Ses racines ligures font du bonifacien un parler différent de celui du reste de la Corse, marqué par les influences toscanes.

Les confréries

Chaque église ou chapelle de Bonifacio possède sa confrérie. Celle-ci émane de l'organisation des quartiers, groupés autour de leurs édifices religieux ou de corporations de métiers. Héritières de traditions, elles ont longtemps joué un rôle fondamental dans la société insulaire. Aujourd'hui encore, elles maintiennent le lien entre les différentes communautés.

L'acoustique exceptionnelle de l'église Saint-Dominique lui permet d'accueillir régulièrement des chants polyphoniques.

■ Le bastion de l'Étendard

Place d'Armes. PLAN D2

Musée ouvert en mai et octobre de 11 h à 17 h 30 tous les jours sauf le dimanche. De juin à septembre, ouvert de 9 h à 20 h tous les jours. Fermé hors saison.

Édifié à la suite du siège franco-turc, pour protéger la porte de Gênes. Au sous-sol, dans des salles voûtées, transformées en musée, sont exposées les scènes reconstituant les grands événements de la ville.

■ L'église Saint-Dominique

PLAN B1

Ouvert du 15 juin au 30 juin et en septembre de 10 h à 13 h et de 17 h à 19 h 30 sauf le dimanche. En juillet et août, ouvert de 9 h à 17 h 15 tous les jours. Fermé hors saison.

La sobre façade au portail élancé, les voûtes d'ogives à minces nervures, la corniche sous laquelle court une frise ornée de pointes de diamant rattachent cette église au style gothique du Midi. À l'abside s'élève un clocher octogonal sur base carrée, curieusement couronné de créneaux. Construite par les Templiers en 1270, elle fut donnée aux dominicains en 1307.

- La **nef** principale et les bas-côtés sont couverts de voûtes d'ogives. À l'origine, le chœur était à chevet plat, mais il a été transformé et agrandi au XVIIIe s.
- À l'**intérieur**, elle abrite des groupes de bois très lourds, qui sont portés en procession le vendredi saint. On remarquera *L'Écorchement de saint Barthélemy* (800 kg), d'un baroque théâtral. Aux piliers, 15 petits panneaux peints du XVIIIe s. figurent les mystères du Rosaire.
- Le **maître-autel** (XVIIIe s.), en marbre blanc, rehaussé d'incrustations de porphyre et de pierres de couleur, vient de l'église Saint-François.
- L'église conserve d'intéressantes **peintures**, dont celle de la *Vierge du Rosaire*, sur laquelle figurent des portraits des anciens de la ville, en remerciement de la levée du siège en 1554. *Descente de Croix* (XVIIIe s.).
- Dans la **sacristie**, deux statues processionnelles en bois, la **Mater Dolorosa** et **sainte Marthe**, évoquent les œuvres d'artistes pisans des XIVe et XVe s., reproduisant des sculptures de marbre ou de pierre du célèbre Nino Pisano, mort vers 1368.

■ L'église Saint-François

PLAN A1-A2

Proche du cimetière, à l'extrémité de la presqu'île, cette église (1390) a été entièrement restaurée. Elle s'ouvre sur une nef unique dont les trois travées sont couvertes de croisées d'ogives (XIIIe s.). Bénitier en marbre aux armes des della Rocca. À l'entrée du **chœur**, une magnifique dalle en marbre blanc, abrite le **tombeau de Rinuccio Spinola**, évêque d'Ajaccio (1437).

L'église Sainte-Marie-Majeure

PLAN D2

La **loggia** est recouverte d'une charpente s'ouvrant par de grands arcs en plein cintre. Elle a été construite au XIIIe s. sur une citerne de 650 m³ contenant l'eau indispensable pour soutenir les sièges. Les arcs-boutants reliant l'église aux maisons voisines sont les gouttières d'alimentation de cette citerne, aujourd'hui transformée en salle de conférences. Les notables s'y réunissaient pour délibérer des affaires de la ville. Deux fois par semaine, le podestat y rendait la justice, les notaires y rédigeaient leurs actes. Dans la **sacristie**, une armoire grillagée abrite un morceau de la **sainte Croix**.

- La **maison des podestats**, face à l'église, fut la demeure du représentant de la république de Gênes à partir des années 1270.

La rue des Deux-Empereurs

En plein cœur de la vieille cité, deux maisons historiques se font face :

- La **maison du comte Philippe Cattaciolo** : Charles Quint y logea en octobre 1541, lors de son expédition d'Alger. Belle porte Renaissance avec linteau de marbre.
- La **maison Passano** : propriété des Bonaparte, elle fut habitée du 22 janvier au 3 mars par Bonaparte, alors lieutenant-colonel du 2e bataillon des volontaires corses, rassemblés à Bonifacio en vue de l'expédition de Sardaigne.

La place Manichella

Au ras des falaises, elle surplombe la mer à 65 m. Des fouilles ont mis au jour les restes d'un mur de l'**ancienne enceinte médiévale**, détruite lors du siège franco-turc et autour de laquelle a été aménagé le **Jardin des Vestiges**. Vue sur le cap Pertusato, les bouches de Bonifacio et la Sardaigne.

L'escalier du roi d'Aragon

Accès par la rue des Pachas.

Ouvert en mai et en octobre de 11 h à 17 h 30 tous les jours sauf le dimanche. De juin à septembre, ouvert tous les jours de 9 h à 20 h. Fermé hors saison.

Taillé en à-pic dans la falaise, cet escalier légendaire offre une descente vertigineuse de 65 m.

- À l'extrémité du promontoire, un passage aménagé permet d'accéder au **Gouvernail**, un souterrain creusé dans la falaise pendant l'entre-deux-guerres.

Le centre d'Art et d'Histoire

Dans l'ancienne mairie.

Ouvert en juillet et août, tous les jours de 10 h 30 à 13 h 30 et de 17 h à 19 h 30.

Il conserve le trésor des églises de la ville et présente les cinq confréries bonifaciennes.

▲ *Le clocher carré à quatre étages de l'église Sainte-Marie-Majeure est finement décoré de rosaces et de fleurettes.*

▲ *C'est l'atelier génois des Gaggini, célèbre famille de sculpteurs, qui a réalisé ce tabernacle en marbre (1465) dans l'église Sainte-Marie-Majeure. Huit angelots tristes sont surmontés d'un Christ de pitié, sculpté en bas-relief.*

▲ *La maison des podestats, dont les propriétaires étaient ces magistrats génois qui gardaient les clés de la ville, est l'une des plus jolies maisons de Bonifacio.*

Les environs de Bonifacio

Des promenades sur les falaises ou des excursions en mer, les falaises autour de Bonifacio réservent des sites uniques et étonnants à travers une nature sauvage et préservée.

CARTE P. 217

▲ *Le phare de Pertusato.*

▲ *Le site archéologique de Piantarella s'étend sur près de 4 ha.*

■ Les grottes marines

En bateau au départ du quai de la Marine. 45 mn.

Cette promenade en mer est la meilleure façon de découvrir les hautes falaises calcaires qui forment le promontoire de Bonifacio. En sortant du port, passé le goulet et le phare de la Madonetta, le bateau s'engage dans la **grotte de Sdragonato**, éclairée par une longue échancrure naturelle dont le contour ressemble étrangement à celui de la Corse. Les jeux de lumière entre la masse des rochers recouverts d'une algue violette et les rayons du soleil qui filtrent à travers ces roches créent sur l'eau des reflets d'une étrange coloration. Revenant vers l'est, le bateau contourne la pointe de la presqu'île marquée par un rocher, que les marins ont surnommé le **Gouvernail de la Corse**. À côté s'ouvre la **grotte Saint-Antoine**, surnommée « grotte Napoléon », à cause de sa forme qui rappelle celle du chapeau de l'empereur. Sur le front sud, le bateau longe les falaises qui dominent de 80 à 90 m. Au sommet de cet à-pic vertigineux, les maisons de la citadelle, en aplomb de l'abîme, semblent à tout instant défier le travail de l'érosion. Plus loin, le légendaire **escalier du roi d'Aragon**, qui a donné lieu à diverses explications.

▲ *Le cap de Pertusato, qui constitue l'extrême pointe sud de l'île, doit son nom, que l'on peut traduire par « percée », à une galerie souterraine qui le traverse de part en part. Ici, vue sur le « grain de sable ».*

■ Le cap de Pertusato

En voiture à 5,5 km au sud-est de Bonifacio, 45 mn à pied.

À pied, partir du col de Saint-Roch et suivre l'ancien chemin muletier qui s'élève vers l'est sur l'arête du promontoire. Après la bifurcation, suivre toujours à droite. Le chemin longe la falaise dans l'environnement aride du maquis, qui se couvre de multiples fleurs au printemps. Le lieu offre de magnifiques perspectives sur la ville de Bonifacio.

- Du **sémaphore** (110 m), le **panorama** s'étend au nord-ouest sur la presqu'île de Bonifacio et le massif granitique de la Trinité ; au sud, vers les côtes septentrionales de la Sardaigne avec sur la gauche les fortifications de la Maddalena, la pointe et le village de Longo Sardo, dont on voit distinctement les maisons blanches, le sémaphore et le phare. Au sud-est, les îles Lavezzi, et l'île italienne de Razzoli ; à l'est, les îles de Cavallo et

Perduto. Le phare de 90 m de haut ne se visite pas.

■ L'ermitage de la Trinité

À environ 6,5 km au nord-ouest de Bonifacio, par la N 196 jusqu'au col de la Trinité, puis à gauche la route du couvent.

La procession venue de Bonifacio effectuait le chemin à pied sur cette route jalonnée de sept petites stèles de pierre surmontées d'une croix. Aujourd'hui encore, elle est le cadre du pique-nique rituel le lundi de Pâques. Ce site offre une **vue remarquable** sur la ville et les falaises de Bonifacio.

▲ *L'ermitage de la Trinité est bâti sur une terrasse au milieu des chênes verts et des oliviers. La petite église à nef unique est un très ancien lieu de pèlerinage pascal.*

■ L'ancien couvent Saint-Julien

À l'est de Bonifacio, par la D 58, à 1,5 km de Bonifacio. Propriété privée.

D'abord commanderie des hospitaliers de Saint-Jean, le couvent fut ensuite occupé par les franciscains dès le XIIIe s. On prétend même que François d'Assise y aurait fait une halte lors de son retour d'Espagne en 1214. Malgré leur tradition d'hospitalité et leur esprit de charité, les moines lui refusèrent l'entrée du couvent. François d'Assise se réfugia dans une grotte, que les moines virent dès l'aube illuminée d'une intense clarté. On raconte que le corps du saint aurait laissé son empreinte sur le banc de pierre qui lui avait servi de lit.

- Les **bâtiments conventuels** semblent remonter aux XVe et XVIe s., sauf la salle capitulaire, voûtée, plus ancienne.

▲ *L'église à chevet plat de l'ancien couvent Sant-Julien possède un chœur couvert d'une voûte d'ogives, dont la clé est une croix de Malte.*

■ Le site archéologique de Piantarella

À 7 km à l'est de Bonifacio.

À partir de Bonifacio, prendre la route du cap de Pertusato. Après 2 km, tourner à gauche, en direction de Ciapili, sur 4 km jusqu'à l'embarcadère de l'île de Cavallo. Laisser la voiture et marcher au bord de la mer pendant 800 m environ.

- Des **vestiges romains** de l'époque impériale ont été découverts et mettent au jour un opus romain de facture assez grossière, à partir duquel on peut reconstituer une architecture civile sobre et d'une certaine unité.
- Un peu plus loin, au **cap de Sperone**, on a identifié l'emplacement d'une cale sèche où l'on réparait des bateaux; des monnaies et différents outils y ont également été retrouvés. Ces éléments laissent supposer qu'il s'agissait d'un camp de base établi par les Romains sur le chemin des carrières d'extraction situées sur les îles proches.

▲ *Un abri en encorbellement ou* baracconi.

Les îles Lavezzi

Émergeant de quelques dizaines de mètres au-dessus des flots, les îles Lavezzi et la centaine d'îlots et d'écueils granitiques qui les entourent constituent l'extrême sud de la Corse et la partie la plus méridionale de la France.

CARTE P. 217
À environ 3 km au large de Bonifacio.

Pour s'y rendre, depuis le port de plaisance, 6 compagnies : Cristina ☏ 04 95 73 13 15. Thalassa ☏ 04 95 73 01 17. Gina ☏ 04 95 73 19 17. Méditerranée ☏ 04 95 73 07 71. Rocca Croisière ☏ 04 95 73 13 96. Bonifacio Croisière ☏ 04 95 73 05 29.

▲ *Les multiples écueils qui forment les îles Lavezzi sont les vestiges d'une terre aujourd'hui disparue.*

■ Une histoire riche et lointaine

Les géologues supposent que dans des temps très anciens, la Corse et la Sardaigne étaient réunies par un isthme, que les convulsions terrestres ont fini par anéantir, ne laissant que ces îlots et récifs longtemps redoutés par les navigateurs. On y a découvert plusieurs abris sous roche datant des époques néolithique et prénéolithique. L'anse de Paléva révèle les traces d'un port et d'un habitat remontant à l'époque romaine impériale (Ier-IIIe s. après J.-C.). Des traces d'exploitation de granit de la même époque sont également visibles, sur un écueil au nord, vers l'île de San Baïnzo, sur laquelle on a découvert de nombreux monolithes. La période chrétienne a laissé également son empreinte avec la construction, au VIIe s., d'une chapelle dont il reste les murs principaux.

Le phare des Lavezzi est aujourd'hui aménagé en centre d'accueil des équipes scientifiques ainsi qu'en site pédagogique, comprenant un jardin botanique et une exposition permanente.

La caserne Montlaur de Bonifacio sera, dès l'été 2001, le centre d'accueil du parc marin international, lieu d'exposition et de découverte.

■ Un espace protégé

Aujourd'hui classées réserve naturelle, les îles conservent une faune et une flore disparues ou en voie de disparition sur le reste du territoire de la Corse. Plus de 1 000 espèces animales ou végétales ont été recensées, dont 87 appartiennent aux espèces menacées, parmi lesquelles le grand dauphin, le goéland d'Audouin, le cormoran huppé, le puffin cendré, le mérou brun, la patelle géante, la grande nacre ou l'herbier de Posidonie, qui font l'objet d'un suivi scientifique permanent. Les îles Lavezzi sont intégrées au parc marin international, l'un des plus grands espaces marins protégés de la Méditerranée, placé sous administration franco-italienne. Il est constitué pour la partie française par la Réserve naturelle des bouches de Bonifacio et pour la partie italienne par le Parc national de l'archipel de la Madalenna.

▲ *La pyramide de la Sémillante commémore le souvenir du navire qui se brisa sur les îles Lavezzi.*

■ La Sémillante

La tragédie du naufrage de *La Sémillante* le 15 février 1855 est restée présente à l'esprit de nombreux Corses. Ce jour-là, la frégate, avec à son bord 773 soldats et hommes d'équipage partis en renfort pour la Crimée, s'est brisée sur les récifs des Lavezzi. Il n'y eut aucun survivant. Quelques années plus tard, sur ces mêmes récifs, le vapeur français *L'Événement* s'est échoué dans la nuit du 21 janvier 1893 ; il n'y eut aucune victime.

Le golfe de Sant'Amanza

les plages

CARTE P. 217

De part et d'autre de Bonifacio, la côte abrite des plages de sable fin, parfois peu fréquentées, auxquelles on peut accéder aisément par la route ou après une brève marche à travers le maquis.

■ À l'ouest de Bonifacio

On accède à l'**Orinella** et la **Catena**, dans le goulet de Bonifacio, par un chemin situé près du port de plaisance.
- L'**abri de Fazzio** ; au départ de Bonifacio, un chemin mène vers cette plage de sable et de rochers.
- Le **golfe de Paraguan** est accessible par un chemin de terre au départ de la N 196, avant la Trinité. Multiples criques et plages de sable.
- La **plage de la Tonnara** est accessible par la N 196, après la Trinité. Sable et rochers.

■ À l'est de Bonifacio

Sutt'a Rocca est accessible à partir de la montée Saint-Roch dans Bonifacio. Plage de sable, de galets et de rochers. Agréable pour la baignade.
- Les **Trois Pointes**, sur la route qui mène au phare de Pertusato : accessibles par un chemin taillé à flanc de falaise. Grande plate-forme rocheuse, fonds rocheux.
- La **plage du phare de Pertusato** est accessible par la route, puis par un chemin ; plage de sable, fond de sable et de rochers. À proximité, le très beau site de l'**Orca**, une grotte à ciel ouvert.
- Les **plages des grand et petit Sperone**. Laisser la voiture au débarcadère de Piantarella, longer la côte et le champ de fouilles romaines. Plages de sable très fin.
- Les **plages de Calalonga**, sur la route de Sant'Amanza : bifurquer à droite et poursuivre jusqu'au bout.

■ Le golfe de Sant'Amanza

Au nord-est de Bonifacio, par la D 58.

Après le port de **Gurgazu** (à 6 km de Bonifacio), la route mène à ce golfe encadré de collines couvertes de maquis. Le site est beau et sauvage.
- À pied, on peut gagner les ruines d'une **tour génoise** s'élevant sur la **pointe de Capicciolo** (127 m), qui ferme le golfe au sud. La pointe abrite de jolies criques rocheuses et plages isolées. Magnifique **panorama**.
- En bateau, on peut gagner l'**étang de Stentino**, encerclé par une végétation luxuriante. Un chemin taillé dans le roc remonte le ravin du ruisseau de Canalli et va rejoindre la nationale.
- On rejoint la **plage de Balistra**, à partir de la N 198, en allant vers Porto-Vecchio.

▲ *Encadré de collines, dans un site majestueux et sauvage, le golfe de Sant'Amanza abrite de nombreuses plages.*

▲ *Les eaux bleues du golfe de Sant'Amanza forment un cadre paradisiaque.*

Les baracconi

Ces curieuses cabanes de pierres sèches témoignent de l'activité rurale d'autrefois. Elles sont caractérisées par un mode de construction particulier, celui de la fausse voûte en encorbellement, où chaque assise de pierres est disposée en léger surplomb par rapport à la précédente. Les murs se rapprochent ainsi l'un de l'autre, jusqu'à ce qu'une dalle plus large soit posée au sommet. Elle perpétue un type de construction existant depuis le néolithique.

Vers Porto-Vecchio

CARTE P. 217

Entre mer et montagne, on découvre les villages de montagne et un site préhistorique, dans des paysages très variés.

■ Figari

À 18 km au nord de Bonifacio sur la D 859.

La ville, constituée de neuf hameaux, a donné son nom à un golfe. La commune ne fut créée qu'en 1789 et ce n'est qu'en 1945 que Tivarello deviendra Figari, chef-lieu communal et chef-lieu du « canton des plages », qui regroupe, outre Figari, Sotta, Pianottoli et Monacia-d'Aullène. Le canton des plages a un long passé agricole et artisanal. Des vignobles réputés sont installés sur les coteaux de moyenne altitude et font de l'appellation contrôlée vin de corse-Figari l'un des meilleurs de l'île. La création de l'aéroport en août 1975 a ouvert la région à une nouvelle économie, qu'elle tente de maîtriser et d'adapter à la spécificité de ce territoire.

bonne adresse

Ferme-auberge Pozzo di Mastri
☏ 04 95 71 02 65. Chez un passionné de la Corse. Une hospitalité rare et une carte maison. On déguste le jarret et la poitrine de veau fermier farcie aux figues, le lièvre caramélisé à la *pietra*...

■ Montilati

Proche de Figari, le village conserve une jolie **chapelle romane** (XIIe s.). Un édifice à nef unique voûtée en plein cintre, couverte de sa toiture primitive de *teghje*.

■ Le col de la Testa

Sur le **Monte Scopeto** (182 m) s'accroche un maquis planté de chênes-lièges. Entre les cols de la Testa et d'Arbia, la route parcourt une contrée déserte, couverte de maquis et parsemée de rochers, puis elle descend vers le golfe de Ventilegne dont on aperçoit toutes les découpures.
- La **plage de la Tonnara** est accessible par une petite route qui se détache un peu plus loin à droite.

■ Le col d'Arbia (138 m)

Il est dominé par la crête granitique hérissée d'aiguilles du signal de la Trinité (219 m). Belle vue sur le long promontoire blanc qui sert de socle à la ville fortifiée de Bonifacio.

■ Pruno

De ce hameau, à l'ouest sur la D 22, on peut aller voir les ruines de la **chapelle** Saint-Jean-Baptiste, dans un joli site.

▲ *Sotta est entouré de prés et de vergers d'oliviers, qui mettent une touche de fraîcheur au décor.*

■ Sotta

À 11 km de Figari.

Beau comme un village de montagne avec ses maisons de granit au milieu de la plaine et des pâturages, cet habitat dispersé, constitué d'une quinzaine de hameaux, témoigne de l'implantation de gens de la montagne, éleveurs et bergers, qui progressivement se sédentarisent. Ces premières constructions s'effectuèrent à l'abri de chaos rocheux ou de cavités naturelles, qui servaient autrefois d'habitat. Une agglomération s'est peu à peu dessinée le long de l'axe Porto-Vecchio-Sartène, pour donner naissance officiellement à cette commune en 1866.

Chera

À 8 km au sud de Sotta sur la D 959.

Une route sinueuse à travers le maquis mène à ce petit village dominant la plaine. Cette région fut jusqu'au XIIe s. l'une des plus prospères de la Corse. Elle fut progressivement désertée par l'exode de la population vers la proche montagne.

- Au bout d'un sentier pierreux, un peu à l'écart du village, l'**église préromane Sant'Agostino** (VIIe-Xe s.), en granit rose, présente une abside semi-circulaire. Ce petit édifice aux formes élégantes et simples témoigne, par la maladresse de ses proportions, de cette architecture naissante qu'allait devenir l'art roman.
- Au départ des hameaux de **Vacca** et **Piscia**, une piste carrossable monte en direction de la montagne de Cagna et se rapproche de l'**Uomo di Cagna**, pour atteindre les **bergeries de Nasco**.

Le site préhistorique de Tappa

Suivre la D 859 et tourner à droite avant d'arriver au hameau de Ceccia.

Comme un grand nombre d'habitats préhistoriques, le site, construit sur des massifs rocheux, domine la plaine. Les vestiges retrouvés remontent au IIIe millénaire avant J.-C. Des traces de constructions paraissant s'agencer autour d'une rue centrale et les différents matériaux retrouvés sur place témoignent d'une vie sociale organisée et d'une longue occupation préhistorique.

L'Italie à Porto-Vecchio

Dès la fin des années 1980, la Corse a été une destination privilégiée pour les touristes de la péninsule, préférant l'île de Beauté à la Sardaigne, à la Sicile ou à l'île d'Elbe, jugées plus chères. Mais de toutes les villes de Corse, c'est Porto-Vecchio qui est leur cité d'élection. En saison, le port devient par sa fréquentation exclusivement italien, aussi bien pour les bateaux de plaisance que pour les navires de commerce.

▲ *L'église préromane Sant'Agostino, au milieu des jardins, sous le hameau de Chera.*

◄ *Le rocher en équilibre de l'Uomo di Cagna.*

▼ *Le site de Tappa révèle l'emplacement d'un village entouré d'une enceinte cyclopéenne, qui en protégeait l'accès.*

La presqu'île de Piccovaggia et les plages

CARTE P. 217

Limité au nord par le promontoire de San Ciprianu et au sud par la presqu'île de Piccovaggia, le golfe de Porto-Vecchio, profonde échancrure de 8,5 kilomètres de profondeur, est un mouillage connu par les navigateurs depuis l'Antiquité.

bonne adresse
à Lecci de Porto-Vecchio
Grand Hôtel Cala Rossa. ☏ 04 95 71 61 51. Un hôtel de luxe, moderne et face à la mer. Le restaurant possède une terrasse sous les pins et une très belle table préparée par le chef.

▲ *Le phare de la Chiappa.*

▲ *La Punta di a Chiappa, à l'extrême pointe du golfe de Porto-Vecchio.*

■ La presqu'île de Piccovaggia

À l'est de Porto-Vecchio.

Dominé par la **Punta di u Cerchio** (323 m), ce promontoire offre de magnifiques perspectives sur Porto-Vecchio et la réserve naturelle des **îles Cerbicales**.

■ Les plages du sud

Santa Giulia, à 7 km de Porto-Vecchio, est blottie au fond du golfe du même nom. Grande plage bordée d'hôtels et de restaurants noyés dans la végétation.
- La **plage de Palombaggia**, à 9 km, dans la presqu'île de Piccovaggia, encadrée de rochers de porphyre, est une des plus belles de la région.

■ Les plages du nord : le golfe de Porto-Vecchio

Sur un fond de roches rouges, le profond golfe de Porto-Vecchio est entrecoupé de vastes pinèdes.
- La **plage de Golfo di Sogno**, à l'embouchure de l'Oso, est l'une des plus proches de Porto-Vecchio.
- La **plage de Cala Rossa** est un important complexe touristique, à 10 km de Porto-Vecchio, sur fond de pinède, sable blanc et mer bleue.
- **San Cyprianu**, à 12 km de Porto-Vecchio, est une vaste plage adossée à une pinède et voisine de l'**étang d'Araso**. Au loin dominent les aiguilles de Bavella.

■ Le golfe de Pinarellu

À une quinzaine de kilomètres au nord de Porto-Vecchio.

Il est encore plus séduisant et plus tranquille. Il abrite un petit port et une jolie plage boisée.

■ Sainte-Lucie-de-Porto-Vecchio

À environ 16 km au nord de Porto-Vecchio sur la N 198. À 5 km au nord-ouest de Pinarellu.

Ce village a longtemps été relié à l'Alta Rocca par un sentier de transhumance progressivement remplacé par des pistes forestières. Plage de galets de la **Testa**.
- Sur la D 168 vers le nord, au pont de **Conca**, un sentier mène aux ruines de la **chapelle Santa Lucia** (VIIe - Xe s.).
- Taillée en corniche au-dessus de la mer, la N 198 domine la côte jusqu'à **Solenzara**.

Porto-Vecchio

CARTE P. 217

Office du tourisme : rue du Député-Camille-de-Rocca-Serra. ☏ 04 95 70 09 58. Aéroport de Figari, à 25 km : ☏ 04 95 71 10 10. Gare maritime : port de commerce. ☏ 04 95 70 06 03.

Un golfe profond et abrité et un site dominant sur lequel elle fut bâtie par les Génois : Porto-Vecchio affiche la sérénité d'une ville qui a su s'imposer comme capitale touristique de la Corse. Bien desservie par l'aéroport de Figari, elle bénéficie d'un environnement exceptionnel.

Un site stratégique

Choisie par les Génois en 1539 pour y établir une nouvelle place forte, Porto-Vecchio devait leur permettre, après Bonifacio, Saint-Florent, Bastia, Ajaccio et Calvi, de poursuivre leur implantation sur l'île et de renforcer la sécurité de cette côte soumise aux menaces barbaresques. Mais les différentes colonies qui tentèrent d'y prendre pied ne parvinrent pas à résister à la malaria et aux attaques du terrible pirate turc Dragut, qui avait aménagé l'un de ses repères sur l'îlot de Ziglione. Entre 1540 et 1589, la ville sera détruite quatre fois, notamment par Sampiero Corso en juillet 1564.

Le début de la renaissance

Le nouvel essor de cette région viendra de Napoléon III et de sa décision de mettre en valeur la côte orientale. Les zones marécageuses vont être assainies, les salins vont être aménagés et l'exploitation du chêne vert crée de nouvelles activités. Le XIXe s. amène ses premiers touristes. Prosper Mérimée y fait se nouer, dans les environs, le terrible drame de Mateo Falcone. La disparition définitive après la Seconde Guerre mondiale du moustique anophèle, responsable de la malaria, donne à la ville son plein essor. Aujourd'hui, la « cité du sel » est la troisième commune de Corse et la ville principale après Bastia sur la côte orientale. Le tourisme y est l'économie majeure.

■ Les fortifications génoises

Une grande partie des fortifications génoises ont été conservées, notamment cinq bastions et la porte génoise. Avec ses ruelles étroites, ses places colorées et animées, la **citadelle** parvient, malgré les grands afflux touristiques de l'été, à conserver son charme et son pittoresque.

■ La marine

Séparée de la citadelle par une pinède, elle accueille le port de plaisance et le port de commerce ; 3e port de Corse pour ses liaisons avec le continent.

■ Les marais salants

Ils s'étendent sur une dizaine d'hectares et produisent près de 900 t de sel par an, récoltées en août et septembre.

bonnes adresses

Restaurant *Le Lucullus*. 17, rue du Général-de-Gaulle. ☏ 04 95 70 10 17. Une maison remarquable au cœur de la ville.

***Bar de l'Orriu*.** Cours Napoléon. ☏ 04 95 70 26 21. Un bar à vins où il fait bon s'installer et déguster une assiette de fromage.

***L'Orriu*.** Cours Napoléon. ☏ 04 95 70 26 21. Un temple des produits corses.

▲ *Le bastion sud de Porto-Vecchio.*

▲ *La porte génoise, qui fut longtemps l'unique accès de la ville, s'ouvre sur le port.*

Au nord de Porto-Vecchio

Cette partie de l'île conserve d'intéressants vestiges préhistoriques, témoins de la civilisation torréenne. De courtes promenades permettent d'accéder à de splendides sites naturels.

CARTE P. 217

▲ *Du monument cultuel qui dominait primitivement l'ensemble des constructions du Castello d'Arragio, il reste cette base circulaire en gros appareil.*

▲ *La forteresse de Torre, de l'âge du bronze, est la mieux conservée de Corse.*

▲ *Le lac de l'Ospedale est magnifique à découvrir au printemps, lorsque les eaux de l'Asinao, captées à 30 km du barrage, l'ont rempli complètement.*

■ Castello d'Arragio

À 8 km au nord de Porto-Vecchio. Sur la N 198, 1,5 km après la Trinité, prendre à gauche la D 759. Continuer à pied par un sentier.

C'est le plus important et le plus complet, avec le Castello de Cucuruzzu, des complexes fortifiés élevés à l'âge du bronze par les Torréens.

- Une porte monumentale donne accès à l'intérieur de la forteresse, construite sur un éperon de la montagne d'Ospedale dominant à 256 m. Des murs cyclopéens de 3 à 5 m de haut entourent ce monument de 120 m de long. Dans l'épaisseur des murs de l'enceinte se trouvent des chambres, et un escalier accède au chemin de ronde. Belle vue sur le golfe de Porto-Vecchio.
- À 2,5 km à l'est, **Torre** est le site éponyme des Torréens. Il conserve un monument semi-circulaire adossé à un rocher. Des dalles de pierres éclatées et un conduit étroit, à l'opposé de l'entrée, font penser à un monument utilisé pour les crémations et le culte des morts.

■ L'Ospedale

Au nord-ouest de Porto-Vecchio, à environ 19,5 km sur la D 368.

Ce hameau doit son nom à un hôpital qui existait à cet endroit à l'époque romaine. Bâti à 800 m d'altitude sur un promontoire rocheux, il offre de belles perspectives sur le golfe de Porto-Vecchio, les îles Cerbicales et, par temps clair, jusqu'aux rivages de la Sardaigne.

■ Le barrage de l'Ospedale

Long de 135 m et haut de 26 m, il a une capacité de 3 millions de m^3 et alimente en eau potable et eau d'irrigation l'extrémité sud de la Corse.

- L'ascension de la **Punta di a Vacca Morta**, l'un des meilleurs **belvédères** du sud de la Corse, offre une vue panoramique sur les baies de San Ciprianu, Pinarellu et Porto-Vecchio, les massifs de l'Ospedale et de Bavella, les plaines de l'Ortolo et du Fiumicicoli. L'accès en 1 h 30 s'effectue à partir de **Cartalavone.**

■ La cascade de la Piscia di Gallu

À 2 km après le lac de l'Ospédale, 1/2 h de marche au milieu des roches et du maquis.

La cascade, haute de 50 m, tombe dans une piscine naturelle. Parfois à sec en été, le site conserve néanmoins sa beauté, avec son roc creusé par les eaux façonnant des marmites de géant.

Le chêne-liège

On le nomme *suara* et il fait partie de ces arbres symboles du paysage de la Corse-du-Sud. Formant d'importantes forêts, le chêne-liège au tronc écorché, s'est inscrit dans le paysage de la région.

▲ *L'épaisse couche de liège protège le bois en cas d'incendie.*

■ L'écorché

Cultivé depuis le Moyen Âge, le chêne-liège a trouvé sa terre d'élection dans le sud-est de l'île, dans l'arrière-pays de Porto-Vecchio, jusqu'à une altitude de 500 m. Les cultures se sont développées dans un sol meuble et profond. Protégé du feu par son écorce, l'arbre y a proliféré. Cette épaisse couche de liège est récoltée tous les 6 ou 7 ans, à la fin de l'été, laissant apparaître un bois de couleur rouge brique.

■ Une industrie qui échappe à la Corse

Rapidement, cette production a donné naissance au XIXe s. à une industrie bénéficiant majoritairement à des entrepreneurs étrangers, qui ont pu récolter jusqu'à 3 000 tonnes de liège en 1830. Les chênes-lièges étaient achetés sur place, l'écorce retirée et envoyée à Livourne, puis en Angleterre ; les arbres étaient brûlés pour faire de la potasse expédiée à Marseille. Un article du *Journal libre de la Corse,* du 10 mai 1834, s'élève contre cette exploitation de la matière première de l'île : « Nous ne connaissons pas, direz-vous, la manière d'extraire le liège et d'en tirer parti. Ce que vous ignorez aujourd'hui, vous le saurez demain si vous voulez l'apprendre. Demain, ce que l'on fait dans le Var, dans les Pyrénées, en Espagne, en Sicile, en Sardaigne, on viendra le faire chez vous, si vous le voulez bien, si vous voulez ce qu'il faut vouloir, et faire ce qu'il faut faire pour attirer chez vous des capitaux productifs, c'est-à-dire si vous déposez vos armes homicides et si, frères, vous vivez en frères. »

▲ *Le chêne-liège est très répandu dans le sud de la Corse, où il forme d'importantes forêts.*

■ Une activité en déclin

Cette production a permis de créer quelques industries locales, notamment à Porto-Vecchio où l'usine Saint-Joseph, qui a fermé ses portes en 1975, récoltait et triait le liège produit dans la région. Elle employait jusqu'à 100 personnes. L'arrivée sur le marché de la matière plastique va considérablement ralentir cette activité. Beaucoup de ces arbres sont aujourd'hui livrés au maquis et le liège que l'on extrait encore est majoritairement expédié dans la proche Sardaigne pour y être transformé.

L'Alta Rocca : de Sartène à Solenzara

Au nord-est de Sartène, cette ancienne terre des seigneurs della Rocca est l'une des régions de la montagne corse les plus typées. Paysages de forêts, de maquis et de pâturages, elle abrite un grand nombre de villages isolés aux hautes maisons de granit et des sites préhistoriques, témoins de son occupation passée.

◄ *Santa-Lucia-di-Tallano.*

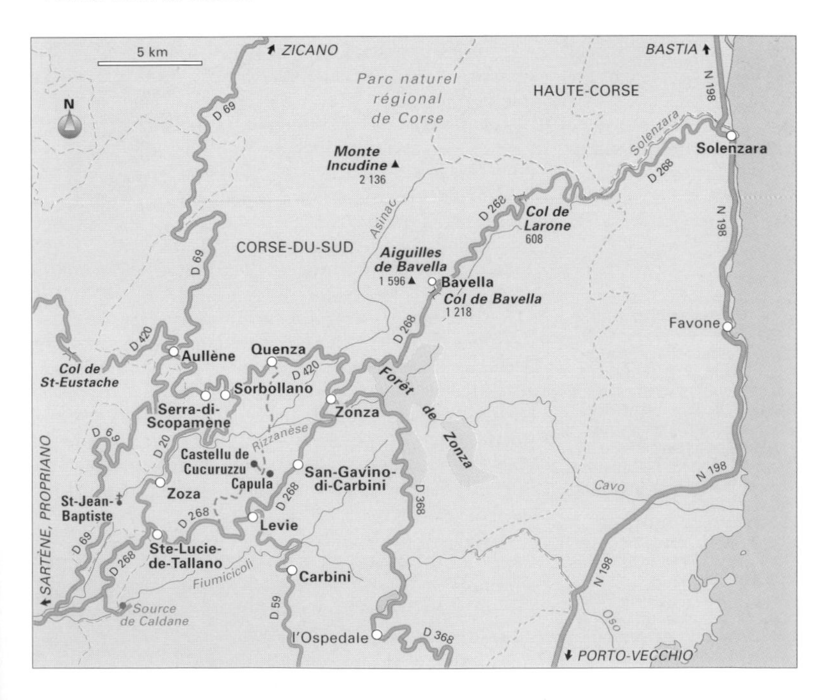

Santa-Lucia-di-Tallano

CARTE P. 235

Bénéficiant d'un climat moins rude et d'un terroir riche, Santa-Lucia-di-Tallano et les bourgs avoisinants ont des ressources agricoles diversifiées, et produisent, entre autres, des vins excellents et des fruits.

▲ *Niché dans la verdure, au-dessus de la vallée du Rizzanese, Santa-Lucia-di-Tallano est l'un des plus beaux villages de Corse.*

▲ *Le retable de la* Vierge à l'Enfant entre des saints *de l'église paroissiale de Santa-Lucia : l'Enfant nu joue avec un chardonneret.*

bonnes adresses

Gîte d'étape « U Fragnonu ». ☏ 04 95 78 82 56. Un gîte aménagé dans un ancien moulin à huile. 9 chambres impeccables. Les randonneurs peuvent cuisiner. Le soir, en demi-pension, ils apprécieront les lasagnes au brocciu et la daube de veau servie avec des pâtes.

Le *Santa Lucia*. ☏ 04 95 78 81 28. Un petit bistrot de pays, avec ses charcuteries corses et son fromage sec.

Huile d'olive Don-Jean Santa Lucia et J. Léandri. ☏ 04 95 78 81 03. Une huile artisanale, typée, aux arômes de fruits secs.

■ La source de Caldane

À la sortie de Sartène, prendre la D 69 puis la D 268. Après 1,5 km, tourner à droite.

Ouvert tous les jours de 9 h à 19 h. ☏ 04 95 77 00 34.

Au bord du Fiumicicoli, la source d'eau chaude et sulfureuse jaillit à 40 ° C. D'après la tradition, l'eau sortait autrefois 12 km plus au nord. Aujourd'hui, elle est utilisée par les habitants de la région pour soigner les rhumatismes et les affections cutanées.

■ Santa-Lucia-di-Tallano

À 19 km au nord-est de Sartène, sur la D 268.

À 450 m d'altitude, le **village** conserve une **architecture typique** de cette région de montagne ; les ruelles étroites sont encadrées par de hautes et solides **maisons de granit clair**. On raconte que la peste de 1348 fit à Santa-Lucia de tels ravages que le village dut être repeuplé en faisant appel aux populations des alentours. Très bel échantillon de **diorite orbiculaire** sous la statue du monument aux morts.

- L'ancien **couvent Saint-François**, fondé en 1492 par le comte Rinuccio della Rocca, est actuellement en cours de restauration.
- L'**église paroissiale** renferme un certain nombre d'œuvres précédemment placées dans le couvent, dont deux tableaux de peintres primitifs : la **Crucifixion**, attribuée au maître de Castelsardo, peintre d'origine espagnole, et le retable de la **Vierge à l'Enfant entre des saints**, que l'on pense être l'œuvre d'un disciple du maître de Castelsardo. **Beau bénitier** en forme de main (XVe s.), bas-relief en marbre offert en 1498 par Rinuccio della Rocca, qui y fit inscrire ses armoiries.
- Au sommet du bourg, une **tour fortifiée**, avec mâchicoulis et meurtrières, transformée en habitation, témoigne de l'architecture médiévale de la région.
- Le village conserve un **moulin à huile** et a aménagé un **écomusée** consacré à l'olivier.

Ouvert l'été de 10 h à 12 h et de 15 h à 18 h.

Les seigneurs della Rocca

La lutte de pouvoir entre Pise et Gênes favorisa l'émergence, en Corse, de grands pouvoirs féodaux que l'une et l'autre puissances cherchèrent à se concilier. Certaines de ces familles, alliées selon leurs intérêts aux Pisans, aux Génois ou aux Aragonais, jouèrent un rôle important dans l'île. La famille della Rocca, seigneurs de l'Au-Delà-des-Monts, se constitua, au fil des siècles, une vaste seigneurie centrée sur le Sartenais et l'Alta Rocca.

■ Le pouvoir de la féodalité insulaire

Sinucello, surnommé Guidice ou « le Juge », domine au XIIIe s., avec l'aide des Pisans, une grande partie de la Corse. Premier de la lignée des della Rocca, il réussit à établir un certain équilibre dans la société insulaire et à mettre en place un système rudimentaire de gouvernement. Sa chute, en 1307, précipitée par la défaite de Pise face à Gênes, va peu à peu ramener l'anarchie féodale.

■ Arrigo della Rocca, comte de Corse

Écartés de leurs fiefs, les seigneurs della Rocca devront attendre quelques décennies avant de pouvoir reprendre pied en Corse. Profitant de l'impuissance du parti populaire progénois, Arrigo della Rocca débarque sur les côtes de son ancienne seigneurie en 1372 avec le titre d'émissaire du roi d'Aragon. Peu à peu, il rallie l'ensemble des seigneurs du Cinarca et se rend maître du pays (sauf le cap Corse, Calvi et Bonifacio). Il réussit ainsi à imposer son pouvoir, et est proclamé comte de Corse par l'assemblée des populations, réunie à Biguglia en 1376. L'intervention des Génois en 1393 mettra un terme à son pouvoir et son fils Francesco sera chargé par ces mêmes Génois de remettre dans le droit chemin les seigneurs Cinarchesi.

■ Vincentello d'Istria, neveu et successeur

À la fin du XIVe s., Gênes confie ses droits et affermages sur la Corse à Leonello Lomellini. De son côté, l'Aragon affirme sa volonté d'intégration de l'île à sa couronne et trouve en Vincentello d'Istria, neveu d'Arrigo della Rocca, le moyen d'y parvenir. Entre 1421 et 1434, ce dernier s'impose et devient vice-roi de Corse. Mais jugé despotique par les seigneurs et le peuple, il est livré aux Génois et décapité en avril 1434.

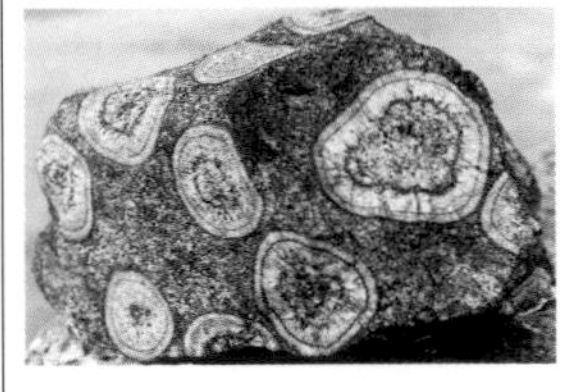

▲ *Avant que l'on en trouve en Finlande, la diorite orbiculaire était considérée comme particulière à la Corse, et, de ce fait, souvent appelée corsite.*

La diorite orbiculaire

Roche éruptive très dure, de couleur gris-vert, dont la cristallisation a provoqué des figures concentriques d'une grande régularité. Le gisement de Santa-Lucia, situé en contrebas du village, fut exploité au XIXe s. La diorite orbiculaire a été utilisée dans la construction des chapelles funéraires des Médicis à San Lorenzo de Florence.

Les villages de l'Alta Rocca

CARTE P. 235

Les montagnes peu élevées de l'Alta Rocca offrent de belles promenades. Les villages recèlent des trésors d'architecture et d'églises romanes.

▲ *La teinte sable blond de ses dalles de granit donne beaucoup de charme à l'église Saint-Jean de Poggio et adoucit l'austérité de ses formes.*

► *Le campanile de l'église de Carbini a grande allure avec ses trois étages de baies géminées.*

▲ *L'église San Giovanni Battista de Carbini est caractérisée par une décoration d'arcatures, à modillons, qui fait tout le tour de l'édifice.*

■ L'église Saint-Jean de Poggio

1,5 km au nord-ouest de Santa-Lucia. À la sortie du village, prendre un sentier muletier. 30 mn.

Dissimulée par une épaisse végétation et enfouie sous les ombrages des chênes-lièges et des oliviers, l'**église romane** de Poggio, datant de la seconde moitié du XIIe s., ressemble à la piévanie de Carbini. Ornée de petites arcatures aveugles qui en font le tour et tapissent le fronton ouest et l'abside, elle conserve, au fronton ouest et au côté nord, quelques-uns de ces bols en céramique de couleurs vives qui égayaient le fond des arcatures. Têtes de jeunes bovidés, masques humains et feuilles recourbées en crochets composent l'ornementation.

■ Zoza

Au nord de Santa-Lucia, sur la D 20.

Le village est dispersé à flanc de colline. À 2 km du centre, la **pointe de Castello** était utilisée par les habitants comme poste d'observation pour guetter l'arrivée d'éventuels envahisseurs. Elle comporte, dit-on, une caverne très profonde, qui communiquerait avec le Rizzanese.

■ Carbini

Reprendre la D 268 puis à Levie tourner à droite dans la D 59. À 8 km au sud-est de Levie.

Son architecture est l'une des plus originales de Corse. Le lieu fut rendu célèbre par les Giovannali, un courant religieux qui prit naissance ici en 1365. À la recherche de pureté, ces hommes et ces femmes prônaient l'égalité et le partage ; un mouvement jugé sectaire et hérétique par l'église, qui décida l'excommunication de ses membres.
- L'**église San Giovanni Battista**, qui leur servait de lieu de réunion, a vraisemblablement donné son nom à cette secte. Cet ancien sanctuaire roman du XIIe s., doté d'une abside, a conservé son toit en dalles de granit. Le campanile a été entièrement refait au XIXe s. La tradition prétend qu'à l'origine il comportait sept étages.

■ San-Gavino-di-Carbini

Sur la D 268.

L'**église** du XIIe s. fut détruite et reconstruite à plusieurs reprises, victime des différents bouleversements traversés par la région. Croisade contre les Giovannali en 1365, représailles conduites par le Génois Andrea Doria en 1507, expédition punitive du général Morand en 1799.
- Le **monument aux morts** est une sorte de mosaïque minérale de la Corse, car il réunit des granits de l'Alta Rocca, du marbre de Corte, du porphyre de Porto, du schiste bleu de Casavecchio, du marbre cipolin de Sisco et de la diorite orbiculaire de Tallano.

■ Zonza

À 5,5 km de San-Gavino-di-Carbini, sur la D 268.

Au carrefour de routes touristiques, entouré par les forêts de l'Asinao, de Bavella, de Zonza et de l'Ospédale, le village est construit en terrasses au milieu de châtaigniers centenaires. Lieu de villégiature très prisé, Zonza offre de nombreuses possibilités de **randonnées**.

■ Quenza

À 7,5 km à l'ouest de Zonza, prendre à gauche la D 420.

Le village s'allonge sur un replat avec les aiguilles de Bavella en toile de fond. En contrebas, l'**église** romane **Santa Maria**, de style pisan. À l'intérieur, une **Vierge à l'Enfant** et un **saint Étienne** en bois polychrome, présentant des motifs fréquemment utilisés : roses inscrites dans des cercles ou dans des rectangles.
- Dans l'**église paroissiale Saint-Georges**, deux panneaux peints sur bois (XVIe s.) et quatre poutres sculptées représentant les évangélistes.

■ Serra-di-Scopamène

À 7,5 km à l'ouest de Quenza par la D 420.

Le village possède de grandes **maisons de granit**. Le site offre des possibilités d'excursions à cheval. Au **col de la Serra** (937 m), entre les vallées du Chiovone et du Rizzanese, vue au sud et à l'est sur la vallée de Zonza, dominée par les aiguilles de Bavella et de l'Asinao.

■ Aullène

Sur la D 420, à 5,5 km de Serra-di-Scopamène.

Gros bourg situé au-dessus de la rive gauche du Coscione, niché au milieu des châtaigniers. À voir, l'**église paroissiale**, pour sa chaire.
- Sur un rocher dominant le village, ruines d'un **château** (XIIIe s.) construit par Giudice di Cinarca.

◄ *La chaire de l'église d'Aullène est très originale. Soutenue par des tritons, elle est ornée d'un masque nègre. C'est l'œuvre d'artisans locaux.*

Un roi à Zonza

Octobre 1952. L'hôtel du Mouflon d'Or *vient d'être réquisitionné par le ministère de l'Intérieur afin d'y loger Mohamed V, le « sultan » déposé du Maroc, ses fils et ses secrétaires particuliers.* Après cinq mois, *protestant contre la rudesse du climat, le roi obtient un transfert sur le littoral.* Un autre hôtel sera réquisitionné : *le* Napoléon Bonaparte, *à L'Île-Rousse.*

bonnes adresses à Zonza

Restaurant *L'Aiglon*. ☏ 04 95 78 67 79. Une maison familiale avec un fameux gigot de cochon à la crème de figues.
Hôtel *L'Aiglon*. ☏ 04 95 78 67 79. Une halte idéale pour les randonneurs.

bonne adresse à Quenza

Restaurant *Sole e Monti*. ☏ 04 95 78 62 53. Félicien vous réserve un accueil formidable dans ce restaurant familial où l'on apprécie le civet de sanglier, la coppa ou les fromages forts.

Les sites préhistoriques de l'Alta Rocca

CARTE P. 235

Au milieu de vastes forêts aux différentes essences – chênes verts, châtaigniers, aulnes –, mais aussi d'un maquis peuplé d'arbousiers, de bruyères arborescentes, de cistes ou de clématites, le vaste plateau de Levie s'étend sur plusieurs kilomètres. Des chaos granitiques émergent de part en part, ponctuant la végétation de formes étranges.

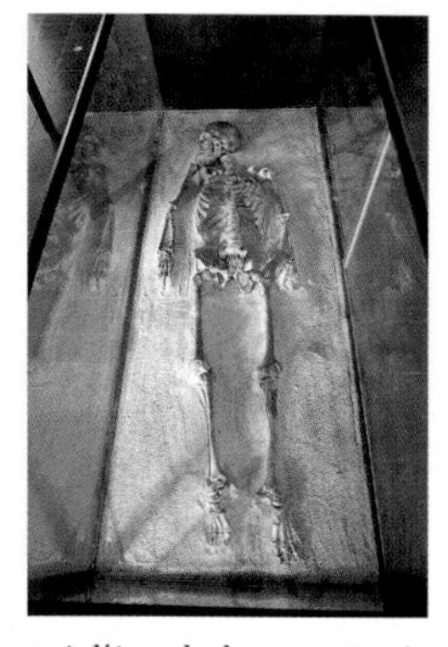

► *Le squelette de la « dame de Bonifacio » (6570 avant J.-C.), premier vestige humain de cette époque mis au jour en Corse, est une pièce maîtresse de la préhistoire corse.*

■ Levie

À environ 22,5 km au nord-est de Sartène.

Entre les vallées du Rizzanese et du Fiumicicoli, la ville s'est édifiée sur un plateau granitique, à 800 m d'altitude. Elle tire son nom de sa situation géographique au carrefour de plusieurs routes (« le vie » : les chemins). Les chaos rocheux qui l'environnent ont favorisé à une époque lointaine l'installation d'un habitat qui remonte à l'âge du bronze. Levie est devenue un haut lieu de la préhistoire corse, dont elle présente des pièces essentielles au sein du musée.

- Le **musée départemental de Levie**.

Sous la mairie, dans la rue principale.

Du 1er juillet au 10 septembre, ouvert tous les jours de 10 h à 18 h. Le reste de l'année, ouvert de 10 h à 12 h et de 14 h à 16 h 30. Fermé les dimanches, lundis et jours fériés. ☏ 04 95 78 46 34 ou 04 95 78 47 98.

Il se veut le reflet de 10 000 ans d'occupation humaine, du prénéolithique jusqu'au Moyen Âge. Cette vaste période est présentée à travers des objets provenant des fouilles du plateau du Pianu de Levie, des sites de l'Alta Rocca et des zones littorales historiquement rattachées à cette micro-région. L'environnement de la région aux temps préhistoriques et les modes de vie (habitat, artisanat, techniques agricoles) sont les thèmes abordés par ce musée. Sont exposées des parures et des céramiques, des pointes de silex et d'obsidienne provenant des fouilles de Currachiaghju, Cucuruzzu, Caleca ou Campo-Vecchio.

- Au **presbytère**, on remarquera le **Christ** en ivoire, une

La dame de Bonifacio

Découvert lors de fouilles en 1973 dans la couche prénéolithique de l'abri de l'Araguna, au fond du goulet de Bonifacio, le squelette de la « dame de Bonifacio » porte un éclairage nouveau sur ces hommes des temps préhistoriques. Allongée sur le dos, la tête sur l'épaule droite, son corps est couvert d'une poudre d'ocre rouge. D'après les analyses, cette femme était atteinte d'une maladie qui l'avait rendue impotente et à laquelle elle avait survécu durant de nombreuses années, grâce à l'entourage de cette communauté.

œuvre d'une grande finesse, réalisée aux environs de 1516 par un élève de l'école italienne du sculpteur Donato di Niccolo Betto Bardi, dit Donatello. Il aurait été offert par le pape Sixte Quint, dont les parents étaient originaires de Levie.

Le Castello de Cucuruzzu

Route du Pianu, à 4 km sur la droite en allant de Levie à Santa-Lucia-di-Tallano.

Accès d'avril à fin octobre, tous les jours de 9 h à 18 h, 20 h en juillet et août.

C'est un complexe fortifié torréen datant de l'âge du bronze (seconde moitié du IIe millénaire). L'entrée s'ouvre à l'ouest par un escalier aménagé entre deux

rochers. De ce côté s'élève un rempart de pierres appareillées derrière lequel sont abritées plusieurs casemates couvertes, munies de fenêtres créneaux ou meurtrières. Une sorte de chemin de ronde, monté en remblai, s'enroule autour du piton et accède, du côté opposé à l'entrée, à une plate-forme assez spacieuse. Cette terrasse précède un monument central, sans doute cultuel, bâti en appareil cyclopéen et adossé à de gros rochers. On y pénètre par deux portes successives, dont le linteau monolithe repose sur des piédroits massifs. La chambre intérieure est couverte d'une remarquable voûte de pierre montée en faux encorbellement. Une sorte d'escalier extérieur permet d'atteindre le sommet du monument d'où l'on découvre des vues étendues de tous les côtés. Le reste de l'éperon à l'est était occupé par un village torréen, lui-même fortifié.

◄ *Le Castello de Cucuruzzu occupe une butte naturelle surmontée d'un chaos rocheux que les Torréens ont aménagé en oppidum. Le site a été étudié et fouillé depuis 1959 par Roger Grosjean.*

Capula

À 300 m environ au-delà du parking, un sentier passant devant la **chapelle San Lorenzo** et les ruines de la chapelle primitive (XIIe s.) donne accès aux vestiges de la cité médiévale du **Castello de Capula**, fortifié au Xe s. par le comte Bianco. Il abrita ses descendants, les Biancolacci, jusqu'en 1400. Édifié dans un site qui fut occupé par l'homme dès l'âge du bronze, il con-

serve des témoignages de plusieurs formes d'habitat. Ainsi, les versants de la colline sont couverts de nombreux abris sous roche. Au pied du rempart, une **statue-menhir** (Capula I) ornée d'une épée.

▼ *Un chaos rocheux datant de l'âge du bronze, à Capula.*

Le site de Caleca

C'est un ensemble mégalithique constitué de trois enceintes concentriques entourant une plate-forme triangulaire, sur laquelle s'élevaient deux constructions circulaires et un coffre. Cette chambre funéraire de 3,20 m sur 1,70 m est délimitée par des dalles posées sur un affleurement rocheux. Le mobilier qui y fut découvert permet de le dater du Ier millénaire avant notre ère. Depuis Santa-Luci-di-Tallano, prendre la D 268 vers Levie puis tourner à gauche.

Le massif de Bavella

Paradis de l'escalade

Les hautes parois des aiguilles constituent un terrain de prédilection pour un bon nombre d'adeptes de l'escalade. En dehors des falaises-écoles, des voies plus techniques se répartissent à divers endroits, notamment sur la Punta Tafonata di Paliri. Certaines voies sont équipées de câbles et de barreaux rendant leur accès plus facile aux débutants. Se renseigner auprès des Guides de haute montagne de Corse. Jean Paul Quilicci à Quenza. ☏ 04 95 78 64 33.

Roche déchiquetée pointée vers le ciel, les aiguilles de Bavella imposent leur silhouette au paysage de la Corse-du-Sud. Nimbée de la lumière du couchant ou ciselée par celle du levant, la dentelle de leur roche s'oppose à la verticalité des montagnes qui l'entourent. Certaines de ces aiguilles atteignent des hauteurs vertigineuses de 900 mètres, comme dans la Punta di u Furnellu. Avec ses arbres tordus par le vent, désespérément accrochés au-dessus du vide, ses rares sentiers et ses profonds ravins, le massif de Bavella paraît compact et inaccessible. C'est sans doute pour cela qu'il est un des hauts lieux de l'escalade.

► *Le massif de Bavella est le plus beau jardin d'aiguilles de la Corse, un monde minéral de structures et de formes complexes qu'a miraculeusement épargné l'érosion quaternaire des glaciers.*

■ En voiture : à partir de Zonza

La route (D 268) traverse des châtaigneraies et des bouquets de pins avant de s'engager dans la forêt de Zonza. La vue s'étend sur les forêts qui couvrent les vallées supérieures de l'Asinao, de la Criviscia et de la Zonza. La route se poursuit jusqu'à Solenzara.

■ À pied : à partir de Conca

À 21 km au nord de Porto-Vecchio.

À pied, une randonnée très agréable sur le GR 20 (6 h) : c'est le chemin traditionnel par lequel les gens de Conca se rendaient chaque été à Bavella pour échapper à la chaleur du littoral.

◀ *Le col de Bavella est décoré d'une statue de la Vierge, que les fidèles entourent d'ex-voto.*

Un pèlerinage a lieu tous les ans, le 8 août, à Notre-Dame-des-Neiges.

■ Le col de Bavella (1 243 m)

Il s'ouvre dans la grande chaîne dorsale de l'île, où se croisent la D 268 et le GR 20. Quelques pins tordus par le vent s'accrochent à un terrain herbeux, rougi à la fin juin par les fleurs du thym *erbabarona* qui parfument l'air. Sur le versant oriental s'étage le « **village d'été** » de Bavella, fait de baraques en pierre ou en bois. Il a été construit sur un terrain concédé par l'État, sous Napoléon III, aux habitants de Conca pour venir y passer les mois chauds de l'été. Signalé par une croix et par la statue de la Vierge, le site offre un **panorama** exceptionnel avec, au premier plan au nord-ouest, les immenses roches sombres du Pargolo qui tombent en falaises abruptes entre les vallées de la Criviscia et l'Asinao. Au nord se recourbe le cirque du Gio Agostino, aux murailles rouges, hérissées des aiguilles de Bavella, appelées également tours d'Asinao. De l'autre côté du col, au sud, la grande paroi verticale de la Calanca Murata et de la Tafonata di Paliri, dont l'arête rouge taillée en dents de scie forme une autre partie des aiguilles de Bavella. De part et d'autre, les masses vertes de la forêt, crevées çà et là par d'autres pointes de granit rouge. Plus loin, au nord, l'Incudine; à l'ouest et au sud, la mer apparaît dans le lointain.

- À l'auberge du col se trouvent deux auberges et une épicerie où les randonneurs se ravitaillent.

■ La forêt de Bavella

Répartie sur plus de 1 100 ha, elle s'étage de 500 à 1 300 m d'altitude. Après avoir été ravagée par de violents incendies, elle est aujourd'hui classée réserve naturelle et a fait l'objet au cours de ces dernières années d'un important programme de reboisement en pins maritimes, pins laricio, cèdres, châtaigniers et sapins. Les nombreux **sentiers** aménagés permettent de découvrir ce vaste massif forestier et peut-être d'y apercevoir les **mouflons**, qui évoluent sur les pentes abruptes des rochers.

▲ *La forêt de Bavella.*

L'arbousier

On le rencontre jusqu'à 500 m d'altitude. Son feuillage dense brillant au soleil est un agréable abri contre la chaleur. Fleurissant en automne, il produit un fruit comestible, l'arbouse, à partir de novembre. Ses baies constituent la base de l'alimentation de certains animaux, les hommes préférant en faire de l'eau-de-vie ou de l'excellente gelée. Le bois de l'arbousier est excellent pour le chauffage; on en fait également un charbon fin appelé charbon de cannelle.

Le Fium'Orbo et la vallée du Tavignano

Le fleuve a donné son nom à cette région splendide, montagneuse et sillonnée de petites routes. C'est la Corse traditionnelle telle qu'on l'imagine, sauvage et mystérieuse, autrefois repaire de bandits indomptables. La nature y est à peine apprivoisée par quelques bergeries et sentiers que le Parc naturel régional contribue à entretenir.

◄ *La chapelle San Cervone, à Campi.*

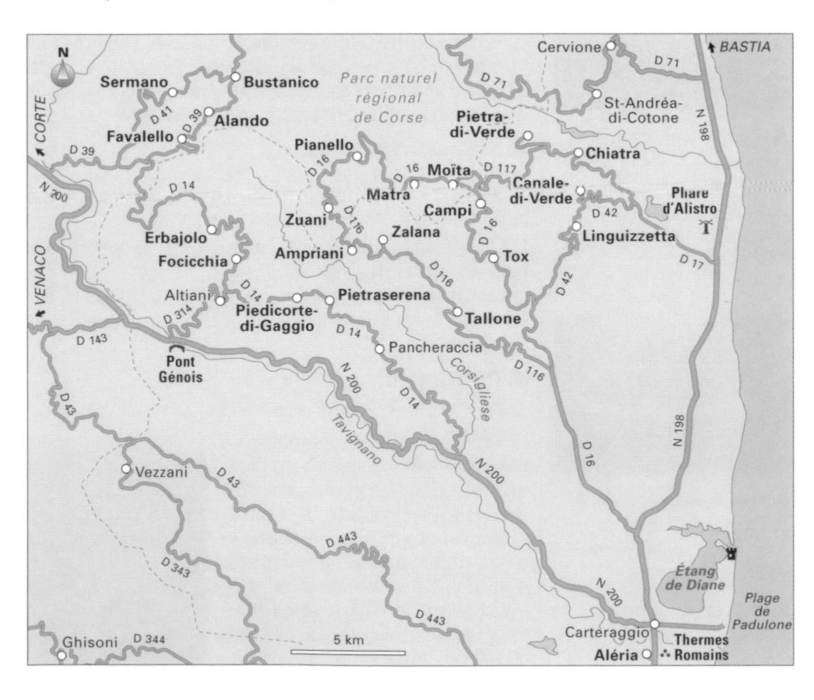

Promenade dans le Fium'Orbo

CARTE P. 245

Le fleuve a taillé une partie du relief en creusant les défilés des Strette et de l'Inzecca, après avoir dévalé les pentes du Monte Renoso. Son passé de terre agro-pastorale est lisible dans ces bergeries découvertes au détour des chemins. Au-dessus de San-Gavino, Isolaccio ou Poggio-di-Nazza, la montagne, parsemée de villages aux maisons en pierre, surprend par la vigueur de ses formes et la raideur de ses pentes. L'est s'ouvre sur les vastes plaines d'Aléria.

▲ *Après le barrage de l'Inzecca, la route s'élargit un peu pour rejoindre le défilé des Strette, qui conduit tout droit à Ghisoni.*

▲ *L'établissement thermal de Pietrapola, rénové, conserve de belles baignoires du XIXe s.*

► *Ania est un village pittoresque accroché à la montagne.*

■ Ghisonaccia

À 14 km au sud-ouest d'Aléria par la N 198.

Office du tourisme : ☏ 04 95 56 12 38.

À 4 km du littoral, c'était autrefois un lieu de transhumance des troupeaux venus des hautes montagnes du Fium'Orbo et dépendant de Ghisoni. Les multiples étangs et marais en faisaient une région insalubre où régnaient la malaria et le paludisme. Après l'éradication de ces fléaux, les marais asséchés ont peu à peu été transformés en terres de culture. Désormais, Ghisonaccia est au centre d'une région agricole de vergers et de vignobles. Sa grande **plage** de sable fin attire aujourd'hui de nombreux touristes. C'est un excellent point de départ pour des **excursions** vers l'arrière-pays.

■ Serra-di-Fium'Orbo

De Ghisonaccia, prendre la N 198 vers le sud jusqu'à Migliacciaro, puis tourner à droite dans la D 145 qui rejoint la vallée de l'Abatesco. 3 km après Abbazia, prendre à gauche la D 45.

On traverse le village d'**Ornaso**, qui conserve deux **belles tours carrées** du XIVe s.

- À **Serra-di-Fium'Orbo**, un **belvédère** offre de belles vues sur le littoral, avec l'étang de Palo et la vallée de l'Abatesco.

■ Pietrapola

Repartir à l'embranchement et continuer la D 45 vers l'ouest.

Le village rassemble ses maisons traditionnelles de granit en face de son église. Le lieu est connu depuis l'Antiquité grâce à la vertu thérapeutique de ses trois **sources** d'eau sulfureuse, utilisées dans le traitement des rhumatismes.

- À la sortie du village, une route vers le sud-ouest, la D 945, se dirige vers **Ania**.

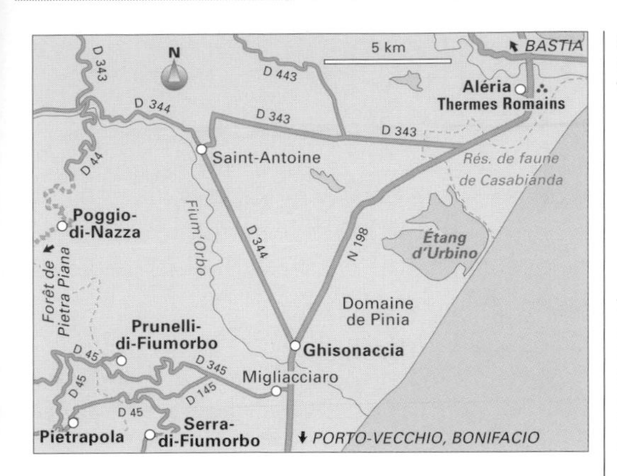

Né sur les pentes du Monte Renoso, le Fium'Orbo signifie le fleuve aveugle ou le fleuve trouble.

Terre de découverte, le Fium'Orbo a multiplié les sentiers de randonnée ; chaque village s'équipe de son gîte d'étape et les possibilités d'hébergement permettent de nombreux itinéraires.

San-Gavino-di-Fium'Orbo

Depuis Pietrapola, continuer vers l'ouest par la D 445.

La route traverse une forêt de châtaigniers et de chênes-lièges. Ce bourg, étagé sur une pente, conserve un grand nombre de maisons traditionnelles aux façades de granit.

Prunelli-di-Fium'Orbo

Prendre à droite la D 245. À Acciani, tourner à droite dans la D 45.

Construit sur un promontoire à 580 m d'altitude, il révèle un panorama sur la plaine d'Aléria, les étangs et la mer.
- Au sommet du village s'élève l'**église Santa Maria Assunta**, un édifice fortifié de style classique.
- Au-dessus du village, à 20 mn de marche, l'**église Saint-Jean-Évangéliste** (fin VIe-début VIIe s.) est sans doute la plus ancienne église de Corse et un bel exemple de l'art préroman ; le décor gravé du linteau symbolise sans doute la Trinité. L'édifice ne disposait que d'une seule entrée côté sud et n'était éclairé que par une étroite fenêtre côté est.
- Des fouilles ont révélé, à **Cursa**, les fondations d'une église plus vaste, certainement du XIe s.

▲ *L'église fortifiée Santa Maria Assunta de Prunelli-di-Fium'Orbo. La vue à partir de sa terrasse est magnifique.*

Poggio-di-Nazza

Continuer par la D 345, puis à gauche la D 244.

Un village caractéristique de cette région. Un bon point de départ pour de multiples **randonnées** sur le Renoso et la plaine orientale.
- Prendre la D 44 et à droite la route qui conduit à **Altana.** On poursuit à pied le long d'un parcours sinueux le long des ravins du **Saltaruccio** et du **Varagno**, principaux affluents du Fium'Orbo. Le chemin traverse la **forêt de Pietra Piana** et mène au **col de Taoria**. Beau **panorama** sur les étangs littoraux de Palo et d'Urbino dans la plaine orientale, tout en touchant presque la masse imposante du Renoso (2 352 m).

Le procoio

La plaine du Fium'Orbo a longtemps été l'enjeu de conflits entre les habitants des villages qui la surplombent et des exploitants extérieurs, qui, en s'appuyant sur l'autorité publique, s'en attribuèrent la possession en établissant de grands domaines : « procoio » ou « precoghju », devenu « périmètre ». Pendant des décennies, des révoltes et des incursions de montagnards se déroulèrent ; ils détruisaient les récoltes pour protester contre cette annexion forcée de ce qu'ils considéraient être leur territoire.

Aléria et la vallée du Tavignano

CARTE P. 245

Office du tourisme : Casa Luciani. ☏ 04 95 57 01 51.

À l'embouchure du Tavignano et au débouché de sa vallée, Alalia-Aléria a constitué aux temps antiques la porte maritime de la côte orientale et l'un des ports les plus importants de la Méditerranée. Le site archéologique est unique en France.

bonne adresse

Huître Isula d'Urbino, route de l'Étang. ☏ 04 95 56 13 28. Les huîtres sont élevées dans deux étangs, Diane et Urbino. Un restaurant à côté de la ferme ostréicole permet de déguster des huîtres, des moules, des loups et des daurades élevés dans l'étang.

Les événements d'Aléria

21 août 1975. Un groupe de militants autonomistes ayant à sa tête Edmond Siméoni, le leader du mouvement, occupe à Aléria la cave vinicole d'un agriculteur pied-noir. Les militants veulent dénoncer le scandale impliquant plusieurs agriculteurs rapatriés d'Afrique du Nord, qui, en employant des procédés illégaux, arrivent à doubler leur production. Le lendemain, la cave est encerclée par des CRS et des engins blindés. L'assaut est donné, les coups de feu échangés font deux morts du côté des gendarmes et un blessé dans le camp des autonomistes. Edmond Siméoni est incarcéré. Cette action, au retentissement considérable, va secouer la classe politique insulaire et donner naissance quelques mois plus tard au FLNC.

La ville antique

Créée en 565 avant J.-C. par les Phocéens, Aléria, qui s'appelait alors Alalia, va devenir après des luttes et des conquêtes successives une grande ville romaine. En 259 avant J.-C., Rome en fait la capitale de la Corse, qu'elle vient de conquérir. En 81 avant J.-C., Sylla la transforme en colonie militaire. Auguste l'aménage, en 24 avant J.-C., en base navale avec un port de guerre établi dans l'étang de Diane et un port de commerce situé au pied du plateau, dans le coude du Tavignano. Aléria, qui compte alors 20 000 habitants, vit dans l'aisance et la prospérité. Les invasions vandales au ve s. mettront un terme à sa splendeur : elle sera abandonnée, il n'en restera que des ruines. Les marécages combleront les canaux d'irrigation et la région deviendra le royaume de la malaria.

Un fort génois

Soucieux d'asseoir leur influence sur la Corse face aux Pisans, les Génois vont édifier, en 1484, un fort à l'emplacement de l'actuel musée. En 1570, Benedetto Canevaro le fera agrandir d'après les plans de Giorgio Doria. Il prend le nom d'une grande famille corse, « fort de Matra ». Pendant toute la période génoise, l'endroit n'abritera qu'une petite garnison chargée de la surveillance de la côte. Elle sera prise d'assaut, le 13 février 1730, par les insurgés des *pievi* de Tavagna, Orezza, Moriani et Ampugnani. C'est le début de la première révolution corse. Le 12 mars 1736, Théodore de Neuhoff choisira ce site hautement symbolique pour débarquer en Corse. Onze jours plus tard, au cours d'un déjeuner dans le fort de Matra avec les généraux Giafferi et Giacinto Paoli (père de Pasquale Paoli), il se fera proclamer roi de Corse. Le chroniqueur Sebastiano Costa rapporte qu'à la fin du repas, l'antique cité fut présentée au nouveau roi. « Giafferi expliqua qu'en ce lieu précisément était sis l'antique palais du roi de Corse et en montra de divers côtés les fondements. Tout autour s'étendait la cité d'Aléria, fameuse non seulement par la magnificence de ses édifices et le nombre de ses habitants, qui atteignait le chiffre de 70 à 80 000, mais aussi par le port de Diane, vaste et sûr, qui, à cause de cette dernière qualité, invitait toutes les nations à y faire escale. »

La cité mythique

Même si ses ruines ont été peu à peu conquises par le maquis et recouvertes par les sédiments, Aléria, la cité mythique, est toujours restée vivante dans l'histoire de la Corse. Dès 1840, Mérimée va signaler ces vestiges, il faudra pourtant attendre 1920 pour que soient réalisés quelques sondages. C'est en 1951 que les premières tombes romaines, datées du IIIe s., seront dégagées. Depuis, des fouilles systématiques sont entreprises.

■ Le musée Jérôme-Carcopino

Dans le fort de Matra.

Ouvert de mai à octobre de 8 h à 12 h et de 14 h à 19 h, et à 17 h le reste de l'année. Fermé le dimanche hors saison. ☏ 04 95 57 00 92.

Le musée porte le nom de l'historien corse qui a encouragé la reprise des fouilles d'Aléria. Un grand nombre d'objets trouvés sur place y figurent et témoignent non seulement de la vie quotidienne, mais aussi de la vie culturelle et religieuse de cette cité au temps de l'Empire romain. De la céramique sigillée à vernis rouge, dite d'Arezzo, qui disparaît vers le milieu du Ier s. après J.-C., aux productions gauloises, qui envahiront tous les marchés antiques pendant un siècle, avant d'être remplacées à leur tour par la sigillée claire, les diverses céramiques retrouvées sur le site d'Aléria témoignent de l'évolution technique, des différentes influences culturelles et des échanges que pouvait avoir à l'époque le monde méditerranéen. Amphores, monnaies, armes, bijoux illustrent la vie quotidienne de cette cité.

■ Le site d'Aléria

Partant du fort, un chemin mène au **centre de la ville antique**, qui occupait un plateau au sud-ouest de l'actuel village. Le forum, le capitole, les temples, les thermes et une partie du centre de la cité romaine ont été dégagés après des années de fouilles entreprises

Début août, la Festa Antica propose une reconstitution du passé antique de la ville. Défilés costumés, olympiades et menus romains.

▲ *Le fort de Matra, construit en 1484 à la place d'un précédent édifice, plusieurs fois remanié, accueille depuis 1969 le musée Jérôme-Carcopino.*

◄▼ *Du fait qu'il remonte jusqu'au VIe s. avant J.-C., le site archéologique d'Aléria est unique en France.*

▼ *À l'extrémité est du forum s'élevait un petit temple de 16,30 m sur 10,60 m, probablement consacré au culte impérial de Rome et d'Auguste. Ici, les marches du temple.*

► *Toute l'évolution de la céramique sous l'Empire romain est illustrée dans le musée.*

depuis 1958. La majorité du site reste encore à exhumer.

- À l'ouest, la **porte prétorienne** s'ouvrait dans les remparts, qui remontent à l'époque d'Auguste (Ier s. avant J.-C.). Elle donnait accès au *decumanus maximus*, principal axe ouest-est, large de 4 m et pavé d'énormes blocs irréguliers, avec un égout recouvert de dalles schisteuses.
- Au centre de la cité, le **forum** dessine un trapèze dont les grands côtés, longs de 92 m, étaient bordés de portiques aux colonnes de briques recouvertes d'un crépi stuqué.
- Sur le flanc nord du temple, un monument à absides, très postérieur, représente sans doute les substructions d'une chapelle chrétienne. À côté ont été dégagés les vestiges d'une **demeure**, où l'on remarque des décors de stucs peints et des pavements en « lithostroton ».
- Sur le côté ouest du forum se trouvait le **prétoire**, centre administratif et judiciaire de la colonie. On y pénétrait par un **arc**, de l'époque de Sylla, dont une pile en appareil « quasi réticulé » domine aujourd'hui les fouilles. Le bâtiment, d'environ 50 m de côté, présentait une cour centrale agrémentée de bassins et entourée de portiques sur trois côtés. Cet ensemble atteste des réfections jusqu'au Ve s.
- Au nord du prétoire, le **balneum** s'étageait à flanc de colline avec ses citernes, ses piscines, ses salles chauffées par hypocauste et décorées de mosaïques. Ce complexe présente lui aussi des remaniements, qui se succédèrent du Ier s. avant J.-C. jusqu'au début du Ve s. Enfin, à l'ouest du **balneum**, vestiges d'un bâtiment que l'on pense être une conserverie de poissons, crustacés et coquillages.
- En dehors de la ville, dans le coude du Tavignano, à proximité du port de commerce antique, sont situés les **vestiges des thermes**, datant des IIe-IIIe s. après J.-C., un vaste édifice appelé **Santa Laurina**. Il comprend une longue nef terminée par une abside semi-circulaire et de nombreuses chambres de plan carré.

La malaria vaincue

Infestée d'anophèles (moustiques vecteurs du paludisme), la plaine orientale fut pendant des siècles inhospitalière. Les meilleures terres de l'île étaient inutilisables. Au début du siècle, on dénombrait 8 000 cas de paludisme sur les 12 000 personnes ne séjournant que l'hiver dans cette région. En 1944, pour protéger leurs GI basés à proximité de cette zone, les Américains pulvérisent par avion, sur toutes les zones marécageuses, des tonnes de DDT mélangé à du pétrole. L'anophèle est vaincu et les plaines assainies redeviennent habitables et cultivables.

Une prison en bord de mer

Il n'y a pas de barreaux au pénitencier de Casabianda, ni de protection électrique ni de miradors. Créée en 1880, c'est une prison unique en son genre, au milieu des 1 765 ha de prairies, de vergers et de pinèdes. Chaque détenu y a sa chambre, avec fenêtre largement ouverte sur la mer. Après leur journée de travail comme bûcherons, bergers, laboureurs ou agriculteurs, les prisonniers prennent leurs repas en commun puis jouent aux boules, pêchent ou regardent la télévision. Ils peuvent même recevoir leur femme plusieurs fois par an, et passer avec elle un week-end. Ici, les évasions sont rares et les mutineries inexistantes. Le régime appliqué s'inspire directement des principes préconisés par l'ONU et adoptés par les pays membres du Conseil de l'Europe.

■ L'église Saint-Marcel

À côté du musée, cet édifice consacré en 1462 a été construit avec des pierres arrachées à la cité antique; il a remplacé la précédente cathédrale médiévale.

▲ *L'admirable portail de l'église Saint-Marcel est l'œuvre du célèbre ébéniste corse Abel Radot.*

■ L'étang de Diane

À 3 km au nord-est d'Aléria.

C'est ici que se trouvait, dans l'Antiquité, le port de guerre romain d'Aléria, *Portus Dianae*. Ce vaste étang de 600 ha, séparé de la mer par un étroit goulet, a de tout temps été voué à la conchyliculture (élevage d'huîtres et de moules). Le petit **îlot des Pêcheurs** est formé d'une accumulation de coquilles d'huîtres, écaillées à l'époque romaine et exportées salées à Rome. On y pratique toujours cet élevage d'huîtres et de palourdes.

■ Cateraggio

Sur la rive gauche du Tavignano, c'est la principale agglomération moderne de la commune d'Aléria. Cité balnéaire, elle dispose de la belle **plage** de sable fin de **Padulone**, à 3 km à l'est, entre l'étang de Diane et l'embouchure du Tavignano.

■ La réserve nationale de Casabianda

À 5 km au sud d'Aléria par la N 198.

Sortir d'Aléria par la N 198 vers le sud. À 3 km à gauche, une petite route mène au **pénitencier de Casabianda**. - Entre les **étangs del Sale** et **d'Urbino**, cette zone de pâturages et de marais de 1 760 ha est devenue une réserve naturelle en 1951, pour préserver certaines espèces animales en voie de disparition dans l'île, comme le guêpier d'Europe, le busard des roseaux et la perdrix rouge.

■ Le domaine de Pinia et l'étang d'Urbino

Poursuivre la N 198 vers le sud. À 7 km d'Aléria.

Cette vaste pinède est la dernière grande forêt du littoral corse (400 ha). Elle est bordée par l'**étang d'Urbino**, un site acquis par le Conservatoire du littoral et désormais protégé.

■ Le phare d'Alistro

À environ 16 km au nord d'Aléria, par la N 198 puis une petite route à gauche.

À proximité, la station de recherches agronomiques de l'INRA, créée par la SOMIVAC en 1958. C'est dans cette station expérimentale d'agrumiculture qu'est née la clémentine corse.

▲ *Le phare à feu fixe d'Alistro a une portée de 24 milles.*

La vallée du Tavignano

CARTE P. 245

De la mer à la montagne, entre Aléria et Corte, le Tavignano a creusé son lit au milieu de gorges schisteuses à travers maquis et châtaigniers. L'itinéraire se développe en corniche au sommet des versants nord de cette vallée, desservant de vieux villages accrochés au-dessus du Tavignano.

■ Le pont d'Altiani

D'Aléria, prendre la N198 vers le nord, puis la N200 qui parcourt la plaine cultivée de la rive gauche du Tavignano. À environ 31,5 km d'Aléria.

► *À la tête du pont d'Altiani, la chapelle San Giovanni Battista, en grand appareil de schiste noir, d'aspect roman, semble dater du Xe s.*

Les gorges du Tavignano s'ouvrent 15 km après Aléria. Au **pont de Piedicorte**, on peut emprunter à droite un chemin muletier qui mène à **Piedicorte-di-Gaggio.**

- Le **pont d'Altiani**, bel ouvrage de pierre en dos d'âne, est un ancien pont muletier. Entre Corte et Aléria, il enjambe de ses trois arches le Tavignano et remplace un précédent pont, construit en schiste noir, détruit au cours de l'hiver 1697. Classé monument historique, il fut construit par les Génois et élargi au XXe s. selon le même procédé que les ponts de Corte, Ponte Nuovo et Ponte-Leccia : les parapets sont démontés, la chaussée élargie. Dans le pays, on l'appelle couramment le « pont Laricio », parce qu'avant son achèvement en 1698, un grand pin laricio, roulé dans les eaux par la crue, avait failli l'emporter.
- Tourner à droite dans la D 314. Les maisons d'**Altiani** s'accrochent à un éperon rocheux. Belle **vue** sur la plaine d'Aléria et le Monte d'Oro.
- Au nord d'Altiani, sur la D 14 : **Focicchia**. Une ruelle contourne l'arête étroite qui porte le village. Église du XVIIIe s.

■ Erbajolo

À 8,5 km d'Altiani, sur la D 14.

Le site offre une **vue** grandiose sur la profonde vallée du Tavignano, le Monte Renoso, le Monte d'Oro, l'étang de Diane et la mer Tyrrhénienne.

► *La petite église Saint-Martin d'Erbajolo est magnifiquement située.*

- Au-dessous du village, à son ancien emplacement, s'élève l'**église romane** Saint-Martin (XIe s.), classée monument historique. À l'intérieur, une peinture rustique décore l'abside semi-circulaire.
- Près du cimetière, à la sortie du village, on gagne le **point de vue** (table d'orientation).
- La route au nord (D 16), qui suit la crête des montagnes, est l'ancien sentier des moines, qui reliait autrefois les couvents franciscains de Zuani et de Piedicorte. Elle est belle, étroite et parfois vertigineuse.

La Bocca di San Cervone

Par la D 16.

Le lieu offre une vue en enfilade sur la vallée du Tavignano jusqu'à l'étang de Diane. Il est possible de continuer jusqu'à la **Bocca di Comiti**, **vue** sur le Monte Renoso, le Monte d'Oro, la plaine orientale et la mer.

Alando

Rejoindre la D 439, puis à gauche la D 339 et la D 39 vers le nord.

Le village est dominé par un rocher de 50 m sur lequel était bâti le **château de Sambucuccio d'Alando**, qui s'attaqua au XIVe s. aux féodaux, favorisant ainsi le mouvement de la Terre de la Commune.
- Dans l'église, **tableau** du XVIIIe s. représentant la sainte Famille.

Bustanico

Poursuivre la D 39 vers le nord.

Petit village situé à 800 m d'altitude en plein pays de montagne, et dont l'accès fut longtemps difficile. Dans l'**église**, on remarquera le **crucifix** du XVIIIe s.

◄ *Le Christ en bois peint de l'église de Bustanico, réalisé par un artisan, est une œuvre d'une surprenante intensité émotionnelle.*

Sermano

Prendre vers l'ouest la D 441.

Perché sur une hauteur, Sermano est un des rares villages où l'on chante encore, les jours de fête, la messe *a paghjella*, vieux chant corse à plusieurs voix masculines.
- La **chapelle San Nicolao**, dans le cimetière, est à 15 mn à pied par le chemin qui s'amorce en face de l'église du village. Son origine semble remonter

Rusio et Sermano, connus pour être les hauts lieux des chants traditionnels en polyphonie, sacrée ou profane, sont aussi à l'origine d'un important répertoire de chansons populaires.

◄ *La chapelle San Nicolao de Sermano est décorée de fresques harmonieuses, représentant un* Christ de majesté, *encadré de saint Jean Baptiste et de la Vierge.*

Le chant corse

La polyphonie religieuse tenait aussi une grande place dans ce patrimoine artistique si riche d'expression communautaire. Chaque région avait à sa disposition son propre versu (air, mais aussi manière de chanter). Messes solennelles et messes des morts, hymnes et louanges diverses, toujours en latin, traduisaient ainsi la spiritualité d'un peuple fervent.

au VIIe s. À l'intérieur, belles **fresques** traitées dans les tons pastel.

■ Favalello

Poursuivre la D 41 vers le sud, puis prendre à gauche la D 39.

L'église conserve des fresques du XVe s. Sur la colline, dans le jardin de la dernière maison à gauche, **statue-menhir le Paladin**.

■ Piedicorte-di-Gaggio

Revenir en arrière et tourner vers le sud dans la D 14. À 4 km d'Altiani.

▲ *Les sculptures, monstres ailés et loups, de l'archivolte romane (XIIe s.), encastrée à la base du clocher de l'église Santa Maria Assunta de Piedicorte-di-Gaggio, rappellent celles de la Canonica.*

Situé sur un plateau qui domine à 750 m toute la vallée du Tavignano, ce fut pendant des siècles la voie principale de transhumance entre le Cortenais et Aléria.

- L'église **Santa Maria Assunta** (façade XVIIIe s.) abrite quelques peintures intéressantes, dont une *Déposition de Croix*. La momie de saint Clément est visible dans un sarcophage de verre.
- La promenade sur la terrasse qui contourne le village offre des **vues** remarquables sur la plaine d'Aléria et la mer, sur le Monte Rotondo, le Monte d'Oro et une grande partie de la chaîne centrale. Au nord-ouest, sur la **Punta Callacaggio** (1 061 m), subsistent quelques traces du château seigneurial de Gaggio.

■ Pietraserena

Sur la D 14, à 2 km de Piedicorte-di-Gaggio.

On retrouve ici, comme dans tous les villages de la région, le même type de clocher carré aux étages encadrés de pilastres classiques, dont le plus important, à jour, abrite les roches. Le village surplombe la plaine d'Aléria et offre une vue dégagée sur les Monte d'Oro et du Retondo et jusqu'à la mer. La naissance de Pietraserena appartient à la légende de Séréna, fiancée du comte de Gaggio, qui trouva ici un refuge pour échapper aux luttes seigneuriales. La retrouvant indemne, le comte de Gaggio accorda une charte de liberté à ceux qui s'établiraient ici.

- De **Pancheraccia**, la vue s'étend sur la plaine orientale, l'étang de Diane et la mer. De ces hauteurs, on contemple l'étendue des terres mises en valeur dans la plaine orientale.

La pièce de Cardone

À la fin de l'année 1729, un vieil homme nommé Cardone ne put fournir une pièce de monnaie pour payer ses impôts. Menacé de saisie, il aurait prêché la révolte sur la place de son village, entraînant la population à se soulever contre l'administrateur génois résidant à Corte. Ce fait divers, entré dans la légende, a été érigé en symbole.

Moïta-Verde

CARTE P. 245

Vue d'avion, cette région, qui regroupe les anciennes *pievi* de Moïta et de Pietra-di-Verde, ressemble à un grand triangle montagneux. Le côté nord serait constitué par une ligne passant par le Monte di Pruno (1 122 m), le Monte Alto (1 151 m) et la Punta di Granala (685 m), pour suivre la rive sud du lac d'Alesani. Le côté est suivrait une ligne droite qui partirait du Monte Oppido (497 m) pour aboutir au moulin de Granaghju. Le troisième côté remonterait le lit de la Bravone jusqu'au pont d'Aliso. Au centre de cette figure géométrique, le Monte Sant'Appiano, avec son plus haut sommet, A Punta di Campana (1 093 m). Le circuit suit la ligne de crête et conduit à la découverte de villages escarpés, authentiques, parfois difficiles d'accès.

■ Linguizzetta

Depuis Aléria, prendre la N 198 vers le nord, après 5,5 km prendre à gauche la D 16 puis à droite la D 42.

Bâti au flanc du Monte Sant'Appiano, dans un paysage de vignes et de maquis, le village a conservé des ruelles pittoresques formant un véritable labyrinthe bordé de vieilles maisons de pierre.

- Belle **peinture** du XVIe s. dans l'**église** paroissiale Saint-Pierre-et-Paul. L'une des maisons du village remploie les restes de l'église romane Saint-Paul.
- Au hameau de **Pastricciale**, église romane. Au sud s'étendent les **ruines** du couvent de Verde.

▲ *Le campanile de Linguizzetta se dresse à côté de l'église paroissiale.*

■ Canale-di-Verde

Poursuivre la D 42 et tourner à gauche dans la D 142.

Canale-di-Verde est la patrie de trois hommes d'une même famille, qui eurent un rôle important, Ercole Macone, général vénitien et gouverneur de Chypre, mort en 1536, son fils Rinaldo, grammairien et évêque de Stromboli, et son autre fils Nicolae, général au service de Venise. En retrait du littoral, à 10 km de la mer, ce village en surplomb offre un beau **panorama** sur la plaine d'Aléria, la côte et jusqu'aux îles toscanes.

- L'**église** Sainte-Marie date du XVIIIe s.

■ Chiatra

Reprendre la D 42 et rejoindre la D 17, que l'on suit vers l'ouest.

Ce village très caractéristique et bien conservé s'étire sur une crête issue du Monte Oppido. En dehors du village, on aperçoit les ruines d'une **église romane** dédiée à saint Nicolas. Ptolémée, dans sa carte de Corse, mentionne un castrum d'Opinum. Ce château antique était érigé sur le Monte Oppido et lui a laissé son nom.

Le mystérieux roi Berlinghieri

Linguizzetta conserve les traces d'un vaste château, demeure du roi de Berlinghieri. L'historien corse Simon J. Vinciguerra s'est interrogé sur le mystérieux monarque. « S'agit-il de l'un de ces Berenger, rois d'Italie aux IXe et Xe s., (...) ou d'un Berlinghieri di Rillo, que le roi d'Aragon envoya de Sardaigne en Corse en qualité de vice-roi en 1455 ? » La question reste posée.

▲ *Les maisons de Canale-di-Verde possèdent de très beaux porches et escaliers.*

▲ *Statue de la Madone avec sainte Anne, à San Simeone de Moïta.*
► *Une fontaine à Matra.*

▲ *La chapelle San Cervone de Campi est précédée d'un escalier monumental.*

■ Pietra-di-Verde

Continuer la D 17.

À l'orée de la Castagniccia, à 400 m d'altitude, le village, perché sur la roche, conserve de belles et hautes maisons qui lui donnent un caractère médiéval.
- L'**église** paroissiale Saint-Élie (XVIIIe s.), à double façade, possède un beau **campanile** sur cinq niveaux.
- À l'ouest, **chapelle** romane Saint-Pancrace (XIe s.). Au nord du village, depuis les **vestiges** d'une abbaye romane, **vue** étendue sur le lac d'Alesani et la plaine orientale.

■ Moïta

Revenir en arrière sur la D 17 et prendre à l'embranchement la D 117 vers le sud. À 6,5 km au sud-ouest de Pietra-di-Verde.

Jusqu'au XXe siècle, c'était la plus importante commune de la *pieve* de Serra. Le village compte de très **anciennes maisons**, dont une datée de 1562 qui a conservé un plafond à claie pour le séchage des châtaignes.
- L'**église San Simeone**, avec son clocher de quatre étages, est un bel exemple de l'art baroque du XVIIe s. À l'intérieur, une belle **peinture** du XVIIe s. et deux **statues** du XVIIIe s. La source qui jaillit ici posséderait des vertus pour guérir les maladies des yeux.

■ Matra

À 2 km à l'ouest de Moïta.

Le village s'étire sur une crête et deux hameaux le prolongent, au nord celui de **Prato** et au sud celui de **Pietrera**. Ce lieu, qui fut le berceau de la famille de Matra, alliée puis adversaire de Pasquale Paoli, conserve une belle architecture, des passages voûtés et de belles maisons en pierre dont la **maison Matra**, de style roman, avec fenêtres en plein cintre et tour crénelée.
- L'**église Saint-Bernardin**, de style pisan, du XVIe s., arbore un beau **clocher** de quatre étages. À l'intérieur, un beau **retable** en bois sculpté (1742) orne la sacristie.
- Au nord du village, ancienne **mine** d'arsenic désaffectée. Au sud, **calvaire** de Cicinelli.

■ Campi

Revenir à Moïta et continuer la D 16.

Ce beau petit village, bâti sur une crête, a conservé depuis l'époque génoise une belle unité architecturale. Ses hautes bâtisses de pierre, avec escaliers extérieurs, sont couvertes de lauzes. La **maison Tozza** domine le village. Église paroissiale de style maniériste. À l'ouest se dresse la très belle **chapelle San Cervone** (XVe s.), avec son clocheton en arcade.
- **Tox** domine une oliveraie. Dans cette nature sauvage, quelques **moulins** en ruine, des **fontaines** et des **grottes** contribuent au charme des lieux. L'**église** paroissiale, consacrée à saint Jean Baptiste, date du XVIIe s.

■ Tallone

Continuer la D 16 jusqu'à Pianiccia et prendre la D 116 qui remonte vers le nord-ouest.

L'**église** paroissiale du XVIe s., construite à l'emplacement d'une chapelle romane, présente une élégante façade avec une belle porte et un campanile isolé.

- Sur le site de **Pieve** s'élevait jadis l'ancienne cité romaine d'Opino.

■ Zalana

Continuer la D 116. À 5 km de Tallone.

Ce village aux ruelles étroites et voûtées conserve de très vieilles maisons. L'**église** paroissiale au clocher carré possède de belles **peintures**. Au sud, l'**église romane Sainte-Marie** a été remaniée. Au nord, la Bravone faisait autrefois tourner cinq moulins, aujourd'hui abandonnés. À proximité, une mine d'amiante désaffectée.

- À **Ampriani**, l'**église** paroissiale **Saint-Laurent**, d'origine romane, a été remaniée au XVIe s.
- À 2 km sur la route de Zuani se dresse le **couvent Saint-François d'Ampriani**, fondé en 1731 par saint Théophile.

■ Zuani

Sur la D 116.

Édifié à flanc de montagne, le village se compose d'une cinquantaine de maisons traditionnelles.

- L'**église Sainte-Marie**, au beau donjon carré, a été rebâtie sur l'emplacement d'une église romane, dont quelques pierres ont été réutilisées. Elle possède une très belle **porte** classée monument historique.
- **Couvent** du XVIIe s. Vers le sud-ouest, quelques **vestiges** d'un château fort.

■ Pianello

Continuer la D 16 vers le nord-est. À 4 km de Zuani.

C'est le plus haut village du canton, bâti au carrefour de la Castagniccia, du Bozio et de la plaine. C'est encore un lieu de transhumance.

- L'**église** paroissiale Sainte-Cécile, très ancienne, a été transformée au XVIIe s.

▲ *Dans le hameau d'Ostricacce, on remarquera le tympan roman de l'église médiévale Saint-Pierre.*

Linguizzetta
Fête patronale le 29 juin.
Fête communale le 1er août.

Canale-di-Verde
Fête patronale le 3 février.
Fête communale le 11 novembre.

Chiatra
Fête patronale le 16 août.
Fête communale le 6 décembre.

Pietra-di-Verde
Fête paroissiale et foire le 12 mai.
Fête communale les 28 août et 11 décembre.

Moïta
Fête patronale le dimanche avant le 15 août.
Fête communale le 8 octobre.

Tox
Fête patronale le 24 juin.
Fête communale le 29 août.

Tallone
Fête le 27 août.

Zalana
Fête patronale les 25 mars et 15 août.

Ampriani
Cérémonie de Saint-Théophile, en présence de l'évêque, le 6 août.

Zuani
Fête les 15 et 16 août.

La vengeance de Gallocchio

Giovanni Antomarchi, dit Gallocchio, natif d'Ampriani, quitte le séminaire pour se fiancer à Maria Luisa Vincensini et signe ainsi le début d'un mélodrame. Les parents de la jeune fille lui destinent un autre fiancé. Gallocchio enlève la belle, mais elle accepte de réintégrer le toit paternel. Pour se venger, Gallocchio tue son père et l'un de ses frères. Cesario Negroni épouse Maria Luisa, mais il est tué par Gallocchio en entrant dans la chambre nuptiale. Recherché par les gendarmes, ce dernier rejoint dans le maquis le célèbre bandit Teodoro Poli et participe à la guerre d'indépendance grecque. En 1833, son jeune frère Carlo Filippo Antomarchi est assassiné à Ampriani par le frère de Cesario. Gallocchio rentre en Corse pour exterminer la famille Negroni. Il est tué pendant son sommeil. Un beau lamento chante ses exploits.

Castagniccia et Casinca

Ces régions, situées sur la côte est de l'île, offrent aux visiteurs des paysages exceptionnels. Sauvages, les vallées de la Castagniccia sont parsemées de cours d'eau à l'aspect torrentiel et recouvertes d'une nature restée intacte. Les villages, perchés sur des promontoires, semblent se confondre avec la roche. Avec ses terrasses et ses jardins ensoleillés, favorables à l'agriculture, la Casinca est l'un des plus beaux jardins de Corse.

◄ *Le village de Venzolasca.*

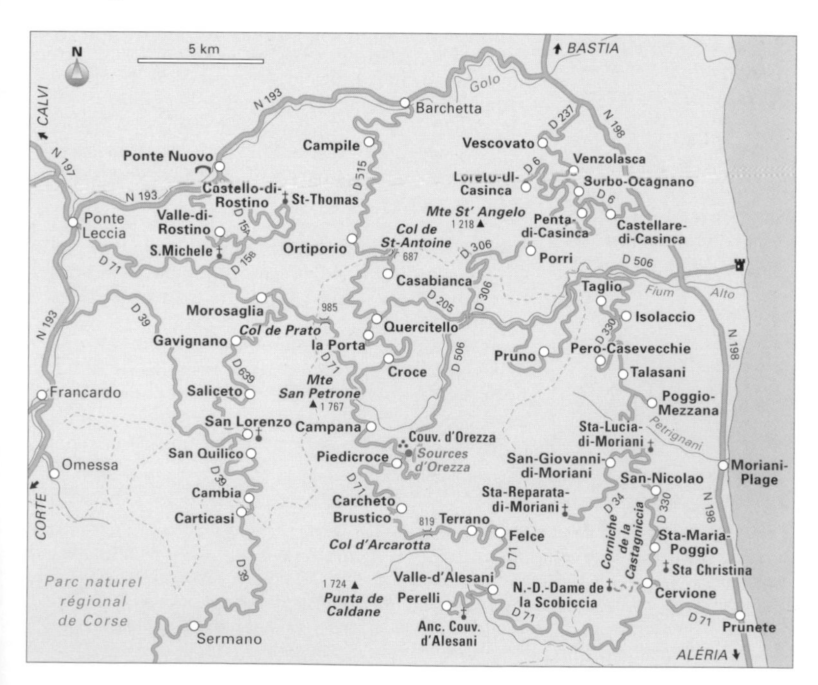

La Castagniccia maritime

CARTE P. 259

Syndicat d'initiative de la Castagniccia : ☏ 04 95 35 82 54.

Entre le Fium'Alto et l'Alesani, entre la mer Tyrrhénienne et les sommets de la chaîne centrale, la Castagniccia est une région de villages hauts perchés aux belles églises baroques. C'est aussi un lieu chargé d'histoire qui résonne des noms de Paoli, de Théodore de Neuhoff ou de Giafferi. Par un circuit de quelques heures, on y découvre une Corse authentique, sauvage et pleine de charme.

Le village de Taglio, berceau du groupe *I Muvrini*, est réputé pour ses chants polyphoniques, *paghjelle*, auxquels on attribue une rime spécifique, la *versu taglincu*. **Pero** est la patrie de l'historien corse Francescu Ottavianu Renucci (1767-1842), auteur d'une *Storia della Corsica*.

■ Taglio-Isolaccio

À environ 40 km au sud de Bastia par la N 193 et la N 198. Puis tourner à droite dans la D 506 et à gauche dans la D 330.

Ces deux hameaux ne forment qu'une commune. À **Isolaccio**, l'église paroissiale a été construite sur les ruines d'une église romane.

- Les cloches de l'église de **Taglio** font l'objet du proverbe : *Ci tu sia straziatu cume e campane di Taglia* (« Que tu sois malheureux comme les cloches de Taglio »). Ce dicton est né il y a très longtemps : des groupes de mendiants venaient régulièrement demander l'aumône au village et le chef encaissait la plus grande part. Une année, à la San Mamiliano, les mendiants désignèrent un nouveau chef; l'ancien, s'enferma dans le clocher et sonna les cloches pendant plus d'une semaine.
- La D 330 et la D 130 conduisent à une succession de petits villages. **Pero-Casevecchie** conserve de belles maisons à arcades et passages voûtés. À **Casevecchie**, fontaines et sources.
- Continuer la D 330 vers le sud, jusqu'à **Talasani**. Ce village, patrie de Luigi Giafferi, a mis en place des itinéraires de découverte de la région, et notamment un **sentier botanique**. Église baroque, ruines de l'église romane Saint-Pierre.
- La D 330 mène aussi à **Santa-Lucia-di-Moriani**, village belvédère, qui serait le lieu de l'antique cité de Taïna dont parle Grégoire le Grand, et dont l'emplacement exact serait situé sur le plateau de San Marcello, au nord-ouest du village, à proximité du moulin de Petrignani.

Le feu de San Mamiliano

Une procession était autrefois organisée le 15 septembre de chaque année à la chapelle de San Mamiliano. En ce jour de fête patronale, on allumait un grand feu, visible de tous les villages de la vallée. Cette coutume, abandonnée en 1952, reprenait, semble-t-il, un mode de communication longtemps pratiqué entre l'abbaye de l'île de Montecristo (à 60 km à l'est) et les chapelles qui dépendaient de son ministère.

Luigi Giafferi

Après des études de théologie, Giafferi choisit le métier des armes et rejoint ses deux frères dans l'armée vénitienne. Il en deviendra capitaine. En 1700, il revient en Corse et entre au conseil des Douze Nobles. En 1730, il est élu général de la nation et, en 1736, devient Premier ministre du roi Théodore avec Giacinto Paoli. C'est accompagné de ce dernier qu'il partira en exil en 1739. Colonel dans l'armée napolitaine, il meurt en 1748. Considéré comme un grand stratège, il inspira Bonaparte dans la préparation de ses campagnes.

San Nicolao

À 9 km au sud de Talasani.

Le village est bâti en terrasses au milieu d'une châtaigneraie. C'est la patrie d'Aghjulu Luigi de Giorgi, écrivain célèbre du XVIIe s.
- L'**église baroque Saint-Jean** (XVIIe s.) servait de poste de guet. Elle possède un devant d'autel orné d'un haut-relief représentant la légende de saint Nicolas. Au nord de l'église, ruines de deux chapelles romanes.
- Sur la D 330, à 600 m au sud du hameau de Fano, très beau **site de l'Ucelluline**, belle vue sur la plaine et les cascades du torrent Brucatojo.

▲ *Une Vierge en bois peint (1818) dans l'église Saint-Jean de San Nicolao.*

San-Giovanni-di-Moriani

Prendre vers l'ouest la D 134.

L'**église** baroque **Saint-Jean** (XVIIe s.) contient de beaux meubles dans la sacristie. Une chapelle de pénitents a été bâtie sur son flanc.
- Au hameau **Cioti**, **chapelle** romane **San Mamiliano**. Au-dessus du maître-autel, une toile représente San Mamiliano, en tunique blanche et manteau rouge, terrassant un monstre.

▲ *À l'intérieur de l'église Saint-Jean de San Nicolao, décors colorés et trompe-l'œil ornent les voûtes et les murs.*

Santa-Reparata-di-Moriani

Au sud de San-Giovanni-di-Moriani sur la D 134.

Un site magnifique où jaillit une source d'eau ferrugineuse exploitée à l'époque romaine. Trois sommets l'entourent : le Monte Olmelli (1 285 m), le Monte di Tre Pieve (1 247 m) et le Monte Grine (1 133 m).

Santa-Maria-Poggio

Revenir sur la D 330. Au sud de San Nicolao.

Bâti sur un piton rocheux, le village domine la plaine orientale.
- À 1 km, vers la mer, **chapelle** romane **San Pancrazio**.
- Plus au nord, vers le moulin de Sainte-Marie, vestiges d'une église romane.
- À 200 m du village, belle **fontaine de Serpentina**.

La chapelle Santa Cristina

À 1 km au nord de Valle-di-Campoloro, 20 mn à pied. En voiture direction Santa Cristina.

La chapelle préromane du IXe s. fut remaniée au XVIIe s. L'édifice est doté de deux absides juxtaposées, ornées chacune d'une grande figure du Christ en majesté. Sur l'arc triomphal, saint Jean Baptiste en précurseur et l'ange de l'Annonciation (1473).

◄ *Fresque dans la chapelle Santa Cristina. La fraîcheur des coloris, le sens de la décoration et l'expression des visages caractérisent le style des fresques du XVe s.*

Cervione

À 5 km au sud de San Nicolao.

Sur les pentes du Monte Castello, à 326 m d'altitude, le village offre un bel ensemble architectural : vieilles ruelles, hautes maisons et passages voûtés. En 1736, Cervione fut élevé au rang de capitale par le roi Théodore de Neuhoff. Siège des évêques d'Aléria de 1758 à la Révolution, il conserve de cette époque un palais épiscopal qui fut résidence royale.

- L'**église** baroque **Sainte-Marie-et-Saint-Érasme**, du XVIIIe s., est un édifice à nef unique, bordé de chapelles latérales. À l'intérieur, stalles baroques sculptées (XVIIe s.), orgues (XVIIIe s.), beaux meubles de sacristie.
- À côté, le **campanile de Saint-Érasme** domine les habitations.
- Le **musée d'Ethnographie de l'ADECEC**, ancien séminaire, présente à travers 14 salles une collection d'objets de la vie quotidienne ou pastorale et d'outils de métiers disparus.

► *Ancienne cathédrale, l'église baroque Sainte-Marie-et-Saint-Érasme de Cervione est ornée de magnifiques peintures en trompe-l'œil.*

Ouvert tous les jours de 9 h à 12 h et de 14 h à 18 h, sauf les dimanches et jours fériés. ☏ 04 95 38 12 83.

La chapelle de la Madonna di a Scupiccia

À l'ouest de Cervione. Accessible en quelques minutes en voiture. 1 h à pied aller-retour.

Bâtie sur un piton à 770 m, elle renferme une **statue de la Vierge** en marbre blanc (XVIe s.), œuvre d'art destinée à la cathédrale de Cordoue et découverte sur la plage par des pêcheurs. Cette statue porte désormais le nom de *A Madonna di a Scupiccia*, la Vierge des Bruyères.

Prunete

Prendre vers l'est la D 71. À 5,5 km de Cervione.

Une magnifique plage, surplombée d'une forêt d'eucalyptus. C'est ici que se trouvait l'auberge de Maria Felice, halte installée pour accueillir les gens sur la route entre Bastia et Bonifacio. Quand, en 1888, le train passe sans s'arrêter, Maria Felice compose un air vengeur, qui est devenu un classique de la chanson corse. « Le train de Bastia est fait pour les "Messieurs", Pleurent les charretiers, soupirent les bergers ; Et pour nous autres aubergistes, c'est l'angoisse et le crève-cœur. »

Moriani-Plage

À 6,5 km au nord de Prunete, sur la N 198.

L'ancienne marine de Padulella, de la *pieve* de Moriani est aujourd'hui devenue une station balnéaire.

Saint Alexandre Sauli

Né à Milan en 1535, il appartenait à l'une des plus grandes familles aristocratiques de la république génoise. Ami et confesseur de Charles Borromée, son oncle Pie IV le fera nommer évêque d'Aléria afin qu'il assure dans l'île les principes de la Contre-Réforme. Arrivé en Corse à 35 ans, cet excellent théologien et bon prédicateur va rapidement devenir très populaire chez le petit peuple, qui l'appelle « Santu Lisandru » et le considère comme corse. Il meurt en 1592, sera béatifié le 9 avril 1741 et canonisé le 23 avril 1904. Sa fête est célébrée le 11 octobre.

Le châtaignier

CARTE P. 259

L'arbre a laissé en Corse une profonde empreinte, marquant toute une civilisation, créant une économie et faisant naître un mode de vie.

Lors de leur récolte, à l'automne, on préparait des châtaignes grillées dans le *Testu*, poterie de terre cuite parsemée de trous, que l'on accompagnait de brocciu.

■ Un arbre mythique

Après le suicide de Néa, nymphe de Diane, Jupiter la fit revivre, sous la forme d'un châtaignier, avec pour oraison : chaste Néa ou *casta Néa*. Au-delà de ces origines mythologiques, la présence de cet arbre est ancienne et remonterait à la dernière glaciation du quaternaire. En Corse, c'est surtout au Moyen Âge et pendant la période génoise que le châtaignier s'impose et donne son nom à une région, la Castagniccia.

▲ *La zone de prédilection du châtaignier se situe entre 500 et 800 m d'altitude, dans un sol acide, granitique ou schisteux, de préférence frais et bien drainé et sur des versants sud. Car celui que l'on nomme ici l'« arbre à pain » ne supporte pas les températures moyennes inférieures à 8 °C.*

■ La civilisation du châtaignier

L'arbre crée un nouveau mode de vie ; il apporte nourriture, chauffage, meubles et monnaie d'échange. Déjà implanté depuis des siècles, le châtaignier s'enracine durablement par l'entremise des Génois et par la mise en place aux XVIe et XVIIe s. du plan de valorisation agricole. Un siècle plus tard, le plan Terrier dénombrera environ 3 500 ha consacrés à cette essence.

■ La base de la vie sociale

Le châtaignier va s'inscrire dans le quotidien de cette civilisation essentiellement rurale. Dès la fin août, on coupait les rejets, qui servaient de nourriture au petit bétail pendant l'hiver. À la mi-octobre et jusqu'à la fin décembre, la récolte commençait. Débarrassées de leur bogue, les châtaignes étaient triées, séchées, épluchées et conservées pendant deux mois avant d'être vendues ou gardées dans un coffre en châtaignier pour la consommation courante. Tous les trois ans, à la fin de l'hiver, il fallait tailler les arbres et régulièrement planter et greffer les rejets pour assurer le renouvellement de la châtaigneraie.

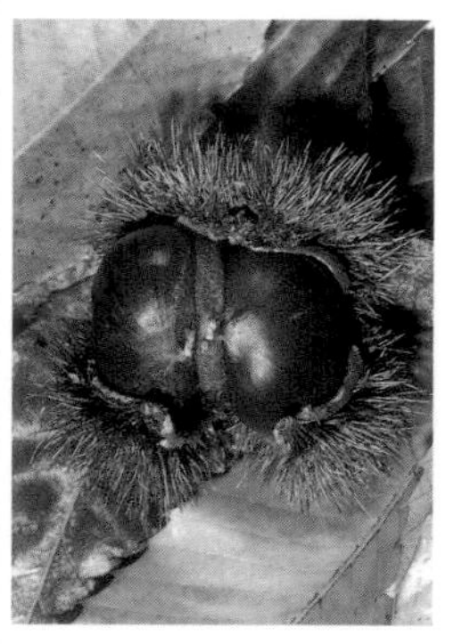

▲ *Les feuilles apparaissent en mai, les fleurs en juin et les premières châtaignes vers mi-septembre, groupées par trois dans leur bogue.*

■ Le déclin

L'équilibre de cette société rurale est lourdement compromis au XVIIIe s. avec l'arrivée des Français, qui mirent en place un plan de valorisation agricole. Accusés à tort d'entretenir la paresse des Corses, un grand nombre de châtaigniers furent arrachés. Parallèlement, l'exploitation intensive pour les tanneries va porter un coup fatal à la châtaigneraie, que l'on déboise sans replanter. Privés de ce moyen de subsistance, les paysans vont s'exiler et le châtaignier, arbre à croissance lente, sera remplacé par des résineux.

La haute Castagniccia

CARTE P. 259

Maurice Ricord disait de cette région que « c'est un jardin phénoménal dans un labyrinthe de montagnes ». Cette terre, royaume du châtaignier, se distingue par la coloration verte de ses roches. Elle constitue le bloc le plus important de la Corse schisteuse. Ses routes sinueuses conduisent à des villages-belvédères aux maisons de granit. Les sentiers de découverte sont nombreux et les hauts sommets invitent à l'escalade.

▲ *Le tympan de l'église Santa Reparata, daté du XIIe s., est orné de deux serpents entrelacés.*

▲ *Chemin de Croix de facture populaire (XVIIIe s.) à l'église Santa Reparata.*

▲ *L'église romane Sainte-Marie-de-Rescamone a conservé une très vieille abside du Xe s., en pierres plates de schiste coloré.*

■ Morosaglia

À une soixantaine de kilomètres au sud-ouest de Bastia. Prendre la N 193, puis tourner à gauche dans la D 71.

Le village comporte plusieurs hameaux. Perché dans la montagne, il a conservé ses hautes maisons de schiste à toits de lauzes.

- L'**église** préromane **Santa Reparata**, à 5 mn à pied du hameau principal, a subi de nombreux remaniements, mais a conservé son plan traditionnel à nef unique. C'est là que fut baptisé Pasquale Paoli.
- L'**église Saint-François-d'Assise** faisait partie de l'ancien couvent du XVIIe s. Triptyque du XVIe s.
- Au hameau de **Stretta**, le **musée Paoli** de Morosaglia, situé dans sa maison natale, renferme un grand nombre d'objets et de documents ayant appartenu à Paoli. Le caveau de la chapelle renferme ses cendres, rapatriées en 1889.

Ouvert du 1er avril au 30 septembre tous les jours sauf le mardi. Hors saison de 9 h à 12 h et de 13 h à 17 h tous les jours sauf le mardi. Fermeture annuelle en février. ☏ 04 95 61 04 97.

■ Valle-di-Rostino

À 8 km au nord-ouest. Prendre la D 71 vers l'ouest puis tourner à droite dans la D 15B.

L'**église San Michele** est de style classique.

- À l'ouest, ruines de l'**église** romane **Sainte-Marie-de-Rescamone**, pro-cathédrale de Mariana, destinée à servir d'annexe au siège principal. La façade a été refaite au XIIe s.
- Le **baptistère** octogonal **San Giovanni Battista**, à 10 m, est de la même époque. Son architecture s'apparente à l'art roman de Pise. La sculpture est l'œuvre d'artistes locaux, comme celles du tympan du baptistère et du bénitier, qui semblent être des remplois du Xe ou XIe s.

■ La chapelle San Toma de Pastoreccia

Revenir en arrière et prendre à l'embranchement la D 15A.

Au milieu d'un cimetière, au-dessus de la vallée du Golo, cette église préromane possède une nef unique et une abside orientée vers l'est. Une partie de ses fresques a été détruite par une restauration désastreuse en 1933. L'arc triomphal est décoré de l'Annonciation et de saint Michel pesant les âmes, le mur nord de scènes de la Passion. Le mur sud conserve des fresques de personnages de saints et du Jugement dernier. Ces décorations datent de la fin du XVe s. ou du début du XVIe s.

■ Ponte Nuovo

Sur la N 193.

Sur ce pont génois s'est déroulée la tragique bataille mettant fin en 1769 à la brève indépendance de la Corse. Un monument commémore cet événement à l'entrée du nouveau pont ; l'ancien ayant été détruit pendant la Seconde Guerre mondiale, il n'en reste que des ruines.

■ Gavignano

Au sud de Morosaglia, par la D 639.

La **chapelle** Saint-Pantaléon, de style roman, recèle des fresques intéressantes du XVe s.

- Le village en belvédère de **Saliceto** est la patrie du conventionnel Christophe Saliceti (1757-1809). Il offre des vues remarquables sur les vallées. L'autel de l'église repose sur une arche qui enjambe la rivière.

■ San-Lorenzo

À 4 km au sud de Saliceto.

Le lieu est constitué de plusieurs hameaux répartis sur les pentes sud-ouest du **San Petrone** (1 767 m). On peut accéder au sommet en 1 h 15, par le hameau de Casanova et la Bocca di Sant'Antonio. De là, superbe panorama sur la plaine orientale, l'archipel toscan, le cap Corse, le Nebbio et la Balagne.

■ La chapelle San Quilico de Cambia

Au sud de San-Lorenzo sur la D 39.

Cette chapelle à nef unique, isolée au carrefour de sentiers muletiers, est construite en grandes dalles de schiste gris-jaune. Elle présente une architecture élégante avec quelques décorations sculptées. La porte latérale sud est ornée d'un homme étranglant un dragon, symbole de la victoire du Bien sur le Mal, et surmontée d'un beau motif d'entrelacs. À l'intérieur, fresques du XVIe s. exécutées dans un style populaire et assez bien conservées.

■ La chapelle Santa Maria

Plus au sud sur la D 39.

Il s'agit d'un édifice roman pisan (XIIIe s.), dépourvu de décor sculpté, mais au style assez semblable à la chapelle San Quilico.

- Au sud-ouest, on trouve une **statue-menhir**, et, à 250 m au nord-ouest, un gros rocher plat appelé la **Petra Frisgiada**, portant des gravures rupestres.

▲ *L'abside de la chapelle San Toma de Pastoreccia est ornée du Christ Pantocrator, entouré d'anges et des symboles des évangélistes.*

▲ *Saliceto conserve une belle architecture avec de hautes maisons de pierre des XVe et XVIe s. Beaucoup d'entre elles ont conservé sous leur toit le séchoir à châtaignes.*

▲ *La porte occidentale de la chapelle San Quilico de Cambia est décorée d'un tympan représentant* La Tentation d'Adam et Ève.

L'Ampugnani

CARTE P. 259

Le Monte San Petrone domine la région, tandis que le col de Prato (985 m) offre une vue plongeante sur la Castagniccia et la mer Tyrrhénienne. Par temps clair, on aperçoit les îles de l'archipel de Toscane.

▼ *Le maître-autel de l'église Saint-Jean-Baptiste de La Porta est surmonté d'un retable architectonique à un seul plan.*

L'église Saint-Jean-Baptiste de La Porta possède une remarquable *Décollation de saint Jean Baptiste*, petite toile située sur le devant du chœur.

▲ *La façade à deux étages (1707) et le campanile (1720) à cinq étages de l'église Saint-Jean-Baptiste de La Porta réunissent tous les éléments du rococo et marquent par leur aspect triomphaliste l'émancipation de cette paroisse, qui dépendait auparavant de Quercitello.*

■ La Porta

À 8 km de la D 71. Tourner à gauche dans la D 515.

Ce fut la capitale historique de l'Ampugnani et de la Castagniccia. La Première Guerre mondiale causa son déclin. Siège d'un tribunal, d'une école ecclésiastique renommée, patrie de la puissante famille Sébastiani, elle fut à la fin du XVIIIe s. et au XIXe s. une cité active et importante.
- **Saint-Jean-Baptiste** est l'une des églises baroques les plus célèbres de Corse, construite entre 1648 et 1680 suivant un plan à nef unique et chapelles latérales. En entrant, parmi les bois sculptés : grand Christ de la chapelle Sainte-Croix (XVIIe s.). Au-dessus des fonts baptismaux, un Christ plus petit pourrait être du XVIe s. Ornée de peintures en trompe-l'œil, l'église conserve un orgue de style italien de 1780, transporté ici sous la Convention après la destruction du couvent de Sant'Antone di Casabianca. Depuis sa restauration en 1965, un concert est donné tous les ans en juillet.

■ Quercitello

Au nord-est de La Porta.

L'**église de la Vierge-du-Mont-Carmel**, une construction du XVIIe s., est dotée d'une façade à deux niveaux surmontée d'un fronton triangulaire. Le chœur est coiffé d'une coupole à nervure.

■ Le couvent Sant'Antone di Casabianca

À 8 km au nord-est de La Porta sur la D 515.

Aujourd'hui en ruine, il fut fondé au col Saint-Antoine en 1420 et joua un rôle important dans la lutte du peuple corse. Pasquale Paoli y fut élu général de la nation au cours de la consulte du 14 juillet 1755. En décembre 1797, une autre consulte, dite « de la Crocette », décida du soulèvement des Corses contre la république et la persécution religieuse. Agostino Giafferi, âgé de 80 ans, fut choisi comme chef. Deux mois plus tard, il sera exécuté à Bastia.

■ Campile

Au nord d'Ortiporio sur la D 515.

Berceau de la famille Gavini, dont plusieurs membres furent des représentants de la Corse au Parlement.
- L'**église** baroque **Saint-Pierre-et-Paul** (XVIIe s.) renferme un tableau du XVIe s., *La Dérision du Christ*.

La vallée d'Orezza

CARTE P. 259

Elle est tapissée d'une somptueuse forêt d'où jaillissent un grand nombre de sources d'eau ferrugineuse.

■ Campana

Sur la D 71, à l'est de Morosaglia.

Le village est blotti au pied du Monte San Petrone.
- L'**église Saint-André** est surmontée d'un clocher baroque en pierres brutes. À l'intérieur, toile de l'école de Séville, L'*Adoration des bergers*, à rapprocher de celle de Francisco de Zurbaràn (1638) au musée de Grenoble et de celle de son élève (1630) au musée de Cordoue. Au-dessus de la chaire, **tableau** du XVIIe s., *Le Christ mort*.

■ Le couvent d'Orezza

À l'est de Campana, sur la D 71.

En mars et avril 1731, le chanoine Erasmo Orticoni et des théologiens s'y réunissent et examinent la légitimité de la révolte contre Gênes. En janvier 1735, l'avocat Sebastiano Costa, Luigi Giafferi et Giacinto Paoli y votent l'indépendance du royaume et l'adoption d'une Constitution. En 1744, saint Léonard de Porto y prêche une mission contre la vendetta. En 1790, Pasquale Paoli y aurait rencontré Napoléon.
- Sur la gauche, vers Campana, une route mène au pittoresque village de **Campodonico**.

■ Le Monte San Petrone (1 767 m)

3 h en montée, 2 h en descente, depuis Campodonico.

Belvédère remarquable sur les montagnes, depuis les crêtes du cap Corse, du massif de Tenda, jusqu'à la chaîne centrale. Au loin, l'île de Montecristo et les côtes de Toscane.

■ Piedicroce

Ce village-belvédère, resté longtemps un des plus importants de la région, domine le cirque d'Orezza.
- L'**église** baroque **Saint-Pierre-et-Paul**, du XVIIe s., est classée monument historique depuis 1976. Dans la nef aux sept chapelles, décor de fresques et de stucs. Au centre, superbe retable, la *Vierge du Rosaire*, d'Emmanuelle Costantini (1764). Au-dessus du maître-autel, *Madone à l'enfant*, peinture sur bois du XVIe s.

■ Pruno

Tourner à gauche dans la D 506. Après la source de Caldane (à environ 13 km de Piedicroce), à droite dans la D 236 puis à gauche dans la D 36.

C'est un village-sentinelle sur l'autre versant de la vallée. Vestiges d'une chapelle du Xe-XIe s., **Sainte-Marie-de-Canovaria**.

bonne adresse
à Piedicroce

Restaurant *Le Refuge*. ☏ 04 95 35 82 65. Une cuisine de Castagniccia : la qualité et la quantité.

▲ *Magnifique ruine, le couvent d'Orezza fondé par les franciscains est encore marqué des événements importants qui s'y sont déroulés au XVIIIe s.*

► *L'orgue de l'église Saint-Pierre-et-Paul de Piedicroce date du début du XVIIe s. et est l'un des plus anciens de Corse. Ici, le buffet d'orgue.*

Les sources d'Orezza

Elles jaillissent sur les rives du Fium'Alto à 360 m d'altitude. Leur eau ferrugineuse, bicarbonatée, était conseillée pour les dyspepsies, maladies du foie, et pour les convalescences. Elle reçut son autorisation de commercialisation en 1856 et fut déclarée d'utilité publique en 1866. L'établissement thermal qui y est construit a longtemps attiré de nombreux curistes, mais les installations sont abandonnées en 1934.

La vallée d'Alesani

CARTE P. 259

Couverte de châtaigniers, elle domine le grand plan d'eau constitué par le barrage d'Alesani. Une route en corniche sillonne le flanc des montagnes et offre un panorama grandiose sur la plaine orientale. Le nom donné à cette vallée viendrait d'Alexius, Alexis en corse, un saint dont le culte est largement répandu dans cette *pieve*.

Théodore de Neuhoff

L'élection du roi de Corse au couvent d'Alesani fut préparée pendant six jours tandis que les chefs, de leur côté, mettaient en place un projet de Constitution. Ce royaume éphémère ne durera que sept mois. Débarqué sur la plage d'Aléria le 12 mars 1736, ce baron allemand, né à Cologne en 1694, sera rapidement désavoué par ses « sujets ». Il devra reprendre la mer le 11 novembre 1736. Deux ans plus tard, en avril 1738, lorsqu'il revient en Corse à la tête de trois vaisseaux, seuls quelques paysans viennent à sa rencontre. Il rebroussera chemin jusqu'à Naples.

■ Tarrano

À 11,5 km à l'est de Piedicroce, sur la D 71.

La route est étroite et sinueuse en direction du col d'Arcarotta (819 m), qui sépare les vallées d'Orezza et d'Alesani. Elle offre un beau panorama sur le barrage d'Alesani et la mer.
- Dans l'un des hameaux de Tarrano, la **tour de Sorbello**. Un édifice imposant percé de meurtrières, que l'on nomme aussi la tour des Giovannali, secte fondée au XIVe s. et dissoute quelques décennies plus tard.

■ Felce

À 2 km à l'est de Tarrano, sur la D 71.

Le village est constitué de plusieurs hameaux. À voir, la **tour de Poggiale** (XVe s.), où naquit l'historien corse Pietro Cirnéo (1447-1506), auteur de *De rebus corsicis*, l'un des plus anciens ouvrages sur l'histoire de l'île.
- Dans le hameau de **Volgheraccio**, la chapelle restaurée abrite quelques fresques intéressantes. Beau point de vue sur le hameau de **Milaria**, situé sur une crête escarpée.

■ Valle-d'Alesani

À 5,5 km de Felce.

Une succession de hameaux dispersés sur la rive gauche de l'Alesani.

■ L'ancien couvent Saint-François d'Alesani

À l'entrée de Valle-d'Alesani, une route (D 217) conduit sur l'autre versant de la vallée jusqu'à Perelli (à 5 km).

▶ *L'ancien couvent Saint-François d'Alesani abritait jusqu'à ces dernières années le précieux tableau* La Vierge à la cerise, *attribué à Sano di Pietro de Sienne (1406-1481). L'original ayant été transféré par mesure de sécurité, il est aujourd'hui remplacé par une copie.*

▶▶ *Un orgue au couvent Saint-François d'Alesani.*

Niché dans un vallon, il fut fondé en 1236, dix ans après la mort de François d'Assise. Ces bâtiments aujourd'hui abandonnés furent le cadre d'événements importants pour l'histoire de la Corse. C'est ici que, le 15 avril 1736, Théodore de Neuhoff se fit couronner roi de Corse sous le nom de Théodore Ier. L'ensemble plusieurs fois modifié est constitué de bâtiments conventionnels à deux étages, inoccupés depuis 1983. Le cloître et l'église à une seule nef datent de 1736.

La Casinca

CARTE P. 259

Au sud de Bastia, entre la vallée du Golo et le Fium'Alto, cette petite région aux villages vertigineux, dispersés au milieu de châtaigniers, d'oliviers et de vignes, domine la plaine côtière. Terre d'agriculture, c'est aussi une terre de culture, qui a vu naître un grand nombre d'intellectuels, généraux ou hommes politiques.

■ Vescovato

À environ 26 km au sud de Bastia. Suivre la N 193, à Cazamozza (18 km), la N 198 puis, après 2 km, tourner à gauche dans la D 237.

Située entre les deux cités romaines d'Aléria et de Mariana, la ville domine, à 140 m d'altitude, la plaine orientale. Fondée par l'évêque de Mariana au début du XVe s., Vescovato est un siège épiscopal jusqu'en 1570, date à laquelle celui-ci est transféré à Bastia. En mars 1554, Sampiero Corso remporte au nord du village un combat contre les Génois. En 1557 se tient la consulte décidant de l'intégration de la Corse à la couronne de France.

- La ville conserve des témoignages de ses grands hommes : on y trouve la **maison natale** du chroniqueur Filippini (1529-1594), qui écrivit un ensemble de textes publiés en 1827 sous le nom d'*Histoire de Filippini*, et celle du patriote Andrea Ceccaldi, qui dirigea la marche sur Bastia et la prise du fort de Monserrato, première victoire de la révolution corse. D'autres chroniqueurs corses sont originaires de Vescovato, entre autres Matteo Buttafuoco (1731-1806), Pier Antonio Monteggiani (né en 1455) et Marcantonio Ceccaldi (1521-1560).
- L'**église** paroissiale baroque **San Martino**, singulière par ses grandes dimensions, est une ancienne pro-cathédrale, bâtie sur une terrasse et dont le parvis surplombe la ville. À l'intérieur, beaux tabernacle et maître-autel en marbre blanc.
- Trois autres églises sont réparties à travers les ruelles de la ville : l'**église du couvent des Capucins** (XVe s.), la **chapelle** de la **confrérie Sainte-Croix** et la **chapelle romane** dédiée à saint Michel.

◄ *La cité de Vescovato conserve une belle architecture de hautes maisons de schiste, de ruelles en escalier et de passages voûtés.*

Des hommes célèbres séjournèrent à Vescovato. En 1815, Joachim Murat, beau-frère de Napoléon, fuyant la Provence, vint se réfugier chez son ami, le général Franceschetti (1776-1835), qui l'avait servi lorsqu'il était roi de Naples.

▼ *Le tabernacle et le maître-autel en marbre blanc de l'église San Martino de Vescovato sortent de l'atelier du sculpteur sicilien Antonello Gagini (1498-1536), auteur des décorations en marbre du chœur de la cathédrale de Palerme.*

▲ *L'église Sainte-Lucie de Venzolasca.*

Venzolasca

À 2,5 km au sud de Vescovato, sur la D 237.

Le village, construit sur une crête, domine deux vallons et ses hautes maisons se répartissent de part et d'autre de l'unique rue.
- Sur une terrasse, l'**église paroissiale Sainte-Lucie,** d'origine romane, fut transformée au XVIIe s. en église baroque. On retrouve dans son chœur des matériaux romans.
- Au sommet du village subsistent les **ruines d'un couvent** dédié à saint François. Ce fut le plus ancien monastère franciscain de Corse. On dit même que sa construction serait due à saint François lui-même.
- Au nord, **chapelle** consacrée à **sainte Marie** et, au nord-est, chapelle romane en ruine.
- En bordure de la mer Tyrrhénienne, **Venzolasca-Plage** est devenue une cité balnéaire.

Mucchiatana

C'est l'un des premiers terrains acquis en 1982 par le Conservatoire du littoral pour protéger un certain nombre d'espèces végétales gravement menacées, dont un peuplement de genévriers à fruits rouges. Découvert en 1963 par Marcelle Conrad et Toussaint Marchioni et présent sur plus de 4 km de ce littoral, cet arbuste était la victime d'incendies, de défrichement et d'urbanisation. Désormais, ces plantations sont protégées et un sentier serpente sous les genévriers centenaires.

Loreto-di-Casinca

À l'ouest de Venzolasca. Continuer la D 237, puis tourner à droite dans la D 6.

Le village aux belles maisons de schiste s'accroche aux pentes du Monte Sant'Angelo (1 218 m). Ce village-belvédère qui domine la plaine offre de magnifiques points de vue sur Bastia, l'étang de Biguglia, la côte orientale d'Erbalunga jusqu'au Fium'Alto, les îles de l'archipel toscan et par temps clair sur les côtes toscanes.
- Sur la traditionnelle place, entourée de platanes, se trouve l'**église** paroissiale **Saint-André**, de style baroque du XVIIIe s. Dans la sacristie, un ex-voto de 1480.
- Du village, on peut accéder en 2 h de marche aller-retour au sommet du **Monte Sant'Angelo**, qui offre un vaste panorama.

Sorbo-Ocagnano

Regagner la D 237 et continuer la D 6.

Le village est dominé par les ruines d'une chapelle (XIe s.), dédiée à saint Côme et saint Damien. Les maisons et l'église du village conservent une architecture pleine de charme.

L'ancêtre du char d'assaut

Pour aider les Corses insurgés contre Gênes à prendre la tour de San Pellegrino en 1736, Dufour, ingénieur d'artillerie français, va concevoir une immense machine en bois propulsée par 6 hommes et contenant 12 fusiliers. Cette espèce de char devançait toute l'armée. Malheureusement, à l'approche du fort, le char ne résista pas à l'assaut d'une galère génoise, qui fit feu sur lui.

Castellare di Casinca

Sur la D 6.

Ce très vieux village-belvédère, fondé par Opizzo de Cortona de Lumito, évêque de Mariana et seigneur de Vescovato, aurait été édifié à l'emplacement d'un ancien oppidum romain signalé par la carte de Ptolémée. Il conserve de très belles maisons et des passages voûtés.

- L'**église** romane **Saint-Pancrace** abrite les reliques du saint dont elle porte le nom, mort à Rome sous Dioclétien. Le corps du saint, patron des bergers et des bandits, fut offert à l'église par Beppo Limperani.
- À l'ouest du village, **ruines** de l'**église** romane **Santa Margarita**.

Penta-di-Casinca

Revenir à l'embranchement et prendre à gauche la D 206.

Construit sur une arête étroite au-dessus de la plaine, le village s'étire en une longue rue bordée de hautes maisons et de passages voûtés, dans une belle harmonie architecturale qui lui a permis d'être classé et protégé.

- L'**église** paroissiale présente un clocher carré de 1695.
- Le chemin qui mène au cimetière passe sous un aqueduc. Au-dessus de l'arcade, une inscription rappelle en entrant *Oghje a me* (Aujourd'hui à moi), en sortant *Dumane a te* (Demain à toi).

Porri

Rejoindre la D 237, la poursuivre vers le sud et tourner à gauche dans une petite route.

L'église paroissiale est dédiée à saint Nicolas. Belle porte sculptée. Le village conserve un beau lavoir et des fontaines pittoresques.

Le hameau de Folelli

Rejoindre la N 198 et continuer vers le sud.

Situé à l'embouchure du Fium'Alto, c'est ici que les Romains auraient creusé le port de Nicaea.

- À 1 km au nord, la **tour de San Pellegrino**, où se déroula en 1731 la bataille opposant Luigi Giafferi aux mercenaires allemands au service de Gênes.

◄ *L'abside et les deux absidioles de l'église romane Saint-Pancrace de Castellare-di-Casinca.*

▼ *À Loreto-di-Casinca, à gauche de l'église Saint-André, une rue mène à une terrasse où se dresse un campanile de style baroque.*

◄ *Belle porte sculptée de l'église de Penta-di-Casinca.*

La recherche de l'or

En 1554, Castellare-di-Casinca fut encerclé par les troupes génoises. Les habitants, après une courte bataille, réussirent à quitter leur village. Des mercenaires espagnols, au service de Gênes, parviendront à les rattraper et, pensant que les fuyards avaient avalé leur or, leur ouvrirent le ventre.

La montagne corse

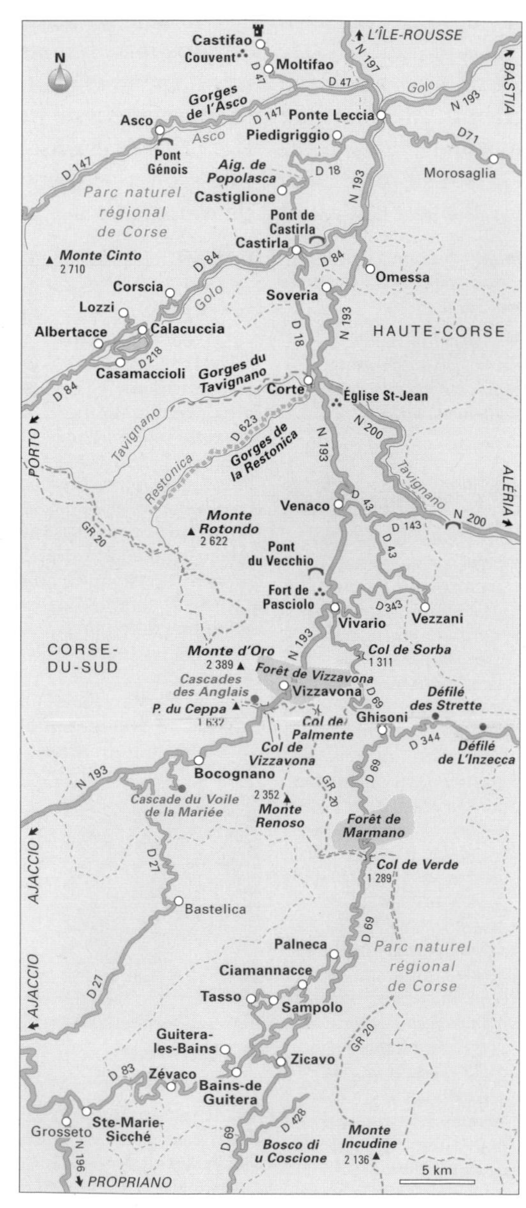

Les hautes montagnes corses offrent des sites d'une beauté spectaculaire. Intégrés au Parc naturel régional, les sommets austères, les vallées sauvages, les gorges grandioses et les forêts sont parcourus de sentiers de randonnées qui en font un paradis pour les amoureux de la nature. Ces régions enclavées ont développé l'agriculture de montagne et l'élevage transhumant. Corte est le centre de cette Corse de l'intérieur.

◀ *Les gorges de l'Asco.*

La vallée de l'Asco

CARTE P. 273

Entourée des plus hautes montagnes de Corse, cette vallée sauvage et grandiose est le domaine rêvé des randonneurs qui partent à l'assaut des hauts sommets d'apparence infranchissable. D'anciens chemins de transhumance permettent de franchir les cols reliant le massif du Cinto, côté sud, et la vallée de l'Asco, côté nord. Ces régions enclavées ont développé une économie spécifique basée sur l'agropastoralisme et l'agriculture de montagne.

■ Asco

Sur la D 147, au nord-ouest de Corte.

► *De ces siècles de repli et d'isolement, Asco a conservé une allure sévère.*

Au pied du **Capo Selolla** (2 273 m), c'est le seul village de la vallée. Environné par cette nature dense et sauvage, Asco ne sera désenclavé par la route qu'en 1937. L'itinéraire actuel accédant aux gorges a été aménagé en 1968. L'isolement a développé chez ces populations une culture spécifique basée sur l'autosuffisance. Un peu de vigne jusqu'à 800 m, du blé aux abords du village, du seigle jusqu'à 1 600 m, du tabac, du lin et du chanvre. Les châtaigniers suffisaient pour la consommation locale. Les Ascais ont également développé une activité artisanale importante. Les femmes tissaient, les hommes produisaient les objets nécessaires à la vie courante : seaux, selles en bois, louches, cuillères. Outre l'élevage, Asco a pendant longtemps tiré des revenus de la production de poix.

- Au-delà du **pont génois** on s'engage dans la **vallée de Pinara**, l'un des principaux confluents de l'Asco. C'est la liaison traditionnelle entre les pays d'Asco et du Niolo, via le **col de Serra Piano**.

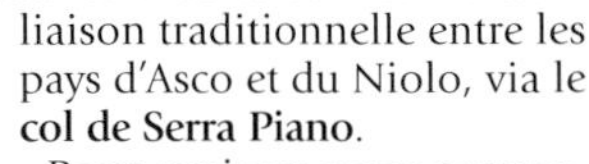

▼ *À la sortie du village d'Asco, cet ancien pont génois enjambe la rivière d'une seule arche.*

- Pour avoir une vue panoramique du **cirque d'Asco**, monter au hameau de **Tribbio**.
- En remontant la vallée par la D 147, on parvient à la **forêt de Carozzica**, malheureusement ravagée par les incendies.

Le sage

Ces villages de montagne furent contraints, par l'isolement, à élaborer des règles particulières de vie communautaire, basées essentiellement sur la solidarité, l'entraide, l'égalité des droits et l'indépendance à l'égard des puissants. Ainsi, la communauté élisait parmi ses membres un sage, qui devait gouverner sans imposer, diriger sans contraindre, exercer son pouvoir en étant à l'écoute de tous. Une forme de démocratie primitive et directe, bien adaptée à cette vie rurale. L'une des ces solidarités s'exprimait notamment dans la chjamata *(l'appel) où chacun apportait son aide aux travaux les plus durs qui ne pouvaient être réalisés qu'en commun.*

■ Haut-Asco

À 13 km au sud-ouest d'Asco sur la D 147.

Sur le plateau de Stagnu, à 1 450 m d'altitude, une station de ski a été implantée. C'est aussi le point de départ favori des alpinistes. Une plaque de bronze rappelle les nombreuses « premières » effectuées entre 1889 et 1904 sur les principaux massifs corses par l'alpiniste Von Cube, dont les notes d'escalade ont contribué à la connaissance de l'Asco.

■ Les gorges de l'Asco

À 5 km à l'est d'Asco.

La D 147 se transforme en D 47 à partir du Vieux Pont; belle vue sur le **massif de Popolasca** à droite de la route. Les ravins qui tombent sur l'Asco portent les noms de Negretto et Logoniello, exprimant la noirceur de ces lieux sombres et sauvages.
- Un sentier à droite mène à la **grotte de Petralbello**, longue de 100 m et profonde de 47 m. On racontait autrefois qu'elle mesurait 50 km de long et communiquait avec une grotte du golfe de Calvi.

▲ *Les gorges de l'Asco, défilé de crêtes rocheuses dépassant souvent 900 m.*

■ Moltifao

À 4 km au nord des gorges de l'Asco. Prendre à gauche la D 647.

Le village s'étage en amphithéâtre sur les hauteurs séparant les vallées de l'Asco et de la Tartagine. Au milieu d'un paysage de vergers et d'oliviers, il a conservé de **belles et vieilles maisons** à arcades avec portes et voûtes sculptées.
- À voir, les **peintures** murales de l'**église** paroissiale **de l'Annonciation** (XVIIe s.). Le chœur est orné d'un retable du XVIe s. Clocher à trois étages du XVIIe s.
- Dans le cimetière, **chapelle romane San Quilico** du IXe s. Au nord, **ruines** du couvent Saint-François, du XVIIe s.
- À proximité, le **village des Tortues** mis en place par le Parc naturel régional de Corse, propose la découverte de la tortue d'Hermann à travers un sentier d'interprétation et divers enclos.

Ouvert en semaine d'avril à fin juin, et septembre. Visites guidées. Le week-end, visite sur rendez-vous pour les groupes. En juillet et août, ouvert tous les jours. Lieu-dit « Tizzarella » ☏ 04 95 47 85 03.

bonne adresse
à Moltifao

Fromage de brebis Polidori. ☏ 04 95 47 80 47. Des fromages vendus frais ou faits, fabriqués avec du lait de brebis traites à la main.

■ Castifao

À 3 km au nord de Moltifao.

Le village se développe en gradins au-dessus de la forêt de Tartagine et conserve une **belle architecture** homogène parfaitement intégrée à son environnement : hautes façades, fours, nombreuses niches et très belles portes. **Église Saint-Nicolas** du XVIIIe s. À l'entrée, le village a conservé sa **tour de Paganosa**.
- À proximité, **ruines** du **couvent San Francescu di Caccia**. Dans le **cimetière**, les nombreuses tombes au nom de *Stuart* intriguent et laissent supposer qu'il s'agit de descendants de mercenaires écossais.

▼ *Le couvent de Caccia, de style gothique, fut édifié en 1510 par des moines franciscains.*

La tortue d'Hermann

Apparue il y a 1 million d'années, la tortue d'Hermann, dernière tortue terrestre française, présente uniquement dans le massif des Maures et en Corse, est en voie de disparition; elle est protégée par la Convention de Washington depuis 1973. Victime des incendies, de l'urbanisation, de la circulation, elle est aujourd'hui l'objet de mesures de repeuplement. Outre son volet pédagogique, le village des Tortues de Moltifao a aussi une vocation d'élevage et de réintroduction de cette espèce dans les endroits aujourd'hui désertés.

CARTE P. 273

À pied dans l'Asco

Les crêtes et sommets de l'Asco offrent de multiples randonnées et excursions à partir de sentiers balisés. Une Corse loin des plages de sable fin, différente et secrète, qui se laisse conquérir par les amoureux de la nature.

▲ *La vallée du Haut-Asco.*

▼ *La Punta Gialba, vue du Haut-Asco.*

■ Excursions au départ d'Asco

Bocca di Laggiarello sur Olmi Cappella (au nord-ouest, 5 h de marche par chemin muletier). Le chemin serpente à travers les collines en passant par les lieux-dits de Poggio, Sant'Angelo, Casa, Calvi, Castellacio. La Bocca di Laggiarello (1 238 m) est dominée à l'est par le **Monte Terello** (1 310 m). Au col, le chemin se divise en deux, celui de gauche descend vers le ruisseau qui dévale du Monte Prado et rejoint une piste qui mène à la **maison forestière de Tartagine**; le chemin de droite serpente aux flancs du Monte Capezzolo, franchit la Tartagine et, à travers les bois de Vallica, atteint Olmi-Cappella.

- Le **Monte Padro** (au nord-ouest, à 6 h 30 d'Asco) est un remarquable belvédère sur L'Île-Rousse et la mer au nord, sur le Monte Cinto au sud. D'Asco, suivre la route du Haut-Asco sur 1,5 km. La route franchit un ravin par un petit pont ; 200 m après, passé le contre-virage, s'amorce un sentier. En 3 h on atteint les **bergeries d'Entrata**. Rejoindre le torrent, remonter la rive gauche jusqu'à la sortie de la forêt. Se diriger ensuite vers les éboulis à droite et les escaliers ; on parvient au sommet du **Monte Padro** (2 393 m) en 40 mn.

- **Bocca di a Ondella sur Tartagine** (au nord-ouest, 7 h de marche, du refuge à la maison forestière de Tartagine). D'Asco, emprunter la route du Haut-Asco sur 6,5 km jusqu'à l'ancien refuge Giunte. Remonter le vallon de Tassinella, jusqu'à la **bergerie de Villini** (1 272 m). Au-delà, vers le nord, un vallon latéral conduit à la Bocca di a Ondella (1 855 m), ouverte entre le Monte Corona (2 143 m) à l'ouest et la Cima di la Statoghia (2 143 m) à l'est. Du col, descendre un vallon au nord pour atteindre l'extrémité sud-ouest de la

Le miel de l'Asco

La région est depuis longtemps réputée pour son miel. Jaune et doux au printemps, plus foncé en automne, mais toujours riche en saveurs. Il est le fruit des nectars variés de toutes les fleurs sauvages et rares qui poussent dans les prairies d'altitude. Tout cela en fait un miel d'un goût et d'une qualité inégalables.

forêt de Tartagine que l'on traverse en longeant le ruisseau. On atteint la maison forestière.

- D'**Asco à Calacuccia par la Bocca di Serra Piana** (au sud, 8 h 15 de marche). À la sortie d'Asco vers le Haut-Asco, une route se détache à gauche, vers le vieux pont génois qui enjambe la rivière. Traversant le pont, on remonte sur la rive droite, le vallon d'un affluent, le Pinnera. En 1 h 40, on atteint la **bergerie de Misaïdi** et en 1 h 30, la **bergerie de Pinnera** (941 m). On continue de remonter le ruisseau jusqu'à la Bocca di Serra Piana (1 846 m). De là, on redescend sur la **bergerie de la Menta** et la **bergerie du Caracuto**. Poursuivre la descente sur la rive droite jusqu'au vallon de Rudda puis s'écarter sur la droite pour franchir un chaînon et redescendre sur **Corscia et Calacuccia**.

▲ *Les monts qui entourent le Cinto sont une succession de crêtes, frontières naturelles que les chemins ancestraux permettaient de franchir.*

■ Excursions au départ de Haut-Asco

La Mufrella sur Bonifato (au nord-ouest, au moins 8 h). C'est l'itinéraire du GR 20, le plus couramment utilisé pour se rendre du Haut-Asco au cirque de Bonifato. On passe par **la Bocca a Culaja**, puis au pied de la **Mufrella** pour redescendre sur la **Spasimata** et le **cirque de Bonifato**.

- L'**ascension du Monte Cinto** (2 706 m, au sud-est, 6 h à la montée, 4 h à la descente) peut se faire au départ du **refuge de Giunte**. L'itinéraire suit sur 400 m la piste de la rive droite, puis à gauche le sentier vers les **bergeries de Manica** (1 326 m), où il faut passer le torrent pour retrouver le sentier de la rive gauche. Au sortir de la forêt, la montée se fait au milieu des éboulis. On atteint le petit lac d'Argento, au pied de la muraille abrupte du Cinto, puis en 4 h 15, on atteint le **col de Borba** (2 309 m).

- Si l'on part de la station du **Haut-Asco**, on prendra le chemin qui s'amorce au dernier pont sur le Stransciacone. On remonte le long de la rive droite du torrent et, en prenant à gauche, on gagne le cirque de Trimbolaccio. On atteint la gorge qui descend du col de Borba, en 4 h. Passé le col, il faut monter à gauche dans un vaste pierrier jusqu'à l'arête et passer le versant opposé, par lequel on atteint le sommet du **Monte Cinto** (2 710 m). D'ici, le panorama est immense : au sud, le Monte Rotondo, derrière, le Monte d'Oro, puis le Monte Renoso, l'Incudine, les montagnes de Sartène et, par temps clair, les cimes de la Sardaigne ; au sud-ouest, le Capo di Muro et une partie du golfe d'Ajaccio, les golfes de Sagone et de Porto ; au nord, Calvi, entre deux baies. Les masses du Monte Padro et du Monte Grosso cachent la Balagne et L'Île-Rousse, mais au-delà apparaissent Saint-Florent et le cap Corse. À l'est, le San Petrone cache la plaine orientale.

- Du Monte Cinto, descente en 5 h sur Calacuccia.

▲ *Les pentes de l'Asco sont parsemées de ruches.*

Corte et le Cortenais

CARTE P. 273

Office du tourisme : la citadelle. ☏ 04 95 46 26 70.

Gare ferroviaire : ☏ 04 95 46 00 97.

Maison d'information du Parc régional : Casa Pastureccia, à Riventosa à 8 km de Corte sur la N 193. ☏ 04 95 47 05 30.

Au cœur de l'île, Corte fut pendant des siècles un carrefour naturel au centre d'une zone de montagnes et de gorges. Cette situation allait la prédestiner à devenir un haut lieu de l'histoire de la Corse. Une puissante citadelle accrochée au roc, une succession de hautes maisons de pierres massées le long de vieilles rues étroites, Corte résume à elle seule l'architecture traditionnelle des villes corses.

▲▲ *Campée sur son éperon rocheux, dominée par sa citadelle, imposante et majestueuse, Corte conserve les marques de son passé.*

▲ *Un café, à Corte.*

Une ville convoitée

Des vestiges témoignent de l'occupation du site par les Romains et les Maures. Place forte dès le IXe s., elle est conquise au XIIIe s. par les Génois et devient le chef-lieu d'une de leurs provinces. À mi-distance entre Ajaccio et Bastia, Corte est une étape nécessaire entre l'En-Deçà et l'Au-Delà-des-Monts. En 1411, Vincentello d'Istria, comte de Cinarca et vice-roi de Corse s'en empare. Un an plus tard, il fait édifier la citadelle, sur la crête étroite d'un rocher. Après un bref retour dans le giron de la Sérénissime et la chute d'Istria, Corte se rend à Sampiero Corso avant d'être restituée aux Génois par le traité de Cateau-Cambrésis (1559). Elle restera génoise pendant deux siècles.

La capitale de la Corse indépendante

Au début du XVIIIe s., les révoltes se succèdent contre le pouvoir absolu de Gênes. C'est dans ce contexte que Gaffori, général de la nation, rend son indépendance à la ville en 1751. Quatre ans plus tard, Pasquale Paoli en fait le siège du gouvernement de la Corse indépendante. Il y créé, en 1765, une université qui doit former les cadres nécessaires à la jeune nation. Des franciscains enseignent la théologie, le droit, la médecine et les mathématiques. Après la défaite de Ponte Nuovo, le 9 mai 1769, Paoli se repli sur Corte. Malgré sa résistance, la cité devra se rendre aux Français ; son université sera fermée.

Une ville de garnison et un centre agricole

Corte conserve sa position stratégique et est choisie comme ville de garnison. À l'emplacement d'une partie de la haute ville qui sera détruite, une caserne est implantée sous le règne de Louis XVI. Cultivateurs, bergers, artisans-drapiers et meuniers animent l'activité économique. Devenue sous-préfecture, la ville concentre des activités tertiaires. Un collège en partie financé par des fonds légués par Paoli y est créé en 1837. Plus tard, ce sera un lycée, puis au XXe s., un centre de promotion sociale, créé avec l'appui et l'approbation de l'État, pour former des jeunes aux activités agricoles et artisanales.

Le renouveau universitaire

Faute d'établissements supérieurs, la majorité des jeunes Corses partait étudier sur le continent. Ainsi, dès les années 1960, la question de la réouverture de l'université comme élément déterminant de l'aménagement du territoire fut posée. Ce n'est qu'en 1981 que la faculté de Corte rouvre. Elle compte aujourd'hui plus de 3 500 étudiants et a véritablement marqué le renouveau de la ville. Elle a permis la création de centres de recherches consacrés à l'agroalimentaire, à l'environnement et à la valorisation des ressources marines. L'ensemble de ces structures universitaires et scientifiques concourt à la valorisation des produits et des ressources de l'île.

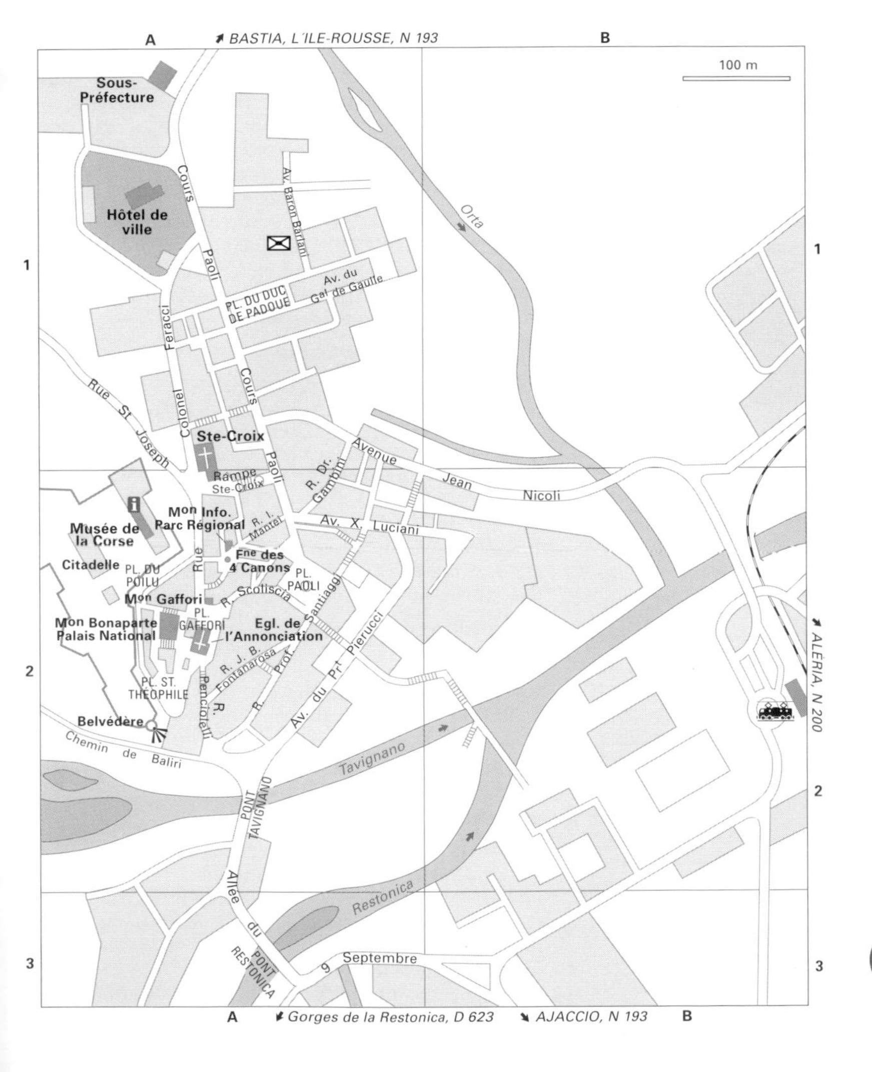

▷ La ville

Au cœur d'une région montagneuse

L'ouverture du musée de la Corse dans l'enceinte de la citadelle et des anciens bâtiments de la caserne Serrurier a replacé la ville au centre de l'île. Située dans un site grandiose, elle est tout naturellement le point de départ idéal pour découvrir les somptueuses vallées de la Restonica et du Tavignano.

bonnes adresses

Restaurant *A Scudella*. 2, place Pascal-Paoli. ☏ 04 95 46 25 31. Un endroit bien connu des Cortenois. Spécialités corses.
***Pâtisserie Casanova*.** 6, cours Paoli. ☏ 04 95 46 00 79. Parmi les spécialités à ne pas manquer, les *falculleli*, le gâteau « Pascal Paoli » ou les *migliacci*.

▲ *La fontaine des Quatre-Canons et son obélisque.*

■ La citadelle

PLAN A2

Elle représente le symbole de la longue vocation militaire de Corte. Protégée par de puissants remparts à la Vauban, elle pouvait abriter une garnison assiégée pendant plusieurs mois. Édifiée en plusieurs parties, elle conserve du premier bastion construit par Vincentello d'Istria en 1420, le niveau supérieur accroché à cet éperon rocheux. De ce belvédère, **vue panoramique** sur la vieille ville, les vallées du Tavignano et de la Restonica. Occupée par la légion étrangère jusqu'en 1983, elle abrite désormais le FRAC (Fonds régional d'art contemporain) et le musée de la Corse

■ Le musée de la Corse

Dans la caserne Serrurier. PLAN A2

Ouvert du 2 novembre au 31 mars de 10 h à 17 h 45 sauf les dimanches, lundis et jours fériés. Du 1er avril au 21 juin, ouvert de 10 h à 17 h 45 tous les jours sauf le lundi. Du 22 juin au 21 septembre, ouvert tous les jours de 10 h à 20 h. Du 22 septembre au 31 octobre, de 10 h à 17 h 45 sauf les dimanches, lundis et jours fériés. ☏ 04 95 45 25 45.

Installé dans un édifice néo-classique du milieu du XIXe s., le musée propose une découverte de la Corse traditionnelle à travers la société, l'économie et la culture.

■ La place du Poilu

PLAN A2

Face à l'entrée de la citadelle, c'est dans l'une de ses maisons, au n° 1, qu'est né Arrighi de Casanova (1778). Charles Bonaparte et Laetitia Ramolino, y ont résidé, donnant naissance ici à leur fils aîné, Joseph (1768-1844), futur roi de Naples et d'Espagne.

■ Le Palais national

Ce bâtiment massif à deux étages était le Palazzo della Signoria, où siégeait le lieutenant génois. Paoli y installa un conseil d'État, ainsi que sa propre résidence, sur le côté sud du premier étage. En 1765, il fut le siège de la première université de Corte. Il abrite le Centre de recherches corse de l'université.

- Le **couvent Saint-Joseph**, en pierres sèches, surplombe l'esplanade dédiée à saint Théophile de Corte.

Saint Théophile

Fondateur du couvent de Saint-François d'Ampriani (1731 ; appelé aussi couvent de Zuani), Biagio de Signori, qui a pris pour sa communauté le nom de Théophile, obtient du duc de Wurtemberg, lors de l'intervention autrichienne (1732) que Corte soit épargnée. Une toile de l'église raconte cet épisode. Théophile meurt en odeur de sainteté au couvent de Fucecchio, en Italie, le 19 mai 1740. Il sera déclaré bienheureux le 19 janvier 1896 et canonisé par le pape Pie XI le 29 juin 1930.

L'église de l'Annonciation

Place Gaffori. PLAN A2

Elle est avec la citadelle l'un des plus vieux bâtiments de la ville. Édifiée en 1450, elle fut agrandie et remaniée au XVIIe s.
- À l'intérieur, **crucifix** du XVIIe s., belle **chaire** en bois sculpté du XVIIIe s. et meuble de sacristie (XVIIIe s.) provenant de l'ancien couvent des Franciscains.

La place Gaffori

PLAN A2

En face de l'église de l'Annonciation s'élève la **maison Gaffori**. La façade porte encore les traces d'un mitraillage de la garnison génoise en septembre 1745.
- La **rue du Colonel-Ferracci** permet de rejoindre la ville basse.

La chapelle Sainte-Croix

PLAN A2

La chapelle de confrérie date du XVIIe s. Elle présente une façade maniériste à deux étages, marquée de pilastres sous un fronton à décrochement et un petit clocher.
- À l'intérieur, pavement de marbre gris de la Restonica. La nef unique offre d'intéressants effets de trompe-l'œil. Beau **retable** baroque.
- Au-dessus de l'autel, médaillon en relief de la **Vierge de l'Apocalypse** avec à sa droite deux papes et à sa gauche deux pénitents en cagoule. Orgue à l'italienne; beaux **panneaux** peints du garde-corps.
- La chapelle est le point de départ de la procession des pénitents, la Granitola, le jeudi saint.

Le cours Paoli

PLAN A1-A2

Bordée de hautes maisons de commerces, de restaurants et de terrasses, l'artère principale de la ville s'élève progressivement jusqu'à la place Paoli.
- Au centre, la statue de bronze du *Babbu di a Patria*, de Victor Huguenin, fut érigée en 1854 grâce à une souscription publique.

La place du Duc-de-Padoue

PLAN A1

Sculpture en bronze du général Arrighi de Casanova, duc de Padoue, exécutée par Bartholdi, auteur de la célèbre statue de la Liberté de New York.
- En direction d'Ajaccio par la N 193, après le Tavignano et la Restonica, voir le **couvent Saint-François** (XVe s.) pour son clocher triangulaire unique en Europe à cette époque.

◄ *L'église de l'Annonciation domine le quartier de son haut campanile.*

▲ *Sur la place Gaffori, le bronze de Gaffori, érigé en 1910 (œuvre d'Aldebert), est posé sur un socle orné de bas-reliefs illustrant le courage du général et de son épouse Faustina.*

▲ *La porte sculptée de la chapelle Sainte-Croix.*

Festival des arts sonnés, début mai : spectacles de rue, concerts, théâtre.
Cavall'in Festa, début juin : foire régionale et rurale, le rendez-vous de la filière équine.

Les environs de Corte

CARTE P. 273

Le Tavignano et la Restonica ont creusé des gorges sauvages. Un paysage dans lequel s'exprime une nature abondante où les châtaigniers, les pins maritimes et laricio s'accrochent aux roches creusées par les deux rivières.

▲ *Née dans le massif du Rotondo à 1 711 m d'altitude, la Restonica a creusé sur son passage de profondes gorges. Ce torrent impétueux se brise parfois au milieu de gros blocs de rochers, formant de petits bassins aux eaux limpides.*

Le sapin

Arbre secret, le sapin aime la fraîcheur des versants à l'ombre, qu'il colonise discrètement. La rencontre d'un sapin est chose rare en Corse, d'autant que son exploitation intensive a considérablement limité son existence dans l'île. Cherchant la fraîcheur des vallons encaissés, il est apprécié par les espèces sauvages qui profitent d'une ombre bienfaisante, d'autant que l'espèce descend parfois très bas, au-dessous de 800 m d'altitude.

■ Les gorges de la Restonica

À 15 km au sud-ouest de Corte par la D 623.

Fleuron du Parc naturel régional, la vallée de la Restonica, classée depuis 1966 et inscrite aux programmes des « grands sites nationaux » depuis 1985, est sans conteste l'un des hauts lieux touristiques de la Corse.
- Sillonnant entre la **Punta di Zurmulu** (936 m) et la **Punta di u Corbo** (802 m), une route encadrée de crêtes de roches dorées remonte sur une quinzaine de kilomètres jusqu'aux **bergeries de Grotelle** (1 375 m). Au-delà, un **sentier balisé** permet d'accéder aux **lacs de Melo et de Capitello**.

■ Les gorges du Tavignano

À 13 km à l'ouest de Corte. Au départ de Corte, face à la chapelle Sainte-Croix, 4 h 30 de marche.

Le **sentier** suit le cours de la rivière pour atteindre et contourner le promontoire rocheux de la **Punta Finosa** (1 855 m), recouvert par les pins laricio de la forêt du Tavignano. Ce parcours offre des vues plongeantes sur les gorges formées par la rivière avant de redescendre et de franchir le Tavignano par une passerelle en bois. Un sentier donne accès au **lac de Nino**. À droite, le sentier de la Bocca à l'Arinella mène au **barrage de Calacuccia.**
- Sur le plateau d'Alzo, aux **bergeries de Cappellaccia**, un phénomène étonnant se déroule chaque année : entre le 26 et le 27 juillet, à 19 h, le soleil disparaît derrière le sommet du Tafonato pour réapparaître quelques instants plus tard à travers le trou béant creusé dans les parois.
- Le sentier qui descend le long d'une arête, offrant des vues splendides, rejoint la Restonica.

■ Le Monte Rotondo (2 262 m)

À 20 km au sud de Corte. De petites difficultés vers le sommet. 5 h à la montée, 4 h à la descente.

Avec ses lacs et sa flore alpine, c'est l'un des sommets les plus agréables de l'île. Pour avoir une meilleure impression de cet environnement et du panorama que l'on y découvre, il est préférable de l'aborder au lever du soleil.
- Il est possible de coucher aux **bergeries de Timozzo** ou de camper à l'abri de gros blocs rocheux près du **lac di l'Oriente**.
- En voiture, après 11,8 km, la D 623 permet d'accéder

à un sentier qui conduit au torrent de Timozzo. Avant de le franchir, prendre à droite un chemin muletier. En 1 h 30, on atteint les **bergeries de Timozzo** (1 520 m). Au-delà, on continue de remonter le torrent. Un autre sentier permet d'éviter les bergeries et conduit vers une région couverte d'aulnes en suivant l'épaulement de la montagne.

- Vers 1 600 m, on rejoint le **torrent de Timozzo** au moment où se forme une cascade. Vers 1920 m, jaillit au milieu d'aulnes nains la **fontaine de Triggione** ; vue sur la **cascade de Timozzo** tombant dans le réservoir du **lac di l'Oriente**. Ce lac offre un panorama superbe sur le Rotondo au sud ; au nord, la vallée du Rimozzo ; vers l'est, la vallée de la Restonica dominée à l'ouest par les grandes crêtes du Capo u Chiostro (2 295 m). En poursuivant, on parvient à la base des murailles du Rotondo, où un couloir conduit au petit **col de Rio Secco**. Gravir un énorme rocher formant verrou, passer sur la face sud, une escalade de quelques dizaines de mètres conduit au sommet. **Vaste panorama** sur l'île, la mer, la Sardaigne ; au nord, le Monte Cinto barre l'horizon.

- Au pied du sommet, au **lac du Monte Rotondo**, près du refuge de Pietra-Piana, on peut rejoindre le **GR 20** et gagner Vivario ou Vizzavona par la vallée du Manganello.

▲ *Flanquée d'un baptistère d'époque préromane, l'intéressante basilique San Giovanni Battista, servait de pro-cathédrale.*

■ San Giovanni Battista

À 2,5 km à l'est de Corte. Sortir de Corte par la route d'Aléria, 1,5 km après la gare prendre à droite un chemin de terre sur 800 m.

Des trois nefs à cinq travées de l'**église**, il subsiste l'abside à bandes murales surmontées d'arcs, où des briques romaines ont été remployées. Remarquez la voûte en cul-de-four de l'abside, montée en encorbellement.

- De plan tréflé, le **baptistère** montre un appareil plus soigné. L'ensemble construit au début du IXe s. fut abandonné au cours du XVIe s.

- À 100 m en contrebas, on verra les **ruines** d'une sorte de maison forte de plan rectangulaire.

▲ *Les deux absides jumelles de l'ancienne église romane Santa Mariona sont voûtées en cul-de-four et percées d'une meurtrière.*

■ L'église Santa Mariona

À 1 km au nord de Corte par la N 193.

Les **ruines** laissent deviner deux absides juxtaposées. Cette architecture particulière est à rapprocher de celle de Santa Cristina de Valle di Campoloro.

- Aux alentours, des **vestiges** d'habitats romains et médiévaux ont été découverts.

▷ Au nord de Corte

CARTE P. 273

Façonné par les deux fleuves du Tavignano et du Golo, le paysage révèle, au détour de coteaux recouverts de maquis et de landes, de vastes terrasses sur lesquelles abris et murs de pierres sèches témoignent de l'activité agricole. Une route relie ces montagnes du centre à Bastia. Une voie de chemin de fer et ses modestes stations desservent les villages installés bien plus haut sur les pentes.

▲ *Un Christ en majesté entouré des apôtres orne l'abside de la chapelle San Michele de Castirla.*

► *Bâti au sommet d'un éperon rocheux, au-dessus de la vallée du Golo, Castiglione est dominé par les roches rouges des aiguilles de Popolasca.*

■ Bocca d'Ominanda

Sortir de Corte par la N 193, après le pont de l'Orta, prendre à gauche la D 18.

C'est un col ouvert entre les vallées du Tavignano et du Golo. Vue sur le bassin de Corte et la haute vallée du Vecchio au sud-est.

■ Castirla

Continuer sur la D 18. À environ 16 km de Corte.

Entouré de deux puissants sommets, le Monte Agaru (1 641 m) et le Monte Pinerole (1 951 m), le village accroché à flanc de coteaux offre de très **belles vues** sur la montagne de Popolasca et conserve un très beau **pont génois** à trois arches, dit « Pont-du-diable ».
- Dans le cimetière, 1 km plus loin, vestiges de la **chapelle** préromane **San Michele**. Classée monument historique, elle conserve une fresque du XVe s. d'inspiration populaire.

■ Castiglione

Poursuivre sur la D 18 puis à gauche sur la D 118.

Il conserve l'architecture de ces villages de montagne aux hautes maisons groupées autour de l'église. Il occuperait l'emplacement d'un oppidum préromain cité par Ptolémée. Point de départ de nombreuses excursions et escalades.

▲ *Le massif de Popolasca, sans doute la moins connue des régions montagneuses corses, reste un paradis inexploré pour le randonneur ou l'alpiniste.*

■ Popolasca

Reprendre la D 18 à gauche.

Bâti sur une crête, le village conserve des voûtes et porches intéressants. **Église** paroissiale d'aspect fortifié à haut clocher baroque.
- À voir, la vaste **grotte naturelle** aménagée en salle des fêtes.

■ Les aiguilles de Popolasca

Déchiquetées, en granit rouge, elles sont souvent comparées à celles de Bavella. Mais ce massif, pourtant lieu

de multiples randonnées, ne bénéficie pas du même enthousiasme touristique que d'autres sites de la région.
- À partir du Niolo, on peut découvrir les anciennes **sources** thermales de **Vetta di Muro**.
- De Popolasca, un chemin muletier traverse la vallée et monte droit au nord, au **col de San Pancrazio** (596 m), pour redescendre dans la vallée de l'Asco, qu'il atteint au **pont de Molandino**.

■ Piedigriggio

Poursuivre sur la D 18 puis à gauche la D 418.

Village étagé au milieu de cultures en terrasses, il conserve dans des ruelles étroites, de **belles maisons** de pierres avec voûtes et porches.
- L'église paroissiale du XVIe s., plusieurs fois remaniée, abrite de belles **orgues** et une statue de saint Michel.

▲ *Le clocher baroque de l'église Saint-André (XVe s.) domine les maisons qui forment une sorte d'enceinte.*

■ Ponte Leccia

Reprendre la D 18 puis la N 193 à gauche. À environ 27,5 km de Corte par la D 18.

Au carrefour du réseau routier et ferroviaire de l'île, cette plaque tournante dessert les stations balnéaires de la côte nord. Ponte Leccia est l'une des portes d'accès de la Castagniccia et de la vallée de l'Asco.

■ Omessa

À environ 12 km de Ponte Leccia. Suivre la N 193 en direction de Corte et tourner à gauche dans la D 818.

Dominant la vallée du Golo, les hautes maisons du village à contrefort conservent de belles **portes sculptées**. Elles sont massées autour d'une place aux platanes séculaires dominée par l'**église Saint-André** (XVe s.). À l'intérieur, intéressantes toiles italiennes. Une inscription sur l'église rappelle qu'Omessa est la patrie des trois évêques Colonna, « qui combattirent sans cesse pour le bien de la Corse »; ils reposent dans l'église.
- Près de la fontaine, la **chapelle de l'Annonciade** conserve une belle **statue** en marbre de la Vierge à l'Enfant (XVe s.), de style Renaissance; joufflu, les cheveux en désordre, l'Enfant à l'oiseau rappelle le style de Donatello.
- **Ruines** du **château de Bellevue**, ancien couvent des Récollets (XVIIe s.) où se tenaient les réunions politiques appelées *vedute*.

■ Sovéria

Reprendre la N 193 en direction de Corte, puis à droite la D 41.

Ce village de caractère présente une partie haute perchée au milieu des vignes et des vergers, et une partie basse serrée autour de l'église baroque bien restaurée avec son haut clocher à arcades. Il a conservé sa belle architecture, tout en escaliers et en voûtes.

▲ *Sovéria est une merveille d'unité et d'harmonie.*

Gare ferroviaire de Corte :
☏ 04 95 46 00 97.
Chemins de fer de la Corse :
rue de la Gare à Bastia.
☏ 04 95 32 80 57.

▲ *Le petit train de L'Île-Rousse-Calvi suit la côte.*

▲ *Pour l'enchantement des enfants, la visite de Corte peut se faire dans l'U Trenu.*

Objet de passions et âme du pays

À divers époques, cette ligne a été l'objet de polémiques inspirant les créateurs de chansons populaires, comme celle en 1888, de Maria Felice Marchetti, Canzona di u treni di Bastia. *Quelques dizaines d'années plus tard, d'autres textes, notamment de* l'Orsu d'Orezza *(l'Ours d'Orezza), annonceront la mort du train remplacé par les voitures, qu'il appelle les « oiseaux sans ailes ». Trop lent, trop vieux, le petit train a bien failli disparaître, faute de rentabilité.*

Le petit train corse

On le surnomme familièrement le TGV – traduisez le « Train à Grandes Vibrations » – ou U Trinichellu, le « Tremblotin ». Un petit train plus que centenaire qui fut longtemps l'un des principaux moyens de transport des habitants de ces villages hauts perchés dans la montagne et qui offre aujourd'hui un moyen de découverte insolite de ce pays.

■ Une voie à travers la montagne

Mis en service le 1er février 1888, le petit train a profondément modifié le paysage et les habitudes de l'île, dont les voies d'accès étaient principalement des chemins muletiers. Ce projet ambitieux nécessita la construction de 43 tunnels et de ponts pour franchir les torrents, rivières et ravins qui façonnent la Corse centrale. Leur construction, comme celle du viaduc du Vecchio, qui enjambe le torrent à 100 m de hauteur, fit appel aux prouesses techniques les plus audacieuses.

■ Un outil touristique

Aujourd'hui, devenu objet de patrimoine et administré depuis 1983 par la SNCF, le Trinichellu parcourt obstinément les 232 km de voies de son réseau. Au rythme des modestes gares qui émaillent son chemin, il emmène le voyageur à travers des paysages grandioses et inaccessibles. À 50 km/h, ce train unique offre un point de vue sur les ravins vertigineux, les modestes hameaux lovés au creux de profondes vallées ou les plages de la Balagne. Cette découverte de la Corse de l'intérieur laisse au voyageur un souvenir impérissable.

■ Sur les chemins de traverse

- **De Bastia à Ponte Leccia**, après la plaine qui rappelle celle de la côte orientale, le train parvient au pied de Borgo avant de s'engager vers les premiers contreforts de la montagne et de pénétrer dans la vallée du Golo.
- **De Ponte Leccia à Corte**, le paysage dominé par les premières pentes du Monte Cinto réserve de magnifiques points de vue sur les villages bâtis sur les coteaux.
- **De Corte à Bocognano**, peut-être l'un des plus beaux parcours de cette ligne. Le train s'enroule autour de la montagne et franchit de vastes ouvrages, dont le viaduc du Vecchio, avant de s'enfoncer dans la forêt de Vizzavona, à 1 000 m d'altitude.
- **De Bocognano à Ajaccio**, la voie suit la vallée de la Gravona, franchit quelques torrents et rivières avant de rejoindre les plages du golfe d'Ajaccio.

Le Niolo

CARTE P. 273

Office du tourisme de Calacuccia : route de Cuccia. ☎ 04 95 48 05 22.

Au centre des hautes et majestueuses montagnes de Corse, le Niolo constitue une région à part, enclavée. Elle abrite les forêts les plus belles, elle est traversée par le fleuve le plus long, le Golo, ses sommets lui ont donné les villages les plus hauts et son isolement lui a conservé les traditions les plus anciennes.

La Scala di Santa Regina

De Corte, prendre la D 18 vers le nord, puis à gauche la D 84.

L'architecte qui créa cette brèche aux parois abruptes (près de 500 m) dans un accès de colère serait le diable. La Vierge, appelée par saint Martin, adoucit le relief en faisant basculer de larges pierres formant un escalier. De cette légende, il garde le nom : la Scala di Santa Régina.

◀ *La Scala unit tous les Niolins dans une égale dévotion le 8 septembre.*

▲ *Défilé sauvage, taillé dans le granit rouge, la Scala di Santa Regina, longtemps unique accès aux villages du Niolo, offre un décor époustouflant.*

Calacuccia

Sur la D 84.

Entourée de hautes montagnes à 830 m d'altitude, c'est la capitale du Niolo. Belles **maisons à escalier** extérieur.
- L'**église Saint-Pierre-et-Paul** abrite un Christ en bois à l'expression poignante donnée par une stylisation outrancière.
- Le **couvent Saint-François**, à 1 km à l'ouest, fut fondé en 1600. Le 25 juin 1774, en pleine période d'insurrection contre les armées de Louis XV, le général Sionville fit pendre aux châtaigniers du couvent onze paysans ; le plus jeune d'entre eux avait quinze ans.
- En contrebas du village, couvrant 130 ha, le **barrage de Calacuccia** irrigue la plaine orientale de Marana à Casinca, ainsi que le district urbain de Bastia.

Hébergement possible au couvent Saint-François : ☎ 04 95 48 00 11.

Casamaccioli

Prendre à gauche la D 218.

Niché au bord du lac de Calacuccia, le village réserve une belle vue sur le massif du Cinto. L'**église** de la Nativité abrite un Saint-Roch en bois sculpté.
- **Lozzi** et **Poggio** sont typiques avec leurs vieilles maisons plantées au hasard ou alignées sur un éperon.
- **Albertacce** conserve de **belles maisons** du XVIIe s. et s'orne d'une **fontaine** en galet incrustée de mosaïque.

La forêt de Valdo Niello

C'est la plus importante de Corse. À 11 km, à Funtana di u Chiarasgiu (1 129 m), se détache à gauche le sentier de la **Bocca di San Petro**. Après 16 km, **maison de Ciattarinu**. Au-delà, la route croise le GR 20.

Des hommes blonds au teint clair

Isolé dans son cirque de montagnes, le Niolo passe pour être l'une des vallées les plus corses de la Corse. La nécessité de tirer « le sang des pierres » pour survivre a forgé une population fortement individualisée. À côté d'un type d'hommes proche du Berbère, on trouve des individus grands et blonds au teint clair et aux yeux bleus. Dès lors, la question se pose : seraient-ils les derniers descendants des tout premiers habitants de la Corse ?

Le Venacais

CARTE P. 273

Peuplé de châtaigniers, pins laricio, hêtres ou sapins, le pays prête le flanc de ses coteaux à des villages perchés en belvédère. Percé de multiples sentiers, le Venacais est une terre de découvertes et de rencontres avec cette société qui a gardé maints témoignages de son passé agropastoral.

► *Lugo, village en éperon.*

Mouflons de Corse

*La population de cet animal de petite taille (65 à 75 cm) a considérablement diminué en Corse, passant de 4000 en 1900 à un millier à peine aujourd'hui. Victime de la chasse, du froid, des activités humaines et de son faible taux de reproduction, le mouflon bénéficie depuis 1965 d'un arrêté visant à sa protection dans le cadre du Parc naturel régional et en particulier dans le parc de Varghello, les massifs de Bavella et du Monte Cinto. Munis de solides cornes qui permettent de déterminer son âge, le mouflon se nourrit suivant les saisons d'*Arba muvrella *(herbe à mouflons), de fleurs en été ou bien de fruits mûrs en hiver (arbouses). C'est à l'aube et au crépuscule qu'on a le plus de chances de l'apercevoir. Pour l'observer, patience et silence sont de mise. Doté d'une vue et d'un odorat exceptionnels, il s'enfuit en poussant un chuintement aigu dès qu'il sent une présence étrangère.*

■ Venaco

À 11,5 km au sud de Corte par la N 193.

Dominé par le Monte Cardo, au milieu de prairies et de châtaigniers, le village est étagé à flanc de montagne, à 560 m d'altitude, et offre un beau **panorama** sur la vallée du Tavignano, la vallée du Vecchio et les monts du Bozio. Vieilles **maisons** traditionnelles, voûtes et porches intéressants. Depuis la terrasse de l'**église** paroissiale **Saint-Michel**, de style baroque, on peut contempler un très beau panorama. La région est réputée pour ses excellents fromages de brebis.

- Au hameau de **Lugo**, l'église paroissiale présente un clocher campanile et une belle **porte sculptée**. À l'intérieur, **chemin de croix**, œuvre d'artisans de Balagne.
- Au sud-ouest de Venaco, le **Parc de Varghello** a pour mission d'assurer la protection et la réintroduction du mouflon.

■ Le pont du Vecchio

Poursuivre la N 193.

Gustave Eiffel réalisa ici un viaduc à trois travées solidaires, longues de 44 m, posées sur des piliers à 80 m au-dessus du vide. L'ouvrage fut achevé le 8 septembre 1893, et classé monument historique le 20 juillet 1976.

■ Le fort de Pasciolo

En direction du col de Serra par la N 193, par un chemin sur la droite, 1 km avant Vivario.

Le chemin d'accès offre des vues superbes sur les **gorges du Vecchio**. Construit par les Français en 1770, sur la colline de l'Arabie Pétrée, et complémentaire de celui de Vizzanova, il faisait partie de la ligne de défense intérieure.

- Au **col de la Serra**, belle vue sur la **vallée de Verjello**, dont les sommets de la rive gauche dominent Venaco, et sur le Monte d'Oro qui s'inscrit dans le paysage en direction du sud-ouest.

Vivario

Planté à mi-côte au-dessus d'un cirque rocheux de la vallée du Vecchio, ce village aux hautes et anciennes **maisons** est massé autour de la place principale, sur laquelle trône une **fontaine** surmontée de Diane.
- Ce site enchanteur, devenu station climatique, offre de nombreuses possibilités de **randonnées**. En hiver on peut y pratiquer le ski de fond.

▼ *Les trois grandes forêts de Sorba à l'est, de Vizzavona au sud et de Cervello à l'ouest font à Vivario un magnifique collier végétal.*

Le col de Sorba

À Vivario, prendre la D 69.

À 1 300 m, il fait partie des plus hauts cols de l'île et offre par temps clair une vue magnifique sur la vallée du Vecchio, le **Monte d'Oro** et les défilés des **Strette** et de l'**Inzecca**.

Ghisoni

Sur la D 69.

Bâti au fond d'une profonde vallée enserrée par les denses forêts de Marmano et de Sorba, le village paraît écrasé par les masses montagneuses des cols de Verde et de Sorba.
- Au sud-est, se dressent les escarpements du Christe Eleison (1 260 m), du Kyrie Eleison (1 535 m).

▼ *Le pont du Vecchio est un pont routier formé d'une arche de pierre unique (1825-1827) et dominé par le grand viaduc métallique du chemin de fer.*

Les défilés des Strette et de l'Inzecca

Tourner à gauche dans la D 344.

Ils ont été creusés et façonnés par le Fium'Orbo, qui conserve ici la violence d'un torrent. Ses eaux ont ouvert dans la serpentine verte un défilé aux escarpements et pentes abruptes, faisant naître des gorges dominées par les aiguilles du Christe Eleison et du Kyrie Eleison.

Vezzani

Tourner à gauche dans la D 344À et poursuivre par la D 343.

Ce gros village de montagne, bâti à 800 m d'altitude au-dessus d'un cirque verdoyant, conserve de **belles maisons** anciennes avec portes sculptées.
- Le village était autrefois réputé pour son exploitation des pommes de pin dont on recueillait les pignons ; en effet, leurs graines étaient recherchées sur le continent et en Europe à des fins de reboisement des forêts.
- À la sortie du village, ancienne mine de cuivre aujourd'hui désaffectée.
- La D 343 s'engage ensuite dans la **forêt de Sorba** et passe devant la **fontaine de Padula**, blottie dans un amphithéâtre de pins laricio.
- Au **col de Morello**, vaste **panorama** sur la vallée du Vecchio, le Monte Cardo et les montagnes du Cortenais.
- La D 343 rejoint la D 43 et Venaco d'où l'on peut reprendre la N 193 pour retourner à Corte.

▲ *L'église de l'Annonciation à Vezzani, de style baroque, a une belle façade en moellons de schiste et des niches surmontées de volutes.*

La région de Vizzavona

C'est le royaume de la forêt qui offre au regard les silhouettes de ses pins laricio mêlés au feuillage clair des hêtres. « La couleur ne meurt pas dans les forêts. Quand elle tombe des branches, elle laisse à découvert, elle exalte en mourant la magnificence des colonnades de fûts qui montent ou qui descendent. J'ai vu dans cette forêt de Vizzavona, des jeunes arbres transparents au soleil et veinés comme des agates. » (René Bazin).

CARTE P. 273
Gare de Vizzavona : ☏ 04 95 47 21 02.

► *Le col de Vizzavona (1 163 m) offre une vue superbe sur le bassin du Tavignano. La Gravona prend sa source immédiatement au-dessous du col et se jette dans le golfe d'Ajaccio.*

Le Monte Rotondo par la vallée du Manganello

De Vizzavona, suivre la N 193 en direction de Corte. Prendre à gauche une route qui conduit au hameau de Canaglia. Un chemin remonte la vallée du Manganello à travers la forêt de Cervello. La vallée bifurque à 4 km environ en amont de Canaglia. En remontant à droite la gorge du Manganello on atteint le GR 20. À droite, il conduit aux bergeries de Tolla (abri possible), et va rejoindre le chemin de la Bocca Tribali. Pour le Rotondo, on suivra ce dernier pendant quelques minutes avant d'obliquer à gauche et monter vers les bergeries de Muraccioli.

■ La Foce

À 3 km au sud de Vizzavona par la N 193. 45 mn à pied depuis Vizzavona.

Le hameau fait partie de la petite station de Vizzavona. On y accède par le **chemin des Ponts** qui se détache derrière l'hôtel de la Forêt, près d'une petite chapelle. Franchir le pont sur le Fulminato, le chemin forestier traverse ensuite l'Agnone et longe la rivière (tracé du GR 20).

- De La Foce par la route nationale, se diriger vers le col de Vizzavona, puis à gauche vers une bergerie pour rejoindre la crête formée de gros rochers superposés. Ils évoquent une statue de la Madone, c'est la **Madonnuccia**. La vue s'étend sur toute la vallée de la Gravona, les contreforts sud du Monte d'Oro et le Sant'Eliseo.

■ Le fort de Vizzavona

Le sentier s'ouvre en face de l'hôtel du Monte d'Oro. On parvient à une ancienne forteresse génoise construite sur les débris d'une moraine glaciaire. Le **fort**, en ruine, domine le col. Au-delà, la vue s'étend sur la vallée de la Gravona.

■ La cascade des Anglais

À 45 mn au sud-ouest de Vizzavona.

Emprunter le chemin des Ponts en laissant à gauche celui qui monte à La Foce et continuer par le GR 20. La cascade se trouve dans un site solitaire et sauvage.

■ Le belvédère et la Punta di u Ceppa

50 mn pour le belvédère, 1 h 30 jusqu'à la Punta di u Ceppa, excursion facile.

À partir du col de Vizzavona, prendre le chemin qui se dirige au nord-ouest vers la **bergerie** et la **fontaine du Vitullo**, puis monter directement vers la **Punta alla Corbajola** ou belvédère.

◄ *Au début du printemps, le crocus fait son apparition dans les sous-bois.*

- Du belvédère de la Punta di u Ceppa, suivre les crêtes qui s'abaissent en pente douce jusqu'à l'embranchement à droite d'un sentier descendant aux **bergeries de Tortetto**, près du GR 20. Il remonte ensuite, de plus en plus raide, jusqu'à un amas rocheux. La **Punta di u Ceppa** (1 632 m) offre un vaste **panorama** allant au-delà de la vallée de la Gravona.

■ Le Monte d'Oro

Au départ de Vizzavona, 5 h à la montée, 3 h 30 à la descente; l'excursion demande une bonne condition physique et l'habitude de la montagne.

Prendre le chemin qui s'amorce sur la D 523, à 300 m de la gare de Vizzavona. Après les **bergeries** de **Puzzatelli**, le sentier atteint un gigantesque escalier creusé dans le roc, qui monte à une plate-forme dominée par le cône terminal du Monte d'Oro. À 2 389 m, le sommet révèle un vaste panorama sur Ajaccio et son golfe. Au nord-est, le Monte Cinto, le Monte Rotondo ; à l'ouest, la mer de Toscane et ses îles et au fond la côte italienne; au sud, les principaux sommets de Sardaigne.

■ Le Monte Rotondo

Accessible à partir des gorges de la Restonica ou au départ de Vizzavona par la vallée de Varghello et la Bocca Tribali.

L'itinéraire (5 h) débute au **pont du Vecchio** sur la N 193 en direction de Corte. 300 m après le pont, prendre à gauche la route qui s'élève à travers la **forêt de Cervello**. La route contourne la bergerie de Puzzatello, passe sous celle de Solibello et s'arrête au bord du torrent qui se traverse à gué. Monter vers les **bergeries de Porcile**, poursuivre par un sentier en lacet vers celles de **Gialghello**. À travers des pâturages, le chemin gagne **la Bocca Tribali** (1 590 m). Deux chemins partent vers le col, l'un vers la droite pour le Rotondo, l'autre pour la Bocca Manganello.

- Pour **le Rotondo**, on emprunte le chemin de droite qui atteint en palier les **bergeries de Muracciolì**. Le sentier se poursuit pour se perdre près du ravin du Monte Rotondo. Par une série de grandes dalles, en laissant à droite une arête crénelée, on traverse une prairie parsemée de petits lacs avant d'atteindre le grand lac du Monte Rotondo (**lac de Bettaniella**; 2 231 m) à 1 h 45 des bergeries. À droite du lac, un couloir assez large (est-nord-est, puis nord) permet de gagner en 1 h la ligne de crête et le sommet du Monte Rotondo (2 622 m).

Le Monte d'Oro doit son nom aux mille ruisselets qui inondent ses faces abruptes dès que l'orage éclate. Les premiers rayons du soleil les font briller, le parant d'une étrange couleur.

▲ *Le massif du Rotondo présente un relief accusé, qui en fait l'une des montagnes les plus attrayantes de Corse.*

La Bocca Palmento

Belle promenade à travers la forêt de Vizzavona et les massifs de pins qui s'étendent sur le versant de Ghisoni. Partir de la N 193 à 200 m au-dessous de la maison forestière de Vizzavona. Suivre le balisage du GR 20 : on gagne la Bocca Palmento (1 645 m), qui offre un panorama sur le Monte d'Oro et le Monte Renoso. Redescendre sur les bergeries d'Alzeta (1 560 m) ; plus loin on abandonne le GR 20 pour suivre à gauche le chemin des bergeries de Cardo qui rejoint la route de Ghisoni (à 5 km).

La haute vallée du Taravo

CARTE P. 273

Maison d'information du Parc régional de Corse : 2, rue du Sergent Casalonga 20184 Ajaccio. ☏ 04 95 51 79 00.

Elle porte le nom de la rivière qui l'a formée et qui se jette dans le golfe du Valinco, encadrée par une série de sommets culminant à 2 044 m avec la Punta di a Capella. Dans son ensemble, la vallée du Taravo forme une unité, alliance du littoral aux hivers doux et de la montagne aux étés frais ayant permis à une société agropastorale de s'épanouir très tôt.

▲ *La vallée du Taravo.*

■ Zicavo

À une centaine de km au sud de Corte.

Dans un environnement de montagnes couvertes de hêtres et de châtaigniers, le village est étagé à 700 m d'altitude, au-dessus du vallon du Pincione, affluent du Taravo. Des linteaux décorés, des niches ou des rosaces que l'on note sur certaines façades de maisons marquent la personnalité architecturale des lieux.

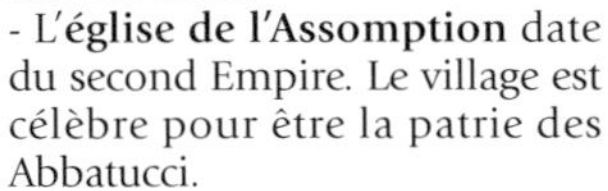

- L'**église de l'Assomption** date du second Empire. Le village est célèbre pour être la patrie des Abbatucci.
- Longtemps à l'écart des flux touristiques, Zicavo est aujourd'hui un centre d'excursions et de ski de fond, notamment vers le Coscione et l'Incudine.

► *Dans ce « pays de la pierre », le village de Zicavo s'est constitué un habitat particulier fait de solides et austères maisons de granit, parfois bâties à même le roc.*

■ Le Monte Incudine

Au sud-est de Zicavo. 22 km en voiture puis 2 h 15 à pied.

Intégré au Parc régional, ce sommet qui culmine à 2 136 m offre un panorama exceptionnel sur le sud de l'île. À partir de Zicavo, trois itinéraires en permettent l'ascension.
- Le premier (5 h), débute à droite à la sortie du village sur la route du col de Verde et va rejoindre le GR 20.

Le Monte Incudine doit son nom à un rocher très caractéristique en forme d'enclume *(incudine)*, situé sur son arête faîtière.

Vampires de la nuit

*L'imagination populaire ne fait pas de Zicavo un village de tout repos ! La nuit, il est hanté par de mauvais génies (*agramanti*, du nom d'Agramante, guerrier sarrasin des récits chevaleresques italiens), dont les femmes se protégeaient naguère en dormant une serpe ou une faucille à leur côté. Les petits enfants étaient menacés par des sorcières (*streghe*) qui leur suçaient le sang comme des vampires. Quant aux voyageurs isolés, des revenants (*acciaccatori*) leur défonçaient le crâne.*

▲ *Le Parc naturel régional de la Corse a fait aménager tout un réseau de sentiers fléchés balisés en orange.*

- Le second, à gauche sur la route de la Bocca di a Vaccia, à la sortie de Zicavo (6 h) retrouve également le GR20.
- Le troisième, long de 22 km, dont 12 en mauvaise route forestière carrossable. Sortir de Zicavo par la route de la Bocca di a Vaccio, 10 km plus loin, dans un virage à gauche, prendre la route forestière de la forêt domaniale de Coscione. Après 17 km, tourner à droite pour la **chapelle San Pietro** ou à gauche pour le **Monte Incudine**. La route réserve quelques passages à gué. À 22 km, on parvient aux **bergeries de Cavallara**. On poursuit à pied jusqu'au ruisseau de **Monte Tignoso** et l'on rejoint le GR 20. Après avoir traversé des bois de hêtres, on atteint une nouvelle crête d'où l'on voit le sommet de l'Incudine (2 128 m), surmonté d'une croix. On l'atteint en 2 h 15. De là, **vaste panorama** sur la mer et les aiguilles de Bavella.

■ Zevaco

Poursuivre la D 83 et tourner à droite dans une petite route.

Le hameau est dispersé sur une crête. Dans l'église est enterré Jean Come Poggi, chambellan de Napoléon à l'Île d'Elbe.
- À proximité, le site préhistorique de **Palaja e Truboli** présente, sur 4 ha, des restes d'habitat datés du IIe millénaire avant J.-C.

■ Santa Maria Siché

À environ 27,5 km au sud-ouest de Zivaco, sur la D 83.

C'est dans la haute maison du XVe s., située dans le bas du vieux bourg, qu'est née Vannina d'Ornano, la femme du capitaine Sampiero Corso, qui périra étranglée par son mari. Sampiero fit bâtir en 1554 la maison dont on voit encore les ruines aujourd'hui dans le hameau de Vico. Une inscription et un buste honorent sa mémoire.

■ Le tour du Haut Taravo

Le Parc naturel régional de la Corse propose une grande boucle à faire à pied dans le Haut Taravo en cinq jours avec gîte d'étape.
- En voiture : à partir de Zicavo en direction de Cozzano, la D 69 mène au col de Verde (21 km). C'est l'un des principaux passages de la Corse centrale, entre les vallées du Fium'Orbo et du Taravo. Depuis le col, on peut atteindre le **plateau de Prati** en suivant pendant 2 h le GR 20, vers l'est. On peut découvrir les villages de l'intérieur du haut Taravo en redescendant la D 69 vers le sud. Après 15 km, prendre à droite la D 28 qui conduit à **Palneca**, puis **Ciamannacce**, qui conserve une statue-menhir féminine. On passe ensuite par Sampolo et Tasso.

▼ *L'ensemble de hameaux qui constituent Santa Maria Siché, située à 500 m d'altitude, est le berceau de la puissante famille d'Ornano.*

Giacomo Abbatucci

Né le 7 septembre 1723, Giacomo Pietro Abbatucci passe pour avoir symbolisé le particularisme et l'esprit d'indépendance des Zivacais. Fils d'un officier de l'armée vénitienne, il fut élu lieutenant général des milices des quatre pieve *en 1753, lors de la consulta de Petreto, qui réunissait les représentants de l'Ornano, de l'Istria, de la Rocca et du Taravo. Un antagonisme se développa entre lui et Paoli, alors élu général de la Nation en 1755. Ce n'est qu'en 1765, après l'envoi de troupes à Zicavo qu'Abbatucci accepta de se soumettre avant de s'embarquer pour Livourne puis Venise. De retour en Corse, réconcilié avec Paoli, il fut nommé commandant des provinces du sud. Après la défaite de Ponte Nuovo et le départ en exil de Paoli, il fit allégeance au roi de France et fut élu député des États de Corse en 1770. Quatre ans plus tard, il refusa de prendre la tête d'une expédition punitive ordonnée contre le Fium'Orbo en état d'insurrection. Il mourut en 1813, à l'âge de 90 ans.*

CARTE P. 273

Maison d'information du Parc régional de Corse, 2 rue du Sergent Casalonga 20184 Ajaccio. ☏ 04 95 51 79 00. Internet www.parc-naturel-corse.com. Des topoguides décrivent en détail l'ensemble des étapes du GR 20.

La maison du GR 20, mairie de Calenzana. ☏ 0495 62 87 78.

Le GR 20

C'est la voie quasi mythique, considérée comme l'une des plus belles randonnées d'Europe. De la mer Tyrrhénienne à la Méditerranée, il mène aux paysages grandioses d'une Corse majestueuse, secrète et sauvage. Un parcours de près de 200 km, parfois difficile malgré ses aménagements, conduit, à travers des sommets culminant parfois à 2 000 m, de Calenzana, près de Calvi, à Conca, au-dessus de Porto-Vecchio.

■ Un parcours de haute montagne

Créé en 1972, ce chemin, balisé de rouge et de blanc, est praticable de la mi-juin à début novembre. Il n'est pas rare en fin de printemps de rencontrer de la neige en altitude. Ce sentier, qui totalise sur l'ensemble de sa longueur près de 10 000 m de dénivelé, est avant tout un parcours de haute montagne qui nécessite un bon entraînement et une bonne condition physique. Le chemin est rocailleux, souvent escarpé. Ainsi, dans sa partie nord, le GR 20 franchit les massifs du Cinto et du Retondo. Ponctués d'étapes de 6 à 8 h de marche, les 200 km du GR 20 peuvent être couverts en une quinzaine de jours... sans tenir compte des périodes de repos et de ravitaillement. Emprunté l'hiver, le GR 20 devient un itinéraire de randonnée alpine, qui s'adresse à des skieurs confirmés, capables d'utiliser dans des conditions parfois difficiles le matériel d'alpinisme (piolets, crampons, cordes et broches à glace).

▲ *Millepertuis en fleur.*

Outre une bonne condition physique, il est nécessaire de prévoir un bon équipement : des vêtements chauds mais aussi des vêtements légers et de bonnes chaussures de montagne.

■ Les grandes étapes du GR 20

Des navettes quotidiennes assurent la liaison des points de départ et d'arrivée (Calenzana et Conca) au littoral. Le reste de l'année, il est possible de s'y rendre en taxi : Calvi-Calenzana (20 mn), en juin, départ au collège de Calvi à 17 h 30 les lundis, mardis, jeudis et vendredis. À 12 h 30 le samedi. Du 1er juillet au 15 septembre, départs à 14 h et 19 h, place de la Porteuse d'eau (gare). Conca-Porto-Vecchio, départ au gîte d'étape de Conca. ☏ 04 95 71 46 55.

De Calenzana à Ortu di U Piobbu (6 h 15) : une étape marquée par un très fort dénivelé de plus de 1 500 m et qui réserve de magnifiques vues sur la Balagne.

- **D'Ortu di U Piobbu à Carrozzu** (6 h 30) : c'est l'un des parcours les plus sportifs, fait de montées raides et de descentes abruptes.

- **De Carrozzu à Ascu Stagnu** (6 h 30) : plus de 800 m

▲ *Le GR 20 est plutôt un parcours de printemps et d'été.*

de dénivelé séparent le refuge de Carrozzu (1 270 m) de la Bocca di Stagnu (2 010 m). Quelques passages en crête et sur des voies munies de câbles donnent à cette étape un caractère sportif ; belles vues sur le golfe de Porto et Scandola.
- **D'Ascu Stagno à Tighjettu** (7 h) : une étape longue et sans point d'eau avec un dénivelé de quelque 900 m.
- **De Tighjettu à Ciottulu à i Mori** (3 h 45) : le refuge est en balcon sur la vallée du Golo et l'on peut, à partir d'ici, tenter l'ascension du Capu Tafunatu (3 h aller-retour) ou celle du Paglia Orba (4 h aller-retour).
- **De Ciottulu a I Mori à Manganu** (8 h) : une étape au milieu d'une végétation dense.
- **De Manganu à Petra Pina** (6 h 30) : c'est l'une des plus hautes étapes du parcours ; superbes passages de crêtes. Du refuge, on peut entreprendre l'ascension du Monte Rotondo (2 h 30).
- **De Petra Piano à l'Onda** (4 h 45) : ce parcours qui présente deux variantes, l'une par la vallée, plus longue d'une heure, l'autre plus courte, mais plus sportive, par la crête.
- **De l'Onda à Vizzavona** (6 h 30) : elle affiche le plus fort dénivelé négatif avec 1 221 m. Passage à la cascade des Anglais.
- **De Vizzavona à E Capannelle** (5 h) : au milieu de grandes forêts ; belles sources.
- **De E Capannelle à Prati** (6 h 15) : un sentier au milieu des alpages mène à la ligne de partage des eaux, entre le bassin de la côte orientale, du Fium'Orbo et celui de la côte occidentale du Taravo.
- **De Prati à Usciolu** (5 h 15) : un passage en crête sur la ligne de partage des eaux.
- **De Usciolu à Asinau** (7 h) : une étape variée, de passages en crêtes en descentes en fond de vallées ; fort dénivelé négatif de plus de 1 000 m.
- **D'Asinau à I Paliri** (6 h 30) : plusieurs possibilités s'offrent au randonneur, l'une d'entre elles, à travers les aiguilles de Bavella, propose un parcours plus sportif.
- **De I Paliri à Conca** (5 h) : une descente en pente douce qui met un terme à cette vaste course à travers la montagne de Corse.

▲ *Certains sentiers offrent de magnifiques points de vue sur le littoral.*

Avis aux randonneurs

À partir de 1800 m d'altitude, levez-vous de bonne heure et profitez de la matinée pour avancer votre journée de marche. Les nuages commencent à s'amonceler autour des sommets vers 11 h du matin et il n'est pas rare qu'un orage éclate en début d'après-midi. Les torrents grossissent très vite et deviennent parfois infranchissables.

◄ *Les randonnées permettent de découvrir la beauté sauvage de la Corse.*

En savoir plus

SOMMAIRE

AOC ▲

L'appellation d'origine contrôlée est attribuée à un produit spécifique, lié à un terroir strictement déterminé et dont les conditions de production sont définies. Elle relève de l'Institut national des Appellations d'origine, lui-même sous la tutelle des ministères de l'Agriculture et des Finances. Les AOC concernent trois secteurs : les produits viticoles (51 % de la production française est en AOC), les produits laitiers et les produits agroalimentaires.

BARACCONI

→ encadré p. 227.

BROCCIU ►

Fromage blanc à base de lait de chèvre ou de brebis. Il bénéficie d'une appellation d'origine contrôlée depuis juin 1998. La saison du brocciu frais s'étend d'octobre à juin, mais il est meilleur de novembre à avril, son taux de matière grasse diminuant à mesure que le pâturage décline.

CALANCHE ►

Crique du littoral méditerranéen bordée de falaises. Les Calanche marquent le lit d'une ancienne rivière, creusée lors de la baisse du niveau des océans, il y a des millions d'années.

CANISTRELLI ▼

Petits gâteaux secs aux amandes et aux noisettes, parfumés à l'anis.

COURS

Avenue tracée pour la promenade et le passage des carrosses : le cours Paoli à Corte et le cours Napoléon à Porto-Vecchio.

COPPA ▼

Provient de l'échine du porc roulée et ficelée grossièrement pour en faire un bloc compact.

LES PRINCIPAUX ÉLÉMENTS D'ARCHITECTURE ►

La voussure (1) est une voûte qui couvre l'embrasure

d'une baie. Le tympan (2) est la partie pleine, souvent couverte de motifs sculptés, située sous la voussure ; c'est ainsi que l'on nomme aussi l'espace triangulaire d'un fronton (3). Le trumeau (4) est un élément de maçonnerie pleine situé entre deux baies ou deux portes. Le piédroit (5) est la partie verticale sur laquelle repose la voussure. Un gâble (6) est un élément triangulaire qui coiffe une baie ou un portail. Un pinacle est une petite pyramide ou un cône qui surmonte un contrefort.

EX-VOTO
Objet ou inscription placé dans un sanctuaire en remerciement d'un vœu exaucé. Il peut s'agir de tableaux ou maquettes de navires offerts par les marins sauvés d'un naufrage ou d'une tempête.

FIADONE
Gâteau corse traditionnel à base de brocciu, d'œufs frais et de sucre.

FIGATELLI
Saucisses de foie que l'on peut déguster froides et tranchées. Les figatelli sont encore meilleures lorsqu'elles sont braisées.

GASTRONOMIE ▼
Les spécialités sont multiples : au rayon sucré, canistrelli, finucietti (biscuits durs et anisés), ambruciatta (tarte-

lette au brocciu), falculelli (brocciu sucré cuit sur une feuille de châtaignier)... Dans le registre salé : anchiulatta (chausson fourré aux oignons), marbitata (aux blettes), cuzucatta (à la courge)...

LINTEAU
Partie supérieure de l'encadrement d'une ouverture : poutre de bois, de pierre ou de métal.

LONZU
Comparable à la coppa par sa forme et par sa taille, le lonzu provient du filet. Il est assaisonné au poivre, ce qui lui donne un goût plus relevé.

PIN LARICIO ▼
→ encadré p. 14.

PLAN D'UNE ÉGLISE ▼
Le porche (1) est l'espace couvert placé devant l'édifice. La

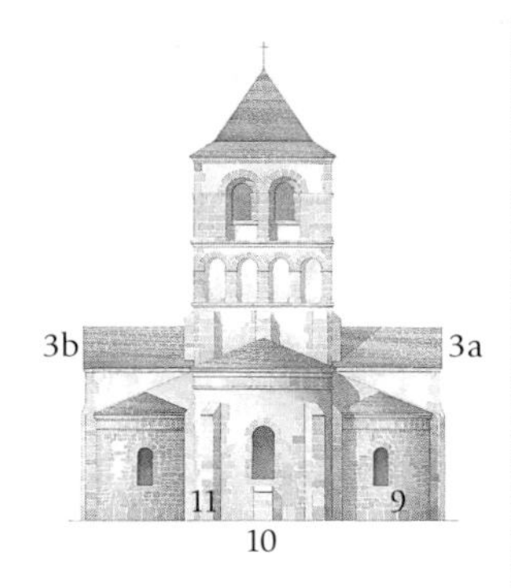

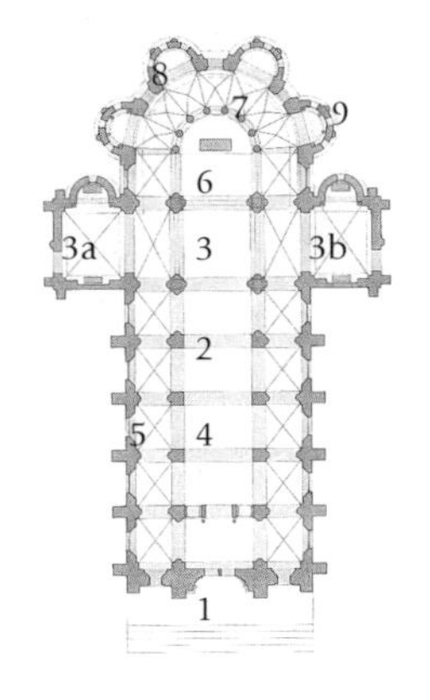

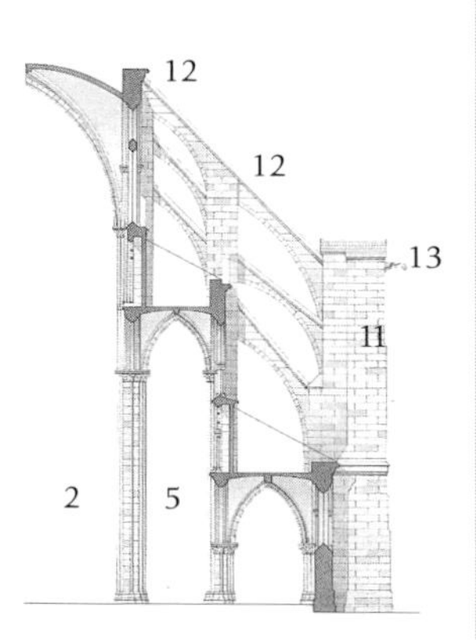

nef (**2**) est la partie centrale du bâtiment, de l'entrée à la croisée du transept (**3**). Le transept est le vaisseau transversal à la nef qui dessine les bras de la croix ; on appelle « bras nord » et « bras sud » les éléments du transept situés de part et d'autre de la croisée (**3a, 3b**). Une travée (**4**) est une portion de la nef comprise entre quatre piliers. Le bas-côté (ou collatéral ; **5**) est un vaisseau parallèle à la nef. Le chœur (**6**) est la partie de l'église réservée au clergé, où se déroule la liturgie. Le déambulatoire (**7**) est un vaisseau qui tourne autour du chœur et sur lequel s'ouvrent des chapelles rayonnantes (ou absidioles ; **8**). On appelle abside (**9**) l'ensemble constitué par le chœur, le déambulatoire et les chapelles rayonnantes ; à l'extérieur, cette partie s'appelle le chevet (**10**). Le contrefort (**11**) est un massif de maçonnerie appliqué contre un mur afin de le renforcer. Les voûtes exerçant une très forte poussée sur les murs, les architectes ont mis au point, pour la neutraliser, un système d'arcs-boutants (**12**). La gargouille (**13**) sert à l'écoulement des eaux de pluie.

POLYPTYQUE
Tableau d'autel à plusieurs volets.

POZZINE ▶
Tourbières marécageuses remarquables au printemps, au moment de la débâcle (fonte des neiges).
→ encadré p. 13.

PULENDA
Bouillie solide, composée d'eau, d'un peu de sel et de farine de châtaignes tamisée.

RETABLE ▶

Panneau vertical richement sculpté, orné ou peint, qui surmonte l'autel.

SALSICCIA

Saucisson pauvre en graisse et riche en viande. On le déguste à l'apéritif.

TEGHJE

→ Comprendre p. 107.

TRIPTYQUE ◀

Peinture ou sculpture composée d'un panneau central et de deux volets mobiles.

VENTS ▼

L'île est soumise à des vents venant de toutes les directions : la tramontane est un vent du nord hivernal, sain mais violent, sec et glacial, le grecale apporte la pluie en hiver, le levante est humide, le sirocco venu d'Afrique est chargé de poussière, le libeccio apporte la pluie en hiver, le ponente est relativement doux et le maestrale ou provinzia peut être très violent l'été, humide et froid l'hiver. À ceux-ci s'ajoutent le mezudiornu ou marinu, brise de mer qui souffle l'été entre 10 h et 16 h et le terranu une brise de terre, nocturne.

VOÛTE D'OGIVES ▶

L'ogive (1) est la nervure d'une voûte gothique ; la voûte d'ogives est constituée de deux ogives qui se recoupent à la clé de voûte (2). L'arc doubleau (3) sépare deux voûtes d'ogives. Le voûtain (4) est la partie pleine délimitée par les ogives et l'arc doubleau. Ce type de voûtes représente une innovation capitale des architectes du XIIe siècle ; ogives et voûtains pouvant être montés séparément, l'ensemble du bâtiment gagnait alors en poids et en élasticité.

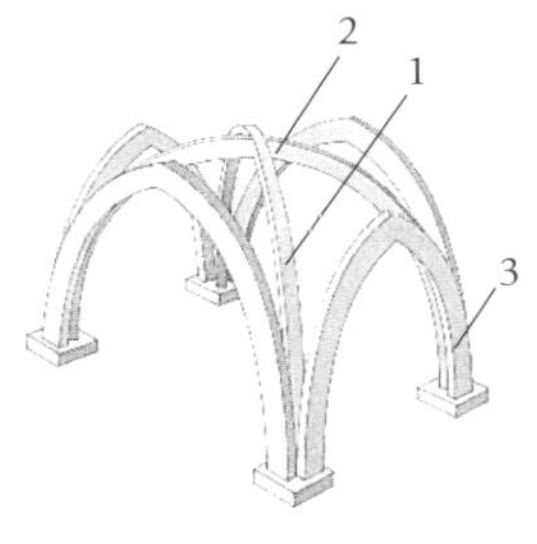

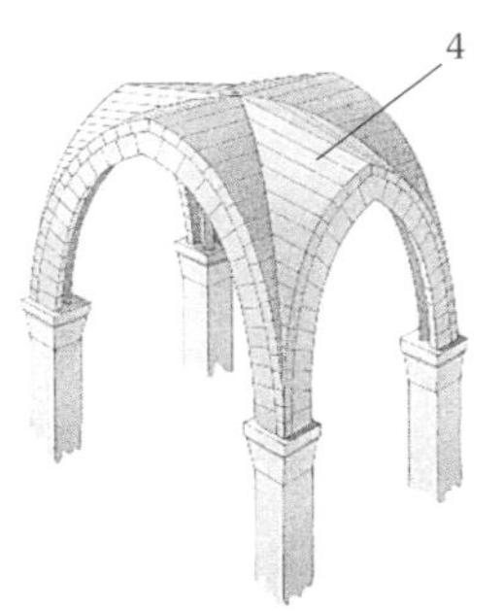

Index

Achevé d'imprimer par Clerc s.a. à Saint-Amand-Montrond
dépôt légal : 10231 - AVRIL 2001
ISBN : 2-01-243429-0
24.3429.8/01